CAMINHO DA LIBERDADE

Slavomir Rawicz

CAMINHO DA LIBERDADE

Tradução de
Ricardo Gomes Quintana

EDITORA RECORD
RIO DE JANEIRO • SÃO PAULO

2011

CIP-BRASIL. CATALOGAÇÃO-NA-FONTE
SINDICATO NACIONAL DOS EDITORES DE LIVROS, RJ.

R212L

Rawicz, Slavomir, 1915-2004
Caminho da liberdade / Slamovir Rawicz; tradução: Ricardo Gomes Quintana. – Rio de Janeiro: Record, 2011.

Tradução de: The long walk
ISBN 978-85-01-08945-8

1. Rawicz, Slavomir, 1915-2004. 2. Guerra Mundial, 1939-1945 – Prisioneiros e prisões russas. 3. Guerra Mundial, 1939-1945 – Narrativas pessoais polonesas. 4. Prisioneiros de guerra – Polônia – Biografia. 5. Prisioneiros de guerra – Sibéria (Rússia) – Biografia. 6. Prisioneiros de guerra – Fugas – Sibéria (Rússia). I. Título.

10-6428

CDD: 940.547247
CDU: 94(100)(47)

TÍTULO ORIGINAL EM INGLÊS:
The Long Walk

Editoração eletrônica: editoriarte

Texto revisado segundo o novo Acordo Ortográfico da Língua Portuguesa.

Direitos exclusivos de publicação em língua portuguesa somente para o Brasil adquiridos pela
EDITORA RECORD LTDA.
Rua Argentina, 171 – Rio de Janeiro, RJ – 20921-380 – Tel.: 2585-2000
que se reserva a propriedade literária desta tradução.

Impresso no Brasil

ISBN 978-85-01-08945-8

CÓPIA NÃO AUTORIZADA É CRIME
ABDR
ASSOCIAÇÃO BRASILEIRA DE DIREITOS REPROGRÁFICOS
RESPEITE O DIREITO AUTORAL
EDITORA AFILIADA

Seja um leitor preferencial Record.
Cadastre-se e receba informações sobre nossos lançamentos e nossas promoções.

Atendimento e venda direta ao leitor:
mdireto@record.com.br ou (21) 2585-2002.

Slavomir Rawicz reconhece sua dívida para
com Ronald Downing, que o ajudou a escrever este livro.

Sumário

REPÚBLICA SOCIALISTA FEDERATIVA SOVIÉTICA DA RÚSSIA

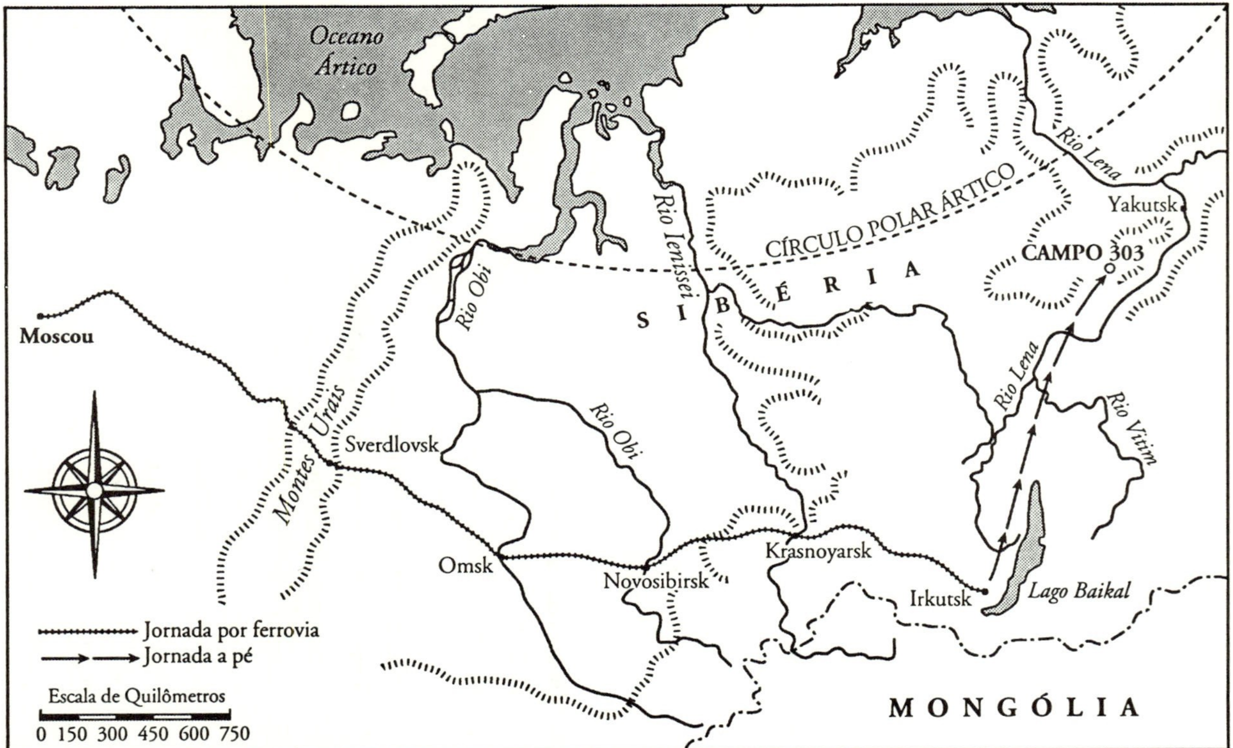

1

Kharkov e a Lubyanka

FOI POR VOLTA das 9 horas de um dia sombrio de novembro que ouvi a chave fazer barulho na pesada fechadura de minha cela, na prisão da Lubyanka, e dois guardas de porte atlético entrarem decididos. Eu me encontrava andando vagarosamente em círculos, como um típico prisioneiro, a mão esquerda segurando a cintura da calça do uniforme, que a engenhosidade russa fornecia sem botão ou cordão, com base na ideia de que um homem preocupado em segurar as calças estaria em séria desvantagem se tentasse escapar. Parei de andar ao som da porta se abrindo e me coloquei contra a parede mais distante quando eles entraram. Um ficou próximo à entrada, enquanto o outro dava dois ou três passos para dentro.

— Venha — disse ele. — Mexa-se.

Para mim, esse dia — um ano depois de minha prisão em Pinsk, a 19 de novembro de 1939 — seria importante. Eles estavam me levando para ser julgado diante da Suprema Corte Soviética. Ali, em Moscou, arrastando-me pelos estreitos e ressonantes corredores da Lubyanka, entre meus dois guardas, eu era um homem quase sem identidade, mal alimentado, terrivelmente sozinho, tentando manter acesa uma chama de resistência naquela atmosfera úmida de desprezo oficial estudado e de suspeitas contra mim que reinava na prisão. Um ano antes, quando os homens da segurança russa chegaram à festa de boas-vindas que minha mãe organizara para mim na casa de nossa família, em Pinsk, eu era o tenente Rawicz, da Cavalaria

Polonesa, de 24 anos, esbelto e elegante em meu uniforme bem-talhado, com calças de tecido listrado e reluzentes botas de montaria. Minha condição agora era um tributo à perseverante brutalidade e consumada sutileza dos interrogadores da NKVD (a Polícia Secreta Soviética), em Minsk e Kharkov. Nenhum prisioneiro esquece Kharkov. Usando de dor, sujeira e degradação, eles tentam reduzir homens a animais chorões.

O ar ficou mais frio ao dobrarmos um último corredor; demos mais alguns passos e emergimos em um pátio calçado com paralelepípedos. Dei um puxão nas calças e me adiantei para acompanhar os guardas, que não haviam proferido nenhuma palavra desde que saíramos da cela. No outro lado do pátio, paramos em frente a uma porta pesada. Um deles me fez retroceder um passo, puxando-me pela blusa larga e aberta que, juntamente com as calças, constituía meu uniforme de prisioneiro. Eles marcharam em frente quando a porta se abriu, empurrando-me para os braços de dois homens, também uniformizados, que passaram rapidamente as mãos pelo meu corpo, em busca de armas ocultas. Nenhuma palavra foi dita. Fui levado até outra porta, no interior do prédio, que se abriu como a um sinal secreto, e me jogaram para dentro. O recesso interno possuía uma cortina, através da qual fui mais uma vez empurrado. A porta se fechou atrás de mim. Dois guardas, diferentes dessa vez, postaram-se às minhas costas, em posição de sentido.

A sala era grande e se encontrava deliciosamente aquecida. As paredes eram limpas e pintadas de branco. Dividindo-a, havia uma enorme mesa em forma de banco. Na parte onde eu estava, desprovida de qualquer peça de mobiliário, tínhamos todo o espaço para nós. Perfiladas do outro lado da mesa, havia cerca de 15 pessoas, dez delas em uniformes azuis da NKVD e o restante em trajes civis. Elas estavam muito à vontade, conversando, rindo, gesticulando e fumando cigarros. Nenhuma delas lançou-me sequer um olhar distraído.

Após cerca de dez minutos, arrastei os pés, dentro dos sapatos de lona (que tinham os orifícios, mas não o cadarço), sobre o assoalho brilhante e achei que devia ter havido algum engano. Alguém cometera um erro, pensei. Não era para eu estar ali. Então, um capitão da NKVD olhou em nossa direção e disse aos guardas que relaxassem. Ouvi o bater de suas botas atrás de mim.

Fiquei ali, tentando não me mover, e olhei em volta. Surpreendi-me com a descoberta de que, pela primeira vez, depois de meses tão exaustivos, eu estava tendo uma experiência nova. Tudo era muito limpo. Havia uma atmosfera reconfortante de informalidade à minha volta. Eu estava quase em contato com o mundo do outro lado das muralhas da prisão. Um fluxo constante de pessoas entrava e saía da sala, rindo e conversando com o grupo atrás da mesa, seus cotovelos apoiados sobre uma magnífica toalha vermelha felpuda. Alguém perguntou quando um major da NKVD esperava tirar férias. Outra pessoa queria saber notícias sobre a numerosa família de fulano. Um homem, vestido impecavelmente num terno cinza-escuro de corte ocidental, parecia ser algum diplomata bem-sucedido. Todos queriam trocar uma palavra com ele. Chamavam-no de Mischa. Eu me lembraria dele pelo resto da vida.

Na parede à minha frente, do outro lado da mesa, via-se o emblema soviético, moldado numa espécie de gesso e fartamente colorido. De cada um de seus lados viam-se retratos de líderes russos, dominados pelo rosto severo de Stalin. Eu olhava em volta com sincero interesse. Ninguém me incomodava. Troquei a mão que segurava a calça, da esquerda para a direita. Observei que havia três entradas para a sala, protegidas por cortinas, e um único telefone, sobre a mesa longa. Na posição central, encontrava-se um antigo e sólido porta-canetas de metal, em forma de âncora, com dois remos cruzados, contendo um tinteiro de vidro, ambos apoiados sobre uma base maciça de mármore ou alabastro.

Todo esse tempo, a conversa geral do outro lado da mesa continuava chegando até mim, e eu, para quem nem uma única palavra de conforto havia sido dita fazia um ano, que havia me afundado mais e mais numa depressão solitária, sob as estritamente observadas regras prisionais de silêncio absoluto, senti que aquele era um dia memorável.

Parado ali de pé, com minhas duas peças de uniforme de presidiário disformes, esfarrapadas e sujas, eu não tinha consciência de qualquer sentimento de incongruência diante dos animados e bem-vestidos russos. O orgulho fastidioso do oficial polonês de cavalaria fora a primeira coisa que eles haviam atacado em Minsk dez meses antes, desnudando-me impiedosamente em público, como preliminar para meu primeiro interrogatório. Os oficiais russos flanavam à minha volta, rindo, enquanto eu era forçado a tirar o uniforme, a bela camisa, as botas, as meias e a roupa de baixo. Fiquei de pé diante deles, roubado de minha dignidade, morto de vergonha, sabendo que aquele era o começo real de todas as coisas odiosas das quais seria vítima. E depois que me examinaram, riram e finalmente me deram as costas, muito tempo depois, atirando-me um par de calças e a *rubashka*, uma espécie de túnica russa. Segurando aquelas malditas e abomináveis calças, observando atentamente meus torturadores, ouvi pela primeira vez o questionário que se tornaria tema recorrente de minha vida na prisão.

Nome? Idade? Data de nascimento? Local de nascimento? Nome dos pais? Nacionalidade deles? Profissão do pai? Nome de solteira da mãe? O formato era sempre o mesmo. As perguntas, a princípio, vinham na ordem em que estavam impressas nos documentos que os interrogadores tinham em mãos. Eles foram muito agradáveis naquele primeiro interrogatório. Ofereciam-me café e pareciam não reparar na minha falta de jeito ao segurar a xícara com a única mão livre. Um deles me ofereceu um cigarro e virou de costas, em desânimo belamente simulado, quando percebeu que eu não conseguia acendê-lo sozinho com apenas uma das mãos, fazendo-o então por mim.

Depois vinham as outras perguntas, as perigosas. Onde você estava em 2 de agosto de 1939? No Exército Polonês, mobilizado contra os alemães, na frente ocidental, dizia eu.

Mas, eles retorquiam, você conhece o leste da Polônia muito bem. Sua família morava em Pinsk. Bem perto da fronteira com a Rússia, não é? Muito fácil para um jovem bem-educado como você cruzá-la, não?

Negativas cuidadosas, obliterando da mente as lembranças de viagens, na adolescência, às pequenas cidades do outro lado da fronteira. Depois, o ritmo se acelerava. Dois deles disparando perguntas alternadamente. Uma lista de nomes de cidades russas na fronteira. Conhece essa? E aquela? Esse homem você deve ter conhecido. Sabemos que se encontrou com ele. Nosso movimento de resistência comunista seguiu você. Sempre soubemos com quem se encontrava. Temos conhecimento do que se passou entre vocês. Estava trabalhando para o Dwojka, o serviço de inteligência do Exército?

— Você fala russo fluentemente?

— Sim, minha mãe é russa.

— Ela lhe ensinou russo?

— Sim, desde que eu era garoto.

— E o Dwojka ficou muito contente por ter um oficial polonês que sabia falar russo e podia espionar para eles?

— Não. Eu era oficial de cavalaria. Lutei na frente ocidental e não na oriental.

Depois vinha a parte final. Esse primeiro interrogatório foi realizado numa atmosfera afável, algo como "somos todos bons companheiros". Um documento foi colocado diante de mim e uma caneta, posta em minhas mãos.

— Este — disse o sorridente major da NKVD — é o questionário contendo as perguntas que você respondeu. Basta assinar aqui e não precisaremos incomodá-lo novamente.

Não assinei. Disse que não podia assinar um documento cujo conteúdo me era negado. O major sorriu e encolheu os ombros.

— Você *vai* assinar, sabe disso. Um dia desses, vai assinar. Lamento por você que não assine hoje. Lamento muito, muito.

Ele devia estar pensando em Kharkov.

Assim começou a guerra de opiniões entre Slavomir Rawicz e os homens da NKVD Percebi muito cedo que eles não tinham qualquer informação concreta contra mim. Sabiam apenas o que meu dossiê do Exército revelava e o que haviam conseguido levantar, em Pinsk, sobre minha família. Suas acusações se baseavam inteiramente na convicção de que todos os poloneses, bem-educados de classe média ou alta e que moravam na fronteira com a Rússia eram inevitavelmente espiões, homens que haviam trabalhado, furtiva e assiduamente, contra o Dia da Liberação Russa. Eu não conhecia nenhum dos lugares que eles mencionavam, nenhum dos homens que tentavam me fazer reconhecer como confederados. Havia vezes em que ficava tentado a aliviar o sofrimento do corpo e da alma admitindo estar familiarizado com os estranhos que enumeravam, mas nunca o fiz. Dentro de mim, até no mais desesperador dos estados de espírito, eu sabia que uma tal confissão seria certamente fatal.

A grande fortaleza de pedra, a prisão de Kharkov, abriu suas inexpugnáveis portas para mim em abril de 1940. Ligeiramente condicionado pelos rigores de Minsk, eu me encontrava, no entanto, despreparado para os horrores de Kharkov. Ali, o gênio fenomenal de um major da NKVD, apelidado de Touro, florescia. Ele pesava cerca de 95 quilos e ostentava na cabeça, no peito e nas mãos enormes tufos exuberantes de cabelos ruivos. Possuía um tronco longo e forte, pernas curtas e vigorosas, braços grossos e compridos. O rosto vermelho e brilhoso era sustentado por um pescoço grande e largo. Ele levava sua função de interrogador-chefe com uma seriedade mortal. Odiava com determinação assustadora os prisioneiros que não capitulavam. Certamente me odiava. E eu, mesmo hoje em dia, o mataria sem qualquer arrependimento e com indizível prazer.

O Touro devia ser uma personalidade especial mesmo na NKVD. Ele realizava as sessões de interrogatório como um eminente cirurgião, sempre exibindo sua perícia diante de uma multidão cambiante de oficiais subalternos, amontoados como estudantes que assistem a um procedimento cirúrgico interessante. O processo de enfraquecimento começava na *kishka*, uma cela feito chaminé, na qual se entrava por um degrau abaixo do nível do corredor. Lá dentro só havia espaço para um homem ficar de pé. As paredes o envolviam como um caixão de pedra. Seis metros acima, percebia-se uma luz difusa, vinda de alguma janela pequena, que não se podia ver. A porta só era aberta a fim de permitir que o prisioneiro fosse conduzido para uma sessão com o Touro. Evacuávamos de pé e ficávamos pisando no próprio excremento. A *kishka* nunca era limpa — e passei seis meses na que me foi alocada em Kharkov. Antes de ir ver o Touro, levaram-me até a "lavanderia": um quarto pequeno com uma bomba. Não existia qualquer refinamento. Não se forneciam sabonetes. Eu tirava as roupas e bombeava água fria sobre elas, esfregava, pisava, torcia e recolocava-as, para que secassem no próprio corpo.

As perguntas eram sempre as mesmas. Vinham do mesmo maço de documentos que viajava comigo de prisão em prisão. O Touro era muito mais insistente em seu desejo apaixonado de conseguir minha assinatura. Xingava com grande e chula fluência. Perdia a compostura de modo explosivo e com frequência. Um dia, após horas de gritaria persistente e ameaçadora, ele de repente sacou sua pistola. Com olhos inflamados, as veias lhe saltando no pescoço, pôs o cano em minha testa. Permaneceu tremendo por quase trinta segundos, enquanto eu, de olhos fechados, aguardava. Depois, deu um passo para trás e bateu com o cabo da arma na minha mandíbula direita. Cuspi no chão todos os dentes daquele lado. No dia seguinte, meu rosto inchou, e o interior de minha boca ainda estava lacerado e sangrando. Encontrei-o novamente. Ele sorria. Seu pequeno círculo de admiradores olhava com interesse o trabalho que havia realizado em mim.

— Você parece assimétrico — disse ele.

E me golpeou com o cabo da pistola na outra face. Cuspi mais dentes no chão.

— Isso vai equilibrar sua cara — falou.

Houve um dia em que uma parte do meu cabelo, mais ou menos do tamanho de uma meia coroa, foi raspada no alto da minha cabeça. Fiquei sentado durante um interrogatório de 48 horas, com as nádegas mal tocando a borda de uma cadeira, enquanto os soldados russos assumiam a tarefa de bater no local do meu crânio que havia sido raspado, a intervalos precisos de 2 segundos. Nesse ínterim, o Touro vociferava suas perguntas, fazia esgares e, com demonstrações toscas de jovialidade ocasional, me bajulava para que assinasse o maldito documento.

Depois, era voltar para a *kishka*, para o fedor pegajoso e repugnante, para horas de um semiadormecimento pavoroso. O nome *kishka* fora bem escolhido: quer dizer "intestino" ou "tripas". Ao recuperar os sentidos — em geral, quando meus joelhos cansados dobravam e eu tinha de me pôr de pé novamente —, a única coisa que tinha para pensar era no Touro. Ele ocupava a parte central da minha vida. Houve uma ou duas ocasiões em que um guarda de serviço me passou um cigarro aceso. Foram as únicas atitudes humanas tidas em relação a mim em Kharkov. Tive vontade de chorar de gratidão.

Havia vezes em que eu pensava que ficaria ali pelo resto da vida. O Touro parecia preparado para continuar seu trabalho comigo eternamente. Meus olhos vertiam lágrimas copiosas por causa das longas sessões sob luzes muito fortes. Com as costas amarradas a um banco estreito, eu olhava diretamente para a luz, enquanto ele andava à minha volta, na semipenumbra, distante do foco, questionando-me sem parar, insultando-me, consignando-me às profundezas do inferno, aquelas reservadas para os obstinados, astutos e bastardos espiões poloneses e para todos os inimigos dos soviéticos. Havia algo de obsceno em sua energia inesgotável e sua força bruta. Quando meus olhos embaçados começavam a se fechar, ele os forçava a ficarem abertos usando palitinhos. O truque da gota d'água era uma de suas especialidades. De um recipiente, colocado bem em cima do banco, gotas de água gelada caíam exatamente sobre o mesmo ponto da minha cabeça, de forma constante, a intervalos pré-ajustados, durante horas sem fim.

Dia e noite eram conceitos que haviam perdido o sentido. O Touro mandava me buscar quando tinha vontade, e isso podia acontecer tanto à meia-noite quanto ao amanhecer, ou a qualquer outra hora. Havia sempre a curiosidade insípida de adivinhar o que ele havia reservado para mim. Os guardas me levavam pelos corredores, abriam a porta e me empurravam para dentro. Era o momento em que o Touro ficava esperando por mim, juntamente com meia dúzia de seus pupilos da NKVD. Eles formavam um pequeno corredor, com três homens de cada lado, enquanto o cérebro de tudo se postava a alguns passos de distância. Eu tinha de passar entre eles para chegar ao Touro. Nenhuma palavra era dita. Um soco terrível sobre o ouvido me atirava de um silencioso lado da fileira para o outro. Com inflexibilidade e eficiência, eles me surravam da entrada até a saída. Chutavam-me para que me pusesse novamente de pé quando caía, e ao terminarem, vendo que eu não conseguia me levantar, o Touro vinha e me dava um último chute paralisante entre as costelas. Depois, erguiam-me até a borda da mesma velha cadeira, o interrogatório prosseguia, ele abanava o documento diante do meu rosto e me empurrava uma caneta.

Às vezes, eu lhe dizia:

— Deixe-me ver o documento. Você não pode querer que eu assine uma coisa que não li.

Mas ele nunca me permitia ler. Seu dedo grosso apontava para o lugar onde eu devia assinar:

— Você só tem que pôr seu nome aqui, e eu deixo você em paz.

Certa vez, perguntou-me:

— Quer um cigarro?

Acendeu um para ele e outro para mim. Depois se aproximou calmamente e apagou o meu nas costas da minha mão, com bastante força. Naquela ocasião, eu já estava sentado na borda da cadeira havia tanto tempo — como sempre acontecia — que os músculos das costas e das pernas foram acometidos por uma cãibra torturante. Ele ficou andando ao meu redor, enquanto eu esfregava a queimadura, chutava a cadeira abaixo de mim e despencava no chão.

Como diversão nova e jovial, já no fim de minha estada em Kharkov o Touro apareceu com uma faca cossaca, da qual parecia muito orgulhoso. Ele fez uma demonstração da excelência de seu aço e do fio no meu peito, e eu ainda tenho as cicatrizes para me recordar de sua inquestionável destreza e engenhosidade.

Houve um dia, já perto do fim, em que esperou sozinho por mim. Estava calado. Não houve qualquer saudação obscena. E quando abriu a boca, a voz normalmente áspera e estridente soou baixa e controlada. Enquanto ele falava, percebi que estava me fazendo um apelo para assinar o papel. Parecia quase abjeto. Pensei que fosse chorar. Interiormente, fiquei repetindo para mim: "Não, agora não, seu porco gordo. Agora, não. Não depois disso tudo..."

Não tive coragem de falar. Apenas fiz que não com a cabeça. E ele me amaldiçoou cruelmente, com uma intensidade violenta e passional, obscena e exaustivamente.

Quanto pode durar um homem enfraquecido pela má alimentação e pela violência física? O limite da resistência, descobri, encontrava-se muito depois de um corpo torturado ter gritado de agonia por alívio. Nunca cheguei conscientemente ao ponto final da capitulação. Uma parte pequena e firme do meu espírito se aferrou à ideia inabalável de que ceder seria a morte. Enquanto desejasse viver — e eu ainda era muito jovem —, manteria a força de vontade final e extremada para resistir-lhes, repelindo aquele documento, que um rabisco de caneta sobre o papel poderia significar minha sentença de morte.

Houve uma noite longa em que me alimentaram com um pouco de peixe seco, antes de me levarem à sala de interrogatório. Guardo uma lembrança relativamente clara de todas as sessões, exceto daquela. Sentia-me zonzo, babava, não conseguia fixar os olhos em nada. Por várias vezes, quase caí da cadeira. As algemas e os tremores davam a impressão de não me incomodar mais, e quando tentava falar, minha língua parecia grossa dentro da boca. Lembro-me vagamente de me empurrarem o papel e a caneta, mas, como um bêbado que comemora algo depois de uma noite intensa, não tenho qualquer lembrança do final daquela entrevista.

De manhã, quando voltei à vida, desvirei o rosto da parede da cela e senti um cheiro novo e peculiar. Na penumbra, a parede onde minha boca encostara exibia uma mancha grande e esverdeada. Fiquei realmente amedrontado, prostrado por uma sensação colossal de opressão, como a da mãe de todas as ressacas. Eles drogaram você, dizia a mim mesmo. Drogaram você com o peixe. O que eu disse a eles? Não achava sinceramente que pudesse ter assinado o maldito papel, mas não conseguia me lembrar. Eu me sentia mal, deprimido e muito preocupado.

Logo depois, fui transferido para Moscou, para a Lubyanka. Os guardas conversavam e riam quando parti. Havia sido a mesma coisa em Pinsk e Minsk, agora em Kharkov e mais tarde em Moscou. Durante minha partida, eles se comportavam como se estivessem contentes por eu ir embora. Falavam à vontade, brincavam um pouco. Talvez fosse a forma de demonstrarem uma simpatia que não podiam mostrar antes.

As condições na Lubyanka eram um pouco melhores. Minha reputação de recalcitrante obviamente havia me precedido, porque me mandaram logo para a *kishka*. Mas essa era limpa, e os períodos que fui obrigado a passar lá foram mais curtos.

A equipe de interrogadores, entretanto, experimentou em mim seus poderes especiais de persuasão. Talvez se tratasse de uma questão de orgulho cosmopolita, tentar obter sucesso onde os rapazes do interior tinham falhado. Fizeram as perguntas habituais, as repetidas exigências da minha assinatura, houve um pouco de uso da força e algumas referências aos poloneses imundos e espiões. No entanto, sofri apenas um truque de tortura do qual o Touro teria ficado com inveja.

Amarraram-me, com os pés bem afastados, sob a já familiar "mesa de operação". Meus braços foram esticados sobre sua superfície, e cada mão foi atada separadamente. Meu corpo ficou como um arco tenso por sobre a mesa, e a dor foi aumentando até se transformar em uma agonia latejante, à medida que eles puxavam as cordas. Isso, no entanto, era só a preparação, como sentar na cadeira do dentista com uma dor de dente insuportável. A operação ainda ia começar. Sobre a mesa, encontrava-se suspenso um pequeno caldeirão velho, provido de um bico. Ali havia piche quente. Seguiu-se então o insistente convite habitual para que eu assinasse, com a promessa de que, se concordasse, seria imediatamente solto e devolvido à minha cela. Acho que eles teriam ficado muito decepcionados se, àquela altura, eu tivesse concordado em assinar. A primeira gota de piche foi um inferno. Queimou de forma devastadora as costas da minha mão e manteve seu calor por muito tempo sobre a pele contraída e lívida. Aquela gota foi a pior, o auge da dor. O resto não passou de um ligeiro anticlímax. Ative-me à consciência e à vontade de resistir. Quando me disseram que eu ficaria feliz de poder assinar com a mão esquerda, ao final da sessão, mostrei-lhes que estavam errados. Eu aprendera a ser forte em uma escola muito severa.

Esse foi o último ataque que teve importância. Eu estava na Lubyanka por cerca de duas semanas apenas quando fui conduzido à minha primeira e única experiência com um tribunal de justiça soviético.

2

Julgamento e sentença

O SOM ANIMADO de conversas na sala do tribunal se extinguiu de repente. Mischa, com sua camisa de colarinho imaculadamente branca e uma elegante gravata de seda cinza, tão fascinantes aos olhos em meio aos uniformes e às roupas civis comuns russas, disse com animação:

— Bem, suponho que seja hora de começarmos.

Eu estivera ali de pé por cerca de meia hora, e pela primeira vez os membros do tribunal olharam para mim. Os guardas às minhas costas bateram suas botas em posição de sentido. Maços de papéis foram distribuídos.

A cadeira do centro, na mesa longa, foi ocupada por um russo de cabelos brancos, voz baixa e aparentando cerca de 60 anos. Ele vestia o casaco comprido de costume sobre uma blusa preta abotoada até o pescoço e enfeitada, no colarinho e nos punhos, com um bordado verde e vermelho em ponto de cruz. A seu lado estavam dois oficiais da NKVD. em seus uniformes azul-escuros, com relevos vermelhos no colarinho e fita da mesma cor em torno dos quepes militares. Mischa estava na cadeira da cabeceira da mesa, à minha esquerda. Ele, descobriria eu, era o promotor principal e, enquanto a corte se preparava para iniciar os trabalhos, examinava-me friamente. Puxei as calças e olhei para um ponto acima da cabeça do presidente.

Foi ele próprio quem, após uma consulta sussurrada com os oficiais a seu lado, deu início aos procedimentos. O primeiro passo, eu já conhecia de cor. Nome? Idade? Data de nascimento? Local de nascimento? Nome dos pais? Nacionalidade deles? Profissão do pai? Nome de solteira da mãe? E assim por diante, seguindo o grande catálogo pousado à sua frente, já completo, por certo, com todas as respostas que eu havia exaustivamente repetido em todos os meus encontros com a NKVD, desde a minha prisão em Pinsk até a chegada a Moscou. Se com aquela repetição eles esperavam que eu pudesse alterar alguma resposta ocasional, tratava-se de psicologia barata. Eu tinha respondido o questionário com tanta frequência que todas aquelas perguntas produziam sempre a mesma réplica, porque não precisava mais pensar. Havia se tornado um hábito, um reflexo. As mesmas perguntas de sempre, as mesmas respostas de sempre...

As acusações foram lidas para mim. O presidente (esse podia não ser seu título, mas parecia ser sua função) levou um bom tempo examinando-as. Estavam repletas de nomes de lugares e de supostos "reacionários" poloneses, além de datas que cobriam o período de tempo no qual eu era acusado de ter cometido atos específicos de espionagem contra a União Soviética. Eram de alcance tão amplo que nunca deixei de me admirar por terem deixado escapar as ocasiões em que, quando adolescente em busca de perigo e aventura, eu tinha de fato cruzado a fronteira russo-polonesa. As acusações eram completamente sem fundamento, e me deu uma certa satisfação a ideia de que, se eles não tinham conseguido me fazer admiti-las por meio de tortura, em salas de interrogatório especificamente equipadas de uma série de prisões russas, não seria muito provável que me forçassem a mudar minha versão na atmosfera comparativamente agradável e civilizada daquele tribunal.

Quando o interrogatório começou de fato, vi-me, com relutância, admirando a objetividade de propósitos do espírito oficial russo. Eu já havia passado por tudo aquilo antes, como uma série de pesadelos pavorosos. Agora, em plena luz do dia, tendo emergido dos tortuosos e terríveis meandros da frustração e do desespero, eu via o sonho persistir. Colocada de forma resumida, a acusação poderia ser: *Você, Slavomir Rawicz, polonês de classe média e bem-educado, oficial do Exército Antirrusso da Polônia, tendo uma casa perto da fronteira russa, é, portanto, além de qualquer questionamento ou dúvida, um espião polonês e inimigo do povo da União das Repúblicas Socialistas Soviéticas.* Só restava ao tribunal se perguntar, com alguma aspereza: Por que perdermos nosso tempo com negativas?

Depois de duas horas, os guardas postados atrás de mim foram substituídos. Percebi ao longo do julgamento que a mudança de escolta a cada duas horas era um procedimento regular. Eu continuava a responder às perguntas do presidente. Elas não ofereciam qualquer dificuldade, porque faziam parte das longas e rotineiras fórmulas preliminares. Eu ainda não havia chegado ao ponto em que precisava pensar, reconhecer um lampejo de perigo e evitar alguma armadilha cuidadosamente construída. Embora devesse estar plenamente declarado, várias vezes, nos documentos diante dele, que eu falava russo fluentemente, o presidente havia repetido com meticulosidade a pergunta:

— Você entende e fala russo?

Depois disso, todos os procedimentos foram em russo, e a maioria das perguntas vinha matizada com a desconfiança especial que todos os russos parecem ter em relação ao estrangeiro que sabe sua língua. A suspeita subjacente é a de que nenhum estrangeiro aprenderia russo se não quisesse ser espião.

Enquanto estava parado ali de pé, comecei a delinear meus planos. Decidi que seria vantajoso para mim não contrariar o tribunal. Admiti plenamente os fatos que eram inegáveis. Quando uma acusação era manifestamente falsa, eu a refutava, mas pedia permissão à corte para explicar o porquê. Eles me deixaram falar bastante. Eu concordava com isso, reconhecia em parte aquilo, negava a maioria das coisas e dava minhas explicações quase que com avidez. A atmosfera era hostil, mas ligeiramente interessada em meus métodos. A natureza rígida das perguntas não me dava ilusões de que eu conseguiria transformar a atitude oficial, mas ao menos eu sentia que não estava piorando minha posição, ao parecer ansioso para cooperar com o tribunal.

A informalidade dos procedimentos me impressionou. Os membros da corte fumavam cigarros sem parar. O fluxo de visitantes que eu havia observado enquanto esperava as coisas começarem continuou durante a audiência. Havia um murmúrio constante de conversas nos bastidores, pequenas trocas de cochichos com os homens da mesa grande, sorrisos, mãos colocadas sobre ombros de uma forma amigável e confidencial. Enquanto ouvia e falava, eu observava qualquer cena ou som novo. Como alguém no teatro, tentava avaliar a importância e o significado de cada personagem por ordem de aparição.

O mais intrigante era um homem de aparência distinta vestindo uniforme; alto, mechas brancas no cabelo, que entrou por uma das portas com cortinas depois que o julgamento já se encontrava em andamento por cerca de três horas. O presidente estava no meio de uma pergunta, e um dos oficiais da NKVD a seu lado o cutucou, inclinando a cabeça em direção à porta. O recém-chegado, que ainda segurava a cortina com a mão, passava os olhos pelo tribunal. Seu olhar me alcançou, deteve-se nos meus dois guardas e se voltou para os magistrados. O presidente se pôs de pé de imediato, assim como todos os funcionários. Houve um longo arrastar de cadeiras pesadas. Esse visitante distinto demonstrava um ar nervoso, um modo de andar tenso, espasmódico, enquanto caminhava até o radiante presidente. Murmúrios de cortesia o seguiam enquanto passava pela mesa, dos quais só pude entender, repetidamente:

— Camarada coronel.

O presidente deu um aperto de mão caloroso no camarada coronel, e este escutou de maneira ausente seus poucos comentários. Depois deu meia-volta, acenou sorridente com a cabeça para Mischa e ficou de pé contra a parede, próximo à porta pela qual havia entrado.

O camarada coronel fez um gesto e a corte tornou a se sentar. O interrogatório prosseguiu. O visitante ouvia com aparente enfado, olhava para o teto, dava mostras de estar absorvido em pensamentos sobre coisas muito mais importantes que o julgamento de um mero polonês. Então, cerca de dez minutos depois, saiu calmamente por onde entrara.

Lá pelas 2 da tarde, o presidente passou seu lugar para um homem mais jovem e foi embora, presumivelmente para o almoço. Houve mudanças também entre os funcionários, em outras partes da longa mesa. Naquele tipo de tribunal, não era necessário, ao que parecia, manter a continuidade. Qualquer um que lesse os depoimentos podia assumir o controle para dar um descanso aos outros. O presidente substituto possuía um ar de eficiência que faltava ao mais velho. Seu questionamento era mais rápido, deixava menos tempo para pensar. Mas ele não era desagradável e, logo depois de assumir a presidência, surpreendeu-me ao me oferecer um cigarro. Não era engodo. Um funcionário me trouxe o cigarro e o acendeu para mim. Traguei a fumaça e me senti bem. Antes do final do dia, deram-me outro. Dois cigarros em um dia. Senti que talvez os sinais fossem auspiciosos.

O camarada coronel apareceu mais uma vez durante a tarde, andou ao longo da mesa comprida, pegou alguns documentos e os pôs de volta, trocou nervosamente algumas palavras com dois ou três dos homens principais e desapareceu de novo. O interrogatório continuou.

A segunda troca da guarda às minhas costas marcou a passagem de mais duas horas. Mischa então deu início a um jogo de perguntas e respostas bem mais cômodo, ocasionalmente sorrindo. Eu respondia com grandes demonstrações de boa vontade. Achei que era uma mudança muito bem-vinda estar lidando com um homem que parecia ter trazido, com suas roupas ocidentais elegantes, um pouco das amenidades de outra civilização.

Cheguei quase a pensar que havia uma centelha remota de simpatia quando me perguntaram sobre minha esposa. Foi uma história muito breve. Casei-me com Vera em Pinsk, em 5 de julho de 1939, durante uma licença de 48 horas do Exército. Durante a festa, minha mãe me retirou do lugar que eu ocupava à mesa, sob o pretexto de que alguém queria falar comigo ao telefone. Ela então me entregou um telegrama com ordens para que eu retornasse imediatamente à minha unidade. Fui fazer as malas. Vera chorou quando me despedi dela com um beijo. As lágrimas rolavam por seu rosto enquanto ela acariciava meu cabelo e minha face. Dessa forma, fui-me embora, e a maioria dos convidados nem mesmo soubesse que eu havia partido. Duas semanas depois, consegui uma permissão para que ela viesse ficar perto de mim, em Ozharov. Vera permaneceu por quatro ou cinco dias, e eu podia vê-la durante cerca de três horas diárias. Eram momentos gloriosos, maravilhosos, nos quais quase conseguíamos fazer desparecer o sentimento de ruína que pairava pesadamente sobre nós e sobre toda a Polônia. Essa foi toda a vida conjugal que eu conheceria junto a ela. Depois de ter lutado contra os alemães na frente ocidental e contra os russos, na oriental, voltei a Pinsk. A NKVD agiu com muita rapidez. Eu mal tivera tempo de saudar Vera, de responder às suas primeiras e ansiosas perguntas, quando eles entraram. Foi a última vez que a vi.

Por volta do meio da tarde, depois de ter ficado de pé já por muito mais de quatro horas, o presidente substituto me perguntou se eu gostaria de tomar uma xícara de café. Eu disse:

— Sim, obrigado.

Foi quando me deram também o segundo cigarro. O café estava excelente — quente, forte e com açúcar. Após beber e fumar — primeiro o café e depois o cigarro, por causa do empecilho de só dispor de uma das mãos — vieram umas perguntas de um civil corpulento, sentado na cabeceira oposta à de Mischa. Esse homem, descobri, era meu advogado de defesa. Ele demonstrava todos os sinais de irritação pelo papel que estava sendo obrigado a desempenhar e me deu a impressão de mal conseguir esconder seu desprezo por mim. Participou muito pouco do julgamento, e em nenhum momento suas intervenções serviram para favorecer meu caso. Na melhor das hipóteses, ele era um defensor muito relutante.

Os procedimentos do dia terminaram abruptamente por volta das 16 horas. Um dos dois oficiais sentados ao centro da mesa sussurrou algo ao presidente substituto. Outro ordenou a meus guardas que ficassem em posição de sentido, e fizeram-me dar meia-volta, escoltando-me de volta à minha cela. Trouxeram-me comida, e me sentei para refletir sobre os acontecimentos do dia. Cheguei à conclusão de que meu julgamento devia ter acabado, que só restava agora saber qual era a sentença do tribunal. Não achei que houvesse me saído mal naquele dia. Cheguei até mesmo a alimentar uma leve esperança de que a pena seria leve. Dormi muito bem aquela noite. Pareceu-me a mais tranquila que tivera desde muitos meses.

Os guardas vieram me buscar às 7 horas da manhã seguinte. O tempo estava sombrio, e o frio úmido penetrou pela minha roupa, fazendo-me tremer enquanto atravessávamos o pátio de paralelepípedos até o prédio do tribunal. Fizeram-me a revista de rotina na entrada, do outro lado das grandes portas, e mais uma vez fui empurrado através da cortina até meu lugar, diante da longa mesa.

Mas as coisas lá dentro estavam muito diferentes do dia anterior. Os membros do tribunal, todos com um ar azedo de início de manhã, já estavam prontos e esperando por mim. Não havia sequer sombra das brincadeiras da véspera. A Corte Suprema Soviética estava me mostrando uma face muito fria e metódica. Os participantes eram os mesmos que haviam estado lá na parte final da véspera — o presidente substituto mais jovem ao centro e os dois conselheiros da NKVD à sua esquerda e direita. É isso aí, pensei. Eles vão anunciar minha sentença. Eu estava de pé, ereto, esperando. Os cavalheiros do tribunal me olhavam fixamente.

Após um rápido remexer de papéis, o julgamento recomeçou. O presidente substituto disparou suas perguntas. Nome?

Local de nascimento? A mesma rotina. Era como se eu nunca tivesse visto aquela sala de tribunal com paredes brancas. O dia de ontem poderia nunca ter existido. Havia uma insistência nova e forçada na lição, como se minhas respostas do dia anterior tivessem sido jogadas fora, apagadas do quadro-negro. Na primeira meia hora, lutei contra ondas de depressão que ameaçavam me subjugar. Sentia-me muito infeliz, abatido, quase a ponto de desabar. Disse a mim mesmo com amargura que fora um idiota muito esperançoso e tolo, iludindo-me ao pensar que eles me deixariam ir com tanta facilidade. Eu havia relaxado e agora precisava lutar de novo, e a batalha se tornara ainda mais difícil por ter me permitido afrouxar. Aqueles homens, os de Minsk e os de Kharkov, eram todos russos, motivados pelos mesmos ódios, trabalhando ao longo das mesmas vias, todas de mão única.

Gritavam comigo, minhas respostas eram interrompidas na metade, a mesa era esmurrada fazendo o velho tinteiro pular e chacoalhar. Traidor polonês. Filho da mãe polonês. Fascista polonês. As perguntas vinham entremeadas com insultos.

Um Mischa novo, tenso e sério se levantou para continuar o interrogatório. O tribunal permaneceu em silêncio por um momento, enquanto ele ficou ali a me fitar. Atrás da cadeira presidencial, estavam postados três civis jovens, que eu nunca havia visto antes. Cada um tinha um caderninho. Eles olhavam com expectativa na direção do promotor principal. Lembro-me de ter pensado no Touro e em sua roda de aprendizes.

— Agora, Rawicz, seu polonês filho da puta — disse ele —, chega de cortejar sua burrice. Você sabe que é um espião imundo e vai nos contar a história toda.

— Já disse a vocês tudo que sei — falei. — Não tenho mais nada para contar. Não tenho nada a esconder.

De modo teatral, Mischa saiu da mesa, deu cerca de dez passos bem firmes e parou na minha frente.

— Você — disse ele — é um mentiroso profissional.

Depois, muito calculadamente, deu-me um tapa na cara com toda a força do braço, uma, duas, três, quatro vezes. E enquanto eu sacudia a cabeça, ele acrescentou:

— Mas eu vou fazer você contar a verdade.

Virou-se abruptamente e voltou para seu lugar na mesa. Os jovens observadores atrás da cadeira presidencial fizeram anotações frenéticas em seus caderninhos.

Fiquei ali tremendo, odiando-o e a todos os russos; tudo que eram e representavam. Por 15 minutos, fechei os ouvidos à saraivada de insultos e perguntas e, apertando os lábios, recusei-me a responder. Minhas faces ardiam pelas bofetadas, um corte no interior da boca sangrava, e eu sentia o gosto salgado do sangue. Por fim, falei porque sabia que tinha de continuar lutando contra eles até o final. Escolhi o momento de quebrar o silêncio quando Mischa pronunciou três nomes — todos desconhecidos para mim — de homens que ele dizia serem espiões confessos contra a Rússia e que eram testemunhas de minhas atividades de traição.

— Por que não os traz aqui e me confronta com eles? — perguntei.

— Talvez, talvez — disse Mischa.

Entretanto, nenhuma testemunha contra mim jamais foi apresentada. Não existia uma acusação real. Exceto, talvez, a de que eu era polonês. Aquilo, sim, parecia ser um crime grave contra os russos.

Não consigo me lembrar de todas as perguntas, mas me recordo da habilidade de Mischa como promotor. Ele gostava de me conduzir por um caminho claro de lugares e pessoas que eu conhecia, de forma que eu pudesse quase prever qual seria a pergunta seguinte e já tivesse minha resposta praticamente pronta. Então, de maneira abrupta, sem mudança de ritmo, haveria menção a outra cidade, outro nome. Eu fazia uma pausa para entender o novo rumo, e Mischa gritava de forma triunfal:

— Então, seu cão polonês, essa pergunta cala sua boca mentirosa!

Seguia-se uma torrente de xingamentos e acusações, enquanto eu ficava repetindo que não conhecia nem a cidade nem o homem que ele mencionara.

No dia anterior, quando fora expansivo e amigável, eu havia falado sobre os dias felizes em que ia caçar patos com meu pai nos charcos de Pripet. Hoje, Mischa usava aquilo como tema para um ataque, com censuras e gritos, a meu caráter de espião e sabotador. Do outro lado de Pripet, ficava a Rússia, e ele não pretendia que eu ou o tribunal esquecêssemos disso. Ontem, eu havia modestamente me gabado de minha habilidade com uma arma de caça. Hoje, eu não só era o mais desprezível dos espiões, como também um assassino em potencial, bem-treinado, atirador de aluguel perito, a serviço da Inteligência do Exército Polonês. E assim por diante.

Era um julgamento insano, conduzido por um louco. No final, tornou-se um teste de resistência entre um polonês fraco, em estado de semi-inanição, maltratado, e uma máquina de Estado poderosa que gostava de perder tempo. Não me haviam dado comida antes e não recebi nada para comer durante o longo dia de julgamento, que terminou, surpreendentemente, à meia-noite. Fiquei ali por 17 horas. Não houve cigarro nem café. Mischa, vez por outra, vinha me socar ou esbofetear, em especial quando meus joelhos começavam a dobrar ou, com a cabeça pendendo, eu dormitava de pé.

Todos os membros do tribunal, inclusive ele, paravam para descansar a intervalos durante o dia. Outras pessoas assumiam então o interrogatório. A composição da corte estava sempre mudando. Durante a tarde, o presidente vinha por algumas horas, a fim de que seu substituto descansasse. Os guardas eram trocados regularmente a cada duas horas. Apenas eu permanecia lá, de pé, com a garganta seca, balançando, perguntando-me com desânimo se aquele dia iria alguma hora terminar.

Quando desabei em minha cela, não havia qualquer comida para mim. Às 7 da manhã, no dia seguinte, ao ser levado de volta, ainda não me havia alimentado, e mais uma vez faminto, cheio de dores e mortalmente cansado, sobrevivi a outra maratona de uma insana sessão da justiça soviética. Por que fazem isso, eu ficava me perguntando. Por que perdem tanto tempo com um único polonês? Por que não me dão uma sentença e acabam com isso? Teria admitido todas as coisas das quais me acusavam e terminado aquilo. Mas eu ainda não queria morrer. Para mim, era uma luta pela vida.

Eles não conseguiram me dobrar. Chegaram até a reintroduzir o truque de Kharkov, de me sentarem na borda de uma cadeira por algumas horas. Foi doloroso, mas ao menos representou uma mudança com relação à minha tentativa de impedir que os joelhos dobrassem sob mim.

O quarto dia foi o último. Parecia haver muito mais pessoas lá do que em qualquer fase anterior. Imagino que todos aqueles funcionários que, vez por outra, haviam servido de substitutos para os principais queriam estar presentes para o último ato. A atmosfera estava muito parecida com a do primeiro dia. O presidente voltara à sua posição costumeira, mexendo em sua pilha de papéis. Todos falavam, e Mischa estava em uma conversa hilariante com um capitão da NKVD.

Fizeram-se os mesmos procedimentos preliminares. Mais uma vez, identifiquei-me. Sentia-me cansado, doente e ainda faminto. Houve mais algumas perguntas, às quais respondi automaticamente. Elas foram diretas e sem malícia.

O presidente me perguntou então se eu podia dar ao tribunal uma amostra da minha assinatura. Quando hesitei, ele deixou claro que não estava me pedindo que assinasse qualquer documento. Alguém deu um passo à frente com um pedaço pequeno de papel, uma tira suficiente apenas para escrever meu nome. Virei-a nas mãos. Alguém disse:

— Só queremos ver como você escreve seu nome.

Peguei a caneta que me ofereciam e escrevi meu nome. O presidente deu uma olhada na tira de papel e passou-a para os dois homens da NKVD. Os três conferenciaram em voz baixa por alguns minutos. Ele olhou então para mim, levantou o papel com a mão direita, amassou-o e jogou fora.

O presidente estendeu um documento. Um funcionário do tribunal o pegou e trouxe-o até mim.

— Esta é a sua assinatura? — perguntou o presidente.

Olhei-a com atenção durante um minuto, enquanto a corte aguardava. Era minha assinatura. Tremida e esquálida. Mas, sem dúvida, era minha. Kharkov, pensei eu. Aquela noite em Kharkov.

— Esta é a sua assinatura? — repetiu o presidente.

— É — disse eu. — Mas não me lembro de assinar, e isso não significa que eu admita qualquer coisa contida neste documento.

— Este documento — continuou ele — é a lista completa das acusações contra você.

— Sei muito bem disso — repliquei. — Mas ninguém nunca me deixou ler. Nunca assinei isso conscientemente.

— No entanto, é a sua assinatura?

— É a minha assinatura, mas não consigo me lembrar de tê-la escrito.

Seguiu-se uma série de consultas sussurradas ao longo da mesa. O presidente ficou de pé e a corte também. Ele anunciou que o tribunal me considerava culpado de espionar e conspirar contra o povo da URSS. Aquilo tudo tinha levado muito tempo para acabar, e eu só estava esperando a sentença. Por fim, ela veio:

— Pena de 25 anos de trabalhos forçados.

— Isso — disse o major de uniforme azul à direita do presidente — deve ser tempo suficiente para restaurar sua péssima memória.

Fiquei ali por um momento, olhando para a mesa. Captei o olhar de Mischa. O elegante e bem-tratado Mischa. Ele estava um pouco afastado da mesa e sorria. Não havia malícia naquele sorriso. Era amigável, o sorriso de um homem que está dando um passo à frente para apertar sua mão. Era quase como se estivesse me incentivando, cumprimentando-me pelo espetáculo que eu proporcionara. Ele ainda estava sorrindo quando um dos guardas deu um puxão na minha blusa, a fim de que me virasse. Passei pela cortina e fui levado de volta à cela.

Trouxeram-me comida, uma esplêndida refeição para o padrão das prisões, e bebida. Os guardas conversavam. Senti que um grande peso havia sido tirado de cima de mim... e dormi.

3

Da prisão para o vagão de gado

Havia evidências, no dia seguinte, de que as autoridades da prisão tinham tomado nota da minha mudança de status: de prisioneiro sendo interrogado e julgado para prisioneiro sentenciado. As refeições completas me foram restituídas: café e 100 gramas do costumeiro pão de centeio preto às 7 da manhã e, à noite, mais 100 gramas de pão e uma tigela de sopa, que não passava de uma água onde alguns nabos haviam sido cozidos, sem sal ou qualquer tempero. Mas foi uma bem-vinda mudança de dieta.

Concederam-me também meu primeiro banho quente desde que fora preso. A casa de banhos, até a qual fui escoltado por meus dois guardas, ficava a cerca de 20 metros da cela e só diferia das outras que eu usara por ter duas torneiras em vez de uma só. Tirei a *rubashka*, as calças, os sapatos de lona e fiquei de pé no tanque raso, escavado no chão de pedra. Abri a torneira da direita, e a água quente jorrou. Não havia toalha nem sabonete, mas aquilo era um luxo. Dei pulos, inclinei-me contra a bica e deixei a água escorrer da cabeça aos pés. Esfreguei-me até minha pele pálida começar a ficar cor-de-rosa.

Os dois guardas — um armado com uma pistola do tipo Nagan enfiada num coldre desabotoado, o outro portando uma carabina — passavam o tempo andando, um de cada lado da porta, observando meus atos. Um deles disse:

— Você vai ficar bem agora. Vai embora daqui.

— Quando? — perguntei rapidamente. — Para onde?

Os dois ignoraram a pergunta. Continuei no meu banho, fazendo-o durar o máximo possível. Depois fechei a torneira e fiquei pulando para me secar. Passei ligeiramente a blusa pelo corpo e por fim joguei as roupas na água, tirando delas a sujeira da prisão, que escorreu escura para dentro do ralo. Enxaguei, torci, sacudi e coloquei a roupa de novo no corpo, ainda soltando fumaça.

— Você está parecendo um garoto muito limpo agora — disse o homem com a carabina. — Vamos embora.

De volta à cela, deram-me um cigarro. Um dos guardas o enrolou, acendeu e depois colocou no chão. Quando se afastou, dei um passo à frente e peguei-o. Esse era sempre o procedimento quando me permitiam fumar. Nenhum guarda passava o cigarro diretamente para mim, e se ele apagasse antes de eu dar a primeira tragada, atiravam-me um único fósforo. O palito usado era recolhido e removido da cela. A maioria das rígidas medidas de segurança possuía significado óbvio, mas nunca consegui entender a necessidade dessa precaução elaborada por causa de um cigarro, estando na presença de dois homens completamente armados, no fundo de uma prisão como a Lubyanka.

Apesar de os prisioneiros estarem pessimamente equipados para tentar uma fuga, as manobras de segurança eram invariáveis. Um preso indo ou voltando para sua cela era sempre escoltado por dois guardas. Quando um homem estava sendo retirado, eles se colocavam um de cada lado da porta. O prisioneiro marchava entre eles e tinha de parar sempre um passo à frente dos dois. Instruções eram então dadas. Para citar um exemplo típico:

— Você vai andar por esse corredor à esquerda, virar à direita no final e continuar andando até receber ordem para parar. Mantenha-se no meio do corredor o tempo todo.

Essas instruções em geral terminavam com o recital de uma musiqueta agourenta, que dizia assim:

"Um passo para a direita
Um passo para a esquerda —
Não tente escapar."

Devo ter ouvido essa advertência centenas de vezes durante meu tempo na prisão. Todos os guardas a usavam e todos os prisioneiros a conheciam. Os russos sempre tomavam o cuidado de explicar ao preso exatamente para onde ele iria, e não restava qualquer dúvida de que um desvio no caminho, para a direita ou para a esquerda, significaria ser morto pela carabina ou pistola dos guardas que marchavam dois passos atrás. Na Lubyanka, parecia ser uma precaução excessiva e quase ridícula, mas depois, quando milhares de presos começaram a ser enviados de um lado da Rússia para outro e a fuga se tornou no mínimo uma possibilidade, a advertência soava bastante sensata do ponto de vista dos russos.

Na manhã do quarto dia após minha sentença, um tenente da NKVD entrou na minha cela.

— Você sabe ler russo? — perguntou.

— Sei — respondi.

Ele me passou um documento que percebi ser uma permissão para deslocamento. Aparentemente até os condenados precisavam de autorização para trocar de local de residência, embora pudessem ser mudanças de prisão para prisão. O oficial me deu uma caneta, e eu assinei meu nome no papel. Ele pôs a permissão no bolso e saiu.

Ao fim daquela tarde, em meados de novembro de 1940, deixei minha cela da Lubyanka pela última vez. Fizeram-me marchar até o pátio. A neve caía e o frio tinha uma intensidade que me fez perder o fôlego. Em volta do pátio, havia alguns prédios pequenos. De um lado, os grossos portões principais, perto dos quais ficavam dois depósitos construídos com tijolo vermelho. Fui levado até um deles, onde me entregaram um embrulho em papel pardo. O homem que deu o pacote disse:

— Isso é para sua viagem. — E sorriu.

Parado no pátio, com uma das mãos segurando as calças e a outra agarrando o embrulho, eu tremia de frio e de empolgação. Havia um grande sentimento de liberdade. Eu disse a mim mesmo: "Slav, meu amigo, é seu adeus às prisões. Aonde quer que te levem, não vai ser para outra prisão fedorenta." Sentia-me um pouco exultante. A despeito do que pudesse me aguardar, já estava respirando um ar bom, limpo, frio e sabendo que estava indo para algum lugar — e não de cela para cela, de prisão para prisão, de um interrogador para o outro, mas em direção a uma vida nova, a uma chance de trabalhar, de usar as mãos novamente, conhecer e conversar com outros homens...

Os outros homens, meus companheiros de prisão, estavam, bem naquele momento, sendo escoltados em pequenos grupos para o pátio. Senti meu coração batendo forte enquanto via cada um deles chegar. Eu olhava e olhava. Estávamos todos procurando por um conhecido, mas o mais estranho era que esse reconhecimento era impossível. Encontrávamo-nos disfarçados de maneira completa e uniforme. Todos tínhamos a barba e o cabelo longos — eu não cortava o cabelo nem fazia a barba havia quase um ano, mas nunca me ocorrera que os outros eram tratados de forma igual. Nossas roupas eram as mesmas. Quando nos agruparam no pátio, o que se via eram 150 homens como eu, todos segurando as calças. Cento e cinquenta almas perdidas, exibindo o mesmo traje miserável, como num diabólico baile à fantasia, cada um com seu bem embrulhado pacote de papel pardo. Os cantos de minha boca se contraíram e quase ri, mas de repente senti uma onda sufocante de piedade por nós todos, de que pudessem nos fazer de idiotas daquela forma tão estúpida.

Aquele foi meu primeiro encontro com outros prisioneiros. Em Kharkov e na Lubyanka, eu ouvira barulhos, homens sendo metralhados, o uivo pavoroso de um prisioneiro que estava ficando louco. Escutara o som de arranhões e leves pancadas, como se alguém estivesse tentando se comunicar comigo através da parede da cela. No entanto, nunca me fora permitido encontrar nenhum dos outros infelizes. O isolamento fazia parte do tratamento, e dele recebi sua dose máxima.

A tarefa de nos reunir, comparar nomes com documentos e contar cabeças levou cerca de duas horas. Durante esse tempo, fomos obrigados a ficar acocorados na neve — outra medida de segurança. Dois grupos de cerca de 12 soldados armados nos vigiavam. Restava pouca luz do dia quando recebemos ordem de nos levantarmos, e fomos amontoados, de pé, em cinco caminhões do Exército, com cobertura de lona. Um caminhão cheio de soldados encabeçava o comboio e outro seguia na retaguarda. Sacudidos e jogados de um lado para o outro, fomos conduzidos em velocidade máxima pelo que pareceu ser cerca de 15 quilômetros, até o caminhão frear e sermos arremessados em massa para a frente. O comboio havia parado.

Naquele percurso curto e sacolejante, senti uma excitação tensa e efervescente à minha volta. Era uma experiência estranha e forte estar na companhia de outros seres humanos novamente, sentir o choque de outro ombro, o cutucão brusco de um cotovelo nas costelas, lembrar-me do cheiro de homens numa multidão compacta, ouvir exclamações em polonês sonoro e coloquial. No entanto, aquela grande explosão de conversas que se teria esperado não aconteceu. Descobriríamos que levava algum tempo para se recuperar o hábito da conversação. Ele voltou aos poucos, devagar, sob a forma de perguntas curtas, gritadas, e respostas pequenas, espasmódicas.

O local onde o comboio de caminhões parou era uma estação pequena, em uma linha secundária, que avaliei que ficasse a cerca de 8 quilômetros fora de Moscou. Depois alguém, afirmou conhecer o lugar, deu o nome e disse que se tratava de um subúrbio, com vilas afastadas, muito apreciadas por funcionários soviéticos graduados. Ao descer do caminhão, vi, a distância, luzes de casas bem distantes umas das outras, o que confirmaria a afirmação, mas não havia civis à volta. Prisioneiros e soldados tinham o local só para si. Parado na linha férrea encontrava-se um trem com vagões para gado, do tipo que normalmente acomodava oito cavalos ou vacas em baias, quatro de cada lado, os rabos em direção à parte da frente e à traseira e as cabeças apontadas para dentro, para um pequeno corredor central entre as duas portas do vagão. Havia uma locomotiva soltando vapor em cada extremidade do trem.

O carregamento foi feito rapidamente. Quando o nome de cada homem era chamado, ele ia até a porta do vagão e dois soldados erguiam-no. No interior, outros dois soldados acondicionavam os prisioneiros em torno das paredes, preenchendo gradualmente o espaço disponível em direção ao centro, até que eles mesmos fossem empurrados em direção à porta. Ao terminarem, havia sessenta homens comprimidos, imóveis, no meu vagão. Todo o aparato para gado tinha sido removido, exceto os anéis de ferro em que os arreios de segurança eram amarrados. As quatro aberturas de ventilação, com grades, haviam sido cobertas pelo lado de fora com placas de metal, solidamente colocadas na posição de trava.

Dois soldados, com braçadeiras especiais no uniforme, enfiaram a cabeça pela porta e gritaram:

— Somos homens de primeiros socorros. Se algum de vocês se sentir mal durante a viagem, podem nos chamar que daremos um jeito.

A porta foi fechada e uma barra foi passada sobre ela por fora justamente quando aqueles que estavam perto da entrada se encontravam ameaçados de serem jogados para o exterior pela pressão, como rolhas de garrafa. Na escuridão sufocante, alguém provocou uma gargalhada ao comentar sobre os homens de primeiros socorros:

— Como a gente chama por eles? Pelo telefone?

E, de fato, nas semanas que se seguiram, ninguém do meu vagão viu, sequer uma vez, os especialistas de braçadeiras exercendo suas habilidades de primeiros socorros. Tratava-se apenas de mais uma das muitas ironias da organização russa.

Fui imprensado com força contra uma das paredes do vagão, meu embrulho ainda comigo, e os dois braços pressionados contra o corpo. Era impossível sentar, e quando quis levantar uma das mãos, precisei da cooperação do homem ao meu lado, que se encostou no vizinho do outro lado para abrir o espaço extra de que eu necessitava. Foi esse amigo anônimo quem me aconselhou a abrir o pacote e comer alguma coisa antes que fosse roubado mais tarde. Explorei seu conteúdo pelo tato e pelo cheiro — e foi uma experiência proveitosa e compensadora. Havia um pão especial, de formato oval, com cerca de 20 centímetros de comprimento e 10 de largura, no centro. Tinha também dois peixes secos excelentes, de uma espécie conhecida na Rússia como *taran*, e 30 gramas de *korizhki*, um fumo grosseiro, feito das veias da folha de tabaco, além de uma folha de jornal (mais tarde descobri que era de 1938) para enrolar os cigarros. Comi metade do pão e um dos peixes. O resto, enfiei sob a blusa, ainda embrulhado no papel pardo.

Foi só depois que o trem começou a se mover que a conversa fluiu. Vozes começaram a especular sobre para onde estávamos indo. Alguns expressaram o receio de que poderíamos acabar em Novaya Zemlya, a ilha mais gélida do mar de Barents, ou nas minas de sal de Kamchatka, a leste da Sibéria. Todos concordavam que nosso destino seria a Sibéria.

Uma das últimas instruções que recebemos, quando fecharam a porta, foi de que não deveríamos fazer barulho. Contudo, à medida que o trem vagarosamente ia pegando velocidade, e as rodas começaram a chacoalhar mais alto, começamos a gritar. Alguém berrou:

— Tem alguém de Lvov aqui?

Uma voz vinda do outro lado do vagão respondeu:

— Venho lá de perto.

Mas qualquer tentativa de manter uma conversa era sufocada pelo tumulto geral. Havia chamados por homens desse ou daquele regimento. Depois a gritaria baixava subitamente, e os homens começavam a chamar a atenção do vizinho ao lado. Um pouco da agitação da ocasião ainda estava em mim, mas eu não conseguia me juntar à confusão geral de perguntas e respostas. Sempre precisei de tempo para quebrar o gelo. De pé contra a parede fria daquele vagão, eu escutava os outros, mas guardava meus pensamentos para mim mesmo, ainda relutando em me abrir, em buscar um amigo. No entanto, sentia-me feliz por ser um na multidão, por saber que não estava mais sozinho.

Mais tarde, vi-me perguntando aos que estavam mais próximo se alguém conhecia Pinsk. Da esquerda veio uma voz que respondeu de modo ansioso:

— Sim, eu conheço Pinsk.

Citamos nomes de pessoas que conhecíamos, de ruas, de cidades vizinhas. Mas a Pinsk dele não era a minha, e não conseguimos encontrar nenhum ponto em comum. O esforço desanimou. Senti-me decepcionado, irritado com sua incapacidade de conhecer as pessoas e coisas que eu conhecia. Acho que ele ainda fez outra tentativa de continuar a conversa, mas não consegui mais responder. Havia sido um esforço à toa da minha parte, e me sentia um pouco arrependido de tê-lo iniciado.

O trem parou algumas vezes naquela primeira noite, e a cada parada ouvia-se o som de prisioneiros sendo descarregados de caminhões e colocados nos vagões às centenas. Homens dentro do vagão, que estavam colocados no lado que dava para a plataforma, encontraram frestas entre as pranchas de madeira, através das quais podiam observar os procedimentos no exterior, iluminados pelo farol das duas locomotivas, e relatavam o que viam para o restante de nós.

Aquele primeiro trecho de nossa viagem em direção ao leste em breve se transformou num pesadelo. Permanecemos trancados durante toda aquela noite e pelo dia seguinte inteiro. Naturalmente, não havia instalações sanitárias, nem do tipo mais primitivo, e os homens se aliviavam de pé, impossibilitados de se mexerem. O cheiro era terrível, o ar fedia. Quando o trem parou em um posto de controle, os homens gritavam por comida e água, enquanto os guardas corriam ao longo da composição batendo nas laterais dos vagões com o cabo das armas, ordenando silêncio e prometendo que os vagões seriam abertos em breve. O frio era implacável para os prisioneiros que estavam contra as paredes do vagão. Mesmo se aqueles que se encontravam mais ao centro quisessem trocar de posição com eles, era impossível se mover. Cerca de 12 horas após minha primeira refeição no trem, enfiei a mão por dentro da blusa e comi vagarosamente o resto de pão e peixe.

Aqueles de nós que haviam entrado primeiro nos vagões já estavam trancados por quase 24 horas quando o trem finalmente parou em uma seção isolada, de uma linha secundária, e as portas foram abertas. Era fim de tarde, e tudo o que podíamos ver ao redor era um terreno ondulante e coberto de neve, com grupos de árvores perto da linha e outros espalhados em volta, a distância. Alguns de meus companheiros estavam com as articulações muito duras, por se encontrarem havia tantas horas de pé, e só conseguiram descer do vagão com o auxílio de outros. Ficamos nos espreguiçando, bocejando e esfregando os corpos doloridos, a fim de reativar a circulação. Uma antiga cicatriz de granada em meu tornozelo começara a se abrir, e as costas da minha mão direita, sobre a qual os especialistas da Lubyanka tinham jogado piche quente, estavam inchadas e inflamadas. Havia ex-soldados com ferimentos não tratados muito mais sérios que os meus. Eu só podia admirar sua coragem. Não havia nada que pudéssemos fazer por eles, e os oficiais de primeiros socorros não contribuíram sequer com uma aspirina para aliviá-los.

Um vento leste cortante assoviava ao redor do trem. A neve parara de cair e o vento parecia muito mais frio. Os soldados russos se encontravam estrategicamente colocados, formando um arco rente em torno do lado aberto do trem, e havia guardas de patrulha postados do outro lado.

O primeiro movimento foi por questões de segurança. Recebemos ordens para ficar de cócoras em frente ao nosso vagão e depois recebemos o familiar pedaço de pão preto. Houve também distribuição de água, que tinha gosto de vapor e óleo de trem. Depois, foi-nos permitido caminhar em uma área cuidadosamente prescrita, e o pedido de que alguns homens fossem um pouco mais longe, a fim de catar galhos para limpar o vagão, foi acolhido — sob a condição de que ficava entendido que "Andar para a direita, andar para a esquerda" significaria tentativa de fuga. O vento ali fora penetrava por nossas roupas finas, e não faltaram voluntários para limpar o vagão. Eles trabalharam um tempo lá dentro e depois saíram para respirar ar puro. Encostado contra a porta do vagão, um pouco mais tarde, vi que a barra de ferro usada para nos trancar era segura por um aro de arame e um lacre de chumbo. Éramos não só trancados, como também lacrados, pensei eu. Um toque final de segurança absoluta.

O padrão da viagem se tornou mais claro depois. A ideia geral era nos transportar furtivamente através de cidades adormecidas, à noite, e fazer paradas em linhas secundárias, no meio do campo, durante o dia. Atrasos fora do comum e longas extensões de áreas desabitadas significavam sair do horário e viajar em plena luz do sol no dia seguinte. Nessas ocasiões, os soldados e o pessoal do trem quase entravam em pânico. Muitas vezes me pergunto o que os civis russos, parados na plataforma das estações, achavam daquele murmúrio de vozes que saía da longa fila de vagões de gado, quase parando ou se arrastando vagarosamente em frente a eles, durante aqueles deslocamentos matinais fora do horário.

Lá pelo fim da primeira semana, nossos sessenta homens haviam se organizado, criando regras comunais severas. Um sistema rotativo teve início, possibilitando que todos, por vez, desfrutassem o calor que emanava dos corpos amontoados no centro do vagão. Em contrapartida, todos também experimentavam o torpor gelado de suas paredes. Estava ficando cada vez mais frio, de forma que essas posições periféricas se transformaram em um tormento. Isso significava, também, que os locais favorecidos com a luz do dia, onde os observadores podiam olhar pelas frestas e pelos buracos dos lados do vagão, também eram rotativos. Um vigia bom, de voz alta, com o olho colado a um orifício na madeira, ajudava muito a aliviar a monotonia geral. Alguns deles conseguiam fazer comentários realmente divertidos.

Encapsulado naquele escuro caixote ambulante, era difícil ter uma ideia clara do rumo da viagem. A partir dos relatos desencontrados de homens que podiam ou não conhecer a rota que estava sendo seguida, cheguei à conclusão de que devíamos estar fazendo rodeios consideráveis em nossa jornada pelo oeste da Rússia. Eles deviam ser necessários por causa das condições do tráfego e dos pontos escolhidos para recolher comboios de prisioneiros nas estradas. Na segunda semana, no entanto, quando nos aproximamos dos Urais e uma terceira locomotiva foi acoplada à composição, ficou claro que nos encontrávamos na ferrovia Transiberiana, e não restaram mais dúvidas de que nosso destino era algum lugar em meio à vastidão da fabulosa Sibéria. Passávamos por quase todas as grandes cidades e entroncamentos ferroviários importantes à noite. Sempre os reconhecíamos pela quebra de ritmo na velocidade quando as rodas cruzavam uma sucessão de agulhas, pelo ruído de outros trens e pelas manobras das locomotivas.

Houve um incidente que não me sai da cabeça, em especial porque ocorreu em plena luz do dia e eu estava com o olho colado a uma das frestas maiores, em um dos lados do vagão. O trem vinha se deslocando havia quase duas semanas, e essa foi uma daquelas ocasiões em que tinha havido uma série de interrupções, e não alcançáramos o esconderijo predeterminado antes do amanhecer. Era um entroncamento, um lugar grande. A cidade do outro lado era digna de nota apenas pelo fato de que todas as construções pareciam ser de tijolos vermelhos. O trem vinha se arrastando, ofegante, a cerca de 15 quilômetros por hora. Com um estremecimento, ele parou com uma freada súbita. Um ou dois minutos depois, arrancou de novo, em uma velocidade muito baixa. Foi então que vi, arrastando-se vagarosamente ao lado, outra composição de vagões, exatamente como a nossa, numa linha paralela.

Gritei. Outros, em posições privilegiadas, gritaram também.

— Um trem como o nosso — berrei. — As janelas não estão cobertas. Há pessoas lá dentro.

— Mulheres. Mulheres. Há mulheres lá dentro. E crianças.

Não sei se era a minha voz dando a notícia ou a de outros. Acho que berrávamos uns para os outros. Houve um pandemônio. Os homens do meio forçaram passagem para o exterior e nós, vigias, fomos imprensados contra as tábuas do vagão. No entanto, nem notamos aquele desconforto adicional. As mulheres pareciam surpresas. Não conseguiam ver nada além dos lados sem janelas da composição. O barulho do nosso trem se transformou num estrépito sem fim. Alguém gritou:

— São polonesas. São nossas mulheres.

E os homens ficaram quase loucos. Talvez fossem polonesas, ou lituanas, ou estonianas. Não sei. Se elas produziram algum som, não consegui ouvir em meio à gritaria da multidão ao meu redor.

Os soldados russos correram confusos de seus postos às duas extremidades do trem, batendo nos vagões e dando ordens para que nos calássemos. Foi em vão. Toda a composição estava tomada pela histeria. Posso apenas imaginar como o maquinista da locomotiva principal estava recebendo as ordens para prosseguir, com sinais verdes ou vermelhos. Aquela parada durou sete ou oito minutos, e homens que não sabiam onde a esposa e a família poderiam estar soluçavam quando nos pusemos em marcha novamente. Os reflexos perturbadores daquele incidente permaneceram durante dias. Foi a pior falha de organização de toda a viagem por trem.

Houve um arremate irônico. Quando finalmente chegamos ao trecho distante de uma linha secundária, que seria nosso local de parada durante o dia, o comandante russo do trem — alto, bem barbeado e acessível — dirigiu-se a nós em grupos, falando sobre a necessidade de se obedecer às normas de silêncio em trânsito. Ele sacudia a cabeça enquanto nos passava uma reprimenda grave e dizia:

— O problema é que vocês não têm cultura.

Eu podia perceber que ele falava com bastante seriedade. Sempre que via uma oportunidade de nos advertir sobre infração de regras, fazia-nos lembrar dessa falha cultural.

Por trás das barbas longas e dos cabelos compridos e emaranhados, íamos começando a nos conhecer uns aos outros. Não era uma questão de nomes. Ninguém se preocupava com isso. Os homens se tornavam identificáveis por meio da personalidade e das características. Havia os líderes, os organizadores, os que assumiam automaticamente algum tipo de comando para criar normas, de forma que o maior número possível de homens pudessem sobreviver. Havia aqueles como eu, que estavam decididos a não morrer. Havia outros, nos quais a chama da esperança fora quase extinta ao serem arrebanhados para aqueles ataúdes ambulantes. Morriam sem dar um suspiro, nas longas noites em que era sua vez de ficarem longe do calor do vagão. Morriam de pé, e só sabíamos que estavam mortos quando a porta era aberta na luz da manhã. Ficavam sem sepultura. O chão era duro como ferro e impossível de ser escavado. Eles eram levados e então um monte de neve era posto sobre eles. Eram apenas nomes riscados na lista oficial. Pelo menos oito deles foram retirados, gelados e rígidos, de nosso vagão.

Os homens que eu mais admirava eram os piadistas. Eles muitas vezes nos salvaram durante os piores momentos. Havia quatro ou cinco no nosso grupo. Faziam piadas sobre tudo. Suas tiradas com frequência eram macabras, quase sempre mundanas e pungentes, no linguajar bom e forte que os homens utilizam. Era impossível reprimi-los. Nada os detinha. Abençoo sua lembrança pelas gargalhadas trepidantes que arrancavam de nós quando imitavam o comandante do trem, os guardas ou toda e qualquer coisa russa. Uma vez, quando se especulava sobre a possibilidade de que fôssemos trabalhar nas minas de ouro do leste da Sibéria, um deles anunciou seu plano de fuga.

Ele era um camarada forte, baixo e atarracado, com uma magnífica barba preta.

— Cavalheiros — disse ele —, vou comer muito ouro em pó com meu pão preto, correr que nem um louco até Kamchatka e atravessar para o Japão. Vou cagar o ouro russo e viver feliz para sempre assim. — Rimos alto e por muito tempo daquele absurdo sem restrição, como homens em desespero riem.

O humor deles adquiria um lado amargo e sarcástico enquanto observavam russos tirando calças e blusas dos patéticos cadáveres e jogavam neve sobre eles.

— Afinal de contas — disse um deles —, papai Stalin só emprestou as roupas ao pobre infeliz enquanto durasse sua estada na URSS. Ele não vai precisar mais delas na próxima viagem; vai embora como veio...

Homens reunidos por uma desgraça em comum falam mais livremente. O resultado nem sempre era a camaradagem. Os nervos se encontravam muitas vezes à flor da pele, e bastava um assunto mal escolhido para que uma discussão violenta tivesse início. Política era como dinamite. Ouvi dois homens começarem a debater o papel do ministro das Relações Exteriores polonês, Beck, nos acontecimentos que levaram à invasão do país pelos alemães. A polêmica fervia com uma intensidade mal contida e, de repente, um deles lançou a palavra "traidor" para descrever Beck. Logo, os dois estavam gritando com um ódio que não conhecia limites. Enquanto outras vozes gritavam "Parem com isso", eles se esforçavam em vão para levantar as mãos, tentando sem sucesso usar joelhos e pés, e acabaram se atracando com os dentes. De alguma forma, a massa conseguiu apartá-los. Um dos homens tivera o lóbulo da orelha quase arrancado, e o outro exibia marcas de dentadas profundas na bochecha. Lágrimas de frustração escorriam por suas faces. Por algum tempo ainda vociferaram ameaças um ao outro. Depois ficaram quietos e esqueceram tudo.

Certa vez, na escuridão, o trem parou e tudo estava silencioso. A maioria de nós se encontrava naquele estado meio adormecido e meio acordado que ocorre após longas horas de viagem. Uma voz começou a falar, como a de quem está sonhando, num tom ligeiramente acima do nível normal de uma conversa. Os homens se agitaram e se mexeram, querendo escutar.

— Minha esposa — disse a voz — era uma mulher pequena. Pequena e feliz. A gente se dava muito bem, nós dois. Ela era uma cozinheira maravilhosa. A mãe dela também era, sabe? E ensinou minha esposa a cozinhar. Vou contar para vocês do bolo que ela, minha esposa, fez para o meu aniversário. Ela sabia que eu era louco pelos bolos dela...

A voz continuou. Era gutural. As palavras vinham devagar e com muita clareza. Estávamos fascinados, ouvindo o sonho acordado de outro homem. Ele descrevia tudo com exatidão e afeto. Acompanhamos a feitura daquele bolo na grande vasilha de cerâmica branca, a quebra dos ovos, o cuidado na hora de bater, a quantidade precisa de farinha e fermento, e todos aqueles toques extras de raspas de limão e passas, e sabe Deus o que mais, a maestria visível na rica cobertura de amêndoas.

— Foi o bolo mais lindo — dizia o homem —, maravilhoso, único e belo que já existiu, esse que minha mulher fez para mim. O cheiro dele assando era como algo vindo do céu.

De repente, outra voz urrou. Sim, foi um urro que nos chocou, como o balde de água fria que acorda o sonhador de seu sono.

— Pare com isso, pare! Pelo amor de Jesus Cristo Todo-Poderoso, pare com isso!

Outras vozes se juntaram.

— Tá querendo deixar a gente maluco? Cala a boca, seu idiota imbecil.

O homem do bolo dos sonhos não disse mais nada. Fiquei desejando aquele maldito bolo maravilhoso durante dias. Eu não lembrava mais que gosto os bolos tinham.

4

Cinco mil quilômetros de trem

Havia tempo, e de sobra, para uma boa quantidade de pensamentos individuais enquanto a viagem aparentemente interminável entrava em sua terceira semana, com o trem já atravessando o oeste da Sibéria. Acabamos por perder o interesse pelos nomes das estações, cada uma delas com o busto de Stalin pintado de branco bem à vista. Os locais de parada pareciam todos iguais, superfícies de terrenos desertos e cobertos de neve, às vezes arborizados, às vezes não. Só variavam pelo grau de frio que ofereciam. Quanto mais para leste íamos, mais baixas eram as temperaturas. Em mais de uma ocasião caímos nas garras de ventos nordestes uivantes, carregados de neve, e não nos furtávamos ao aconchego do semicalor comunal do vagão.

Continuávamos garimpando coisas uns sobre os outros. Descobri que ninguém naquela multidão tinha sentença abaixo de dez anos de trabalhos forçados. Minha pena de 25 anos era relativamente comum, e havia algumas ainda mais longas. Quase metade dos homens possuía um crime em comum: eles haviam servido nas forças armadas polonesas. Eles falavam sobre tudo, como fazem os soldados: de suas experiências e dos lugares onde tinham servido, de seus regimentos e amigos. Aquilo me fazia pensar no passado e me reavaliar. Eu não queria levar meus pensamentos de volta à Polônia em particular, mas não havia nada a fazer. Acho que se tratava de uma fuga para as lembranças da liberdade.

Foi um judeu pequeno quem me fez recordar aquilo tudo. Ele me fez uma pergunta estranha — e, para um judeu, uma pergunta especialmente estranha. Quando os alemães chegaram pelo oeste e os russos pelo leste, esse pequeno homem com sua pequena loja em Beloyostok obteve lucros com seu estoque e comprou diamantes. Ele tinha parentes em Zyrardow, um centro têxtil próximo a Varsóvia, e um amigo sapateiro que lhe fez um par especial de botas, no qual escondeu as pedras. Assim, tendo tomado essas precauções, preparou-se para fugir da Polônia. Para onde ele ia? Ora, *para a Alemanha*. Porque, disse ele, não confiava nos russos. Mas, argumentei, os alemães iriam matá-lo; eles odeiam judeus.

— Pode ser, pode ser — respondeu ele. — Mas, pelo menos, eu estava certo em desconfiar dos russos. Olhe para mim agora.

Talvez tenha sido melhor para ele nunca ter tido a chance de testar os alemães. Os russos o pegaram tentando cruzar a fronteira, o que significava uma sentença quase automática de dez anos. Tentar escapar de seus libertadores pode ser visto como uma conduta muito antissocial.

Ao ir para casa, em Pinsk, após o colapso da resistência do Exército polonês contra os alemães, eu tinha praticamente escolhido me entregar nas mãos dos russos. Será que teria me dado melhor como prisioneiro de guerra dos nazistas? Era uma pergunta sem resposta então, mas me fez pensar nos alemães e na luta fútil de uma cavalaria contra tanques, no caos, na coragem de um Exército já condenado naquelas semanas atropeladas e desesperadoras de setembro de 1939.

Fui convocado pela primeira vez em 1937, quando estudava para obter meu diploma de arquiteto e agrimensor na Escola Técnica de Wawelberea e Rotwanda, em Varsóvia, e servi durante um ano no centro de treinamento da infantaria, em Brest Litovsk. Depois de sete meses, eles pediram voluntários para se especializarem em reconhecimento, na cavalaria. Eu sabia montar bem e abracei a oportunidade. No final do ano passei para o nível mais alto de cadetes. Voltei à faculdade e tive sucesso nos exames finais, em 1938, retornando naquele mesmo ano ao Exército para as grandes manobras de seis semanas na região de Wolyn, próximo à fronteira russo-ucraniana. Tornei-me segundo-tenente e fui para casa, fisicamente em forma, bronzeado e satisfeito comigo mesmo, a fim de ajudar minha mãe a dirigir nossa propriedade em Pinsk. Ela era o elemento brilhante e prático de nossa família. Meu pai achava que a administração da propriedade lhe forneceria os meios para praticar seu hobby — a pintura de paisagens. A casa estava cheia de telas dele, nenhuma das quais ele permitia que fosse vendida, embora alguns negociantes de arte lhe tivessem feito propostas.

Exerci minha vocação para administrador de propriedades por uns poucos meses apenas. Em 1° de março de 1939, fui convocado com uma ordem de "mobilização não oficial". Seis meses depois, em 31 de agosto, na véspera do meu aniversário de 24 anos, enquanto lia cartas de minha esposa e de minha mãe e me preparava para abrir os embrulhos que elas haviam me enviado, um mensageiro chegou ao nosso acampamento de cavalaria, perto de Ozharov, para anunciar que os alemães estavam a caminho. Era a guerra.

Meu serviço na ativa durou apenas cerca de três semanas, repletas, porém, de movimentação e incidentes. Passei em revista, naquele chacoalhante vagão russo, minhas impressões daqueles dias. Lembrei-me de me abaixar com o cavalo enquanto os Stukas zuniam pelos ares em suas missões de bombardeio, das estradas bloqueadas, da artilharia polonesa puxada por cavalos empacada, esforçando-se para se aproximar do inimigo a uma distância de tiro. Éramos bombardeados com frequência, e ninguém parecia ter muita certeza de onde estavam os alemães. Próximo a Kutno, encontramos a força principal da cavalaria polonesa, quase 10 mil cavalos e seus cavaleiros, com a rota principal de retirada para Modlan bloqueada por alemães bem posicionados e entrincheirados.

Ali, pelo menos, havia algum tipo de comando unificado. Percorreu as fileiras uma ordem de que devíamos romper as linhas inimigas. Entre nós e os alemães havia uma floresta na qual se podia penetrar por cerca de 2 quilômetros. De uma unidade a outra as cornetas soaram que avançássemos, e fomos em frente. Os homens que se encontravam a pé na primeira fileira não se levantaram mais, cavalos caíam relinchando, e os que vinham de trás pulavam sobre eles. Quando cheguei à frente, vi cavalos empalados nas estacas de metal, ou desentranhados no arame farpado. Um ataque de cavalaria induz a uma espécie de loucura. Cavaleiros e cavalos são infectados. Sua fúria, seu peso e ímpeto só podem ser contidos por um fogo muito violento, concentrado e pesado. Os alemães que se levantaram para se entregar foram triturados. Uma cavalaria atacando não pode fazer prisioneiros.

Fustigados por bombardeiros em voos rasantes, abrindo caminho por estradas congestionadas, retiramo-nos para Varsóvia a fim de nos reorganizarmos — depois ficamos sabendo — para defender a capital. Soldados da infantaria montaram nossos cavalos sem cavaleiros e voltaram conosco — havia até um marinheiro polonês cavalgando quando alcançamos, dispersos, os arredores de Varsóvia. Não encontramos nenhuma defesa organizada, mas, após realizar algumas transferências de suprimentos, através do rio Vístula, de instalações militares em Praga para a antiga escola de cadetes de Varsóvia, fiquei sabendo que havia uma força de defesa estruturada nos subúrbios da periferia, na estrada que ligava a capital a Piastov. Selei um cavalo, juntei provisões e parti. Fui bem recebido. Tornei-me líder de uma patrulha de cavalaria com oito homens.

Foi assim que vi, provavelmente, o último ataque de cavalaria em uma guerra moderna. Havíamos deixado os cavalos sob a responsabilidade de quatro patrulheiros, na beira de um bosque, e nos arrastado até um morro baixo, encimado por um grupo de árvores pequenas, de onde tínhamos uma visão clara da estrada principal para Piastov, cortada, a cerca de 100 metros de onde estávamos, por um entroncamento de quatro vias. Havia uma estalagem, pintada em cores alegres, no encontro da estrada principal com uma das secundárias. Encontrava-se abandonada então, mas ainda havia um guarda-sol grande e multicolorido sobre uma mesa do lado de fora. Vimos, então, duas patrulhas alemãs sondando cuidadosamente a área dos dois lados da estrada principal. Uma delas passou entre nós e os cavalos. Ficamos completamente imóveis e mantivemos os olhos nos 3 quilômetros desimpedidos da estrada à nossa frente.

Não muito tempo depois, entendemos a razão das patrulhas de reconhecimento. A distância, com rifles balançando sobre os ombros, aproximava-se um pelotão de soldados alemães, seguidos por cerca de meia dúzia de oficiais montados. Atrás deles, vinha uma subdivisão de infantaria e, depois, alguns armamentos puxados por cavalos. A coluna se encontrava a uns 800 metros do entroncamento quando ouvi o tropel de cavalos na estrada, atrás de mim. Saindo do bosque para lá, surgiu uma força de cerca de 150 oficiais da cavalaria polonesa, completamente equipada — soube mais tarde que se tratava do 12° de Uhlans.

A cavalaria entrou em formação imediatamente e deslanchou estrada afora, as espadas refulgindo, antes mesmo que os alemães, a pé, soubessem o que estava acontecendo. Os cavalos romperam a coluna quase sem um disparo de arma. Quando os cavalos da artilharia, assustados, empinaram, os armamentos rolaram pela estrada, causando baixas entre os poloneses, visto que alguns cavaleiros caíram, batendo contra as armas. Eles entraram em formação de novo e voltaram a atacar para completar o estrago. Depois deram a volta e partiram por uma das estradas secundárias. Estava tudo acabado. Arrastamo-nos até onde estavam nossos cavalos, montamos e retornamos para informar. Esse dia foi 15 ou 16 de setembro. Varsóvia capitulou logo em seguida.

A pergunta feita pelo pequeno comerciante judeu não podia ser respondida, decidi. Alemães ou russos? Para um polonês na minha posição em 1939, não havia muita escolha. Havia muitos outros como eu naquele trem, que tinham achado que combater os nazistas poderia ser um passaporte para a clemência soviética.

Os dias tediosos e desconfortáveis continuaram. Cochilávamos em uma infelicidade entorpecida e tínhamos pesadelos dilacerantes que permaneciam conosco quando despertávamos e percebíamos que ainda estávamos naquele trem horrível e que o chacoalhar das rodas parecia não ter fim. Falávamos sobre nossas esposas e famílias. Alguns dos homens descreviam seus bebês com detalhes afetuosos. Maldizíamos os russos e amaldiçoávamos Hitler e seus alemães. Passávamos longas horas sem que nenhum homem falasse, enquanto nos aninhávamos contra o frio intenso. Às vezes, ficávamos trancados por 36 horas seguidas. Era quando os homens se lamentavam da frustração abjeta de tudo aquilo e rogavam pragas terríveis aos que haviam arquitetado nossa degradação.

Continuávamos em movimento o tempo todo. Homens morriam e seus nomes eram riscados, mas a longa serpente de sessenta ou mais vagões de gado prosseguia, devorando uma quantidade de quilômetros impressionante. A vastidão da Rússia é assustadora. Chegamos e identificamos o importante centro siberiano de Novosibirsk, a cerca de 2.700 quilômetros de nosso ponto de partida, nos arredores de Moscou, e o trem ainda se movia. Havíamos percorrido mais de 3 mil quilômetros em direção ao leste, numa linha quase reta, quando passamos vagarosamente por Krasnoyarsk e vimos grãos em pilhas altas, a céu aberto, deteriorando-se e já produzindo brotos verdes, porque não havia mão de obra nem meios para transportá-los. Krasnoyarsk era um lugar grande, visto pelas frestas de nossas celas de madeira. Local de amplos silos e construções de tijolos vermelhos. Destacava-se principalmente com o importante entroncamento ferroviário.

Cerca de 2 quilômetros depois de Krasnoyarsk, houve uma parada em um ramal longo, bem longe dos olhos e ouvidos da cidade. Uma equipe de manutenção ativa e bem agasalhada passou martelando as rodas ao longo do trem. Esses técnicos devem estar entre os trabalhadores mais assíduos das ferrovias em todo o mundo. Em cada oportunidade possível, durante a longa jornada, eles batiam nas rodas. Tratava-se obviamente de operários da maior importância. Uma pane em algum daqueles trechos desabitados e cobertos de neve entre duas cidades seria desastrosa. Dessa vez, eles encontraram defeitos em alguns dos vagões, e ficamos desde manhã até o entardecer ao ar livre, tentando restaurar a circulação, enquanto os reparos eram realizados com material tirado de uns galpões de tijolo localizados ao lado da linha. Àquela altura, havíamos conseguido alguma melhora em nossa condição. Seguindo o exemplo de um desconhecido, improvisáramos presilhas para nossas calças enfiando gravetos e passando-os pelo cós. Assim, ficávamos com as duas mãos livres e podíamos esfregar os braços para não congelarmos.

Era o fim da terceira semana e da ideia de que Krasnoyarsk talvez fosse o nosso destino. Ao entardecer, no entanto, fomos colocados a bordo, trancados e lacrados de novo. As rodas giraram com seu estrondo habitual. Ainda havia mais seis noites de viagem, seis dias, ou parte deles, a céu aberto, batendo com os pés no chão para permanecer vivo. Então, incrivelmente, depois de um mês e de mais de 5 mil quilômetros, encerrou-se a viagem de trem. O lugar se chamava Irkutsk e ficava próximo à extremidade sul do grande lago Baikal.

Os soldados desceram do trem removendo os lacres, tirando as barras dos vagões e ordenando:

— Todos para fora. A viagem acabou.

Movemo-nos para fora e um vento uivante, cortante, com uma temperatura abaixo de zero, fez-nos ofegar, sufocar e nos agarrar ao abrigo pífio oferecido pelos vagões. Em poucos minutos, todos estávamos com as orelhas geladas, o nariz vermelho e os olhos lacrimejando. Tremíamos incontrolavelmente. Era a segunda semana de dezembro, e a Sibéria já se encontrava tomada pelo inverno. Enfrentamos aquele clima vestidos apenas com calças, sapatos de lona e uma blusa de algodão fino. Os soldados inspecionavam os vagões para terem certeza de que estavam vazios. Alguns homens, vítimas de cãibras ou até de problemas piores, tiveram de ser carregados para fora. Reinava uma certa confusão; ordens foram gritadas e repetidas ao longo da linha para cada grupo, então formamos uma coluna longa e desordenada — uma multidão de talvez 4 mil prisioneiros, cercada por soldados na frente, atrás e dos lados. Fomos em frente, arrastando os pés, a cabeça inclinada contra o vento, as calças ensopadas até os joelhos pela neve e pela lama produzida por aqueles que iam à frente.

A marcha foi de 8 quilômetros, para longe da visão e do som da ferrovia. Era típico daquela espécie de aventura que nosso local de descanso não fosse exatamente um refúgio para viajantes desfalecidos. Paramos e saímos de formação em uma plantação de batatas, vasta e varrida pelo vento. Em lugar nenhum, tanto quanto o olhar conseguia alcançar em qualquer direção, via-se qualquer tipo de construção. O campo se encontrava sob meio metro de neve fresca. Alguns caminhões movidos à lenha, que pertenciam a um colcoz, estavam parados nas proximidades. Havia apenas uma única cozinha de campo, totalmente inadequada para as necessidades de uma tal multidão de prisioneiros. O vento parecia ter dentes serrilhados, que me faziam sentir nu diante de seu ataque. Os homens, parados sob a neve, olhavam desolados uns para os outros. Nem todas as lágrimas eram causadas pelo vento cortante.

Aquele período de espera sem propósito não durou muito. Era urgentemente necessário fazer algo, a fim de buscar abrigo contra as rajadas paralisantes do vento. Um grupo próximo a mim começou a cavar e fazer uma pilha de neve que servisse de quebra-vento. A ideia se espalhou com rapidez. Em breve, todos trabalhavam febrilmente para erguer áreas cercadas de neve. Os homens escavavam e arranhavam a terra negra e dura como pedra, com os dedos dormentes, e, quando terminavam aquele esforço, agachavam-se atrás do quebra-vento.

Do outro lado da cerca de arame farpado, a 500 metros da plantação, havia algumas árvores. Quando o chefe do transporte — aquele apóstolo da cultura soviética — foi dar uma volta, mais tarde, porta-vozes de alguns dos grupos lhe perguntaram se poderíamos colher galhos para cobrir a terra congelante. Ele deu permissão. Os prisioneiros haviam automaticamente se juntado às suas comunidades de vagão. Alguns voluntários de cada grupo entraram em formação e, sob uma escolta armada, fizeram algumas viagens até as árvores, retornando com braçadas de pequenos gravetos e galhos, que foram cuidadosamente espalhados sobre o chão. Os homens puderam então se esticar abaixo do nível das barreiras de neve e escapar do impacto pleno do vento. Ainda assim, era uma posição apenas tolerável, enquanto nos aconchegávamos bem comprimidos. Alimentos foram distribuídos. Cerca de 500 gramas de pão para cada homem por dia e, espantosamente, a cozinha ainda conseguia produzir duas canecas de lata fumegantes de sucedâneo de café, sem açúcar.

Passamos três dias naquela plantação de batatas, no decorrer dos quais grupos de centenas de outros prisioneiros se juntaram a nós. Alguns eram finlandeses. Impossível não reconhecê-los naquele momento e depois. Eles sempre se apegavam tenazmente uns aos outros, formando um grupo racial sólido. Quando a reunião terminou, havia nada menos que 5 mil homens na plantação, todos se perguntando o que iria acontecer depois e especulando com temor o que viria pela frente. Os acontecimentos justificariam o pior de nossos medos.

Com relação aos nossos acompanhantes de acampamento, os piolhos que viviam conosco e à nossa custa desde as prisões do oeste da Rússia, a plantação de batatas infligiu perdas pesadas. Com seus cálidos esconderijos em nossos corpos expostos ao açoite das rajadas que nos perpassavam, eles caíam ou eram facilmente catados, e morriam. Não lamentávamos sua perda.

Não estávamos exatamente em forma para hospedá-los. Eles poderiam ter se dado melhor se tivessem se aguentado até o terceiro dia — que foi memorável.

Os caminhões do colcoz, com seus motores movidos à combustão da madeira, chegaram naquele terceiro dia, enquanto os soldados corriam em volta. Sentimos que algo incomum estava prestes a acontecer, mas nunca poderíamos ter adivinhado, nem em nossos sonhos mais esperançosos, o que seria. A notícia se espalhou a partir daqueles que se encontravam mais perto dos caminhões:

— Roupa! Roupa nova!

E eram mesmo roupas novas. A distribuição levou horas, mas quando acabou, cada homem havia trocado sua fina *rubashka* pelo traje russo de inverno máximo, a *fufaika*, um casaco acolchoado com paina, abotoado no pescoço que ia até a coxa.

Juntamente com o casaco vinham calças de frio, também acolchoadas, e sólidas botas de lona emborrachada, com cadarços, que alcançavam até alguns centímetros acima do tornozelo. Havia apenas três tamanhos disponíveis — pequeno, médio e grande. Não havia a preocupação de dar a um homem o tamanho que lhe convinha. Se você tivesse sorte, elas serviam. Se não, tinha de trocar suas botas muito pequenas ou muito grandes com alguém que estivesse com o problema oposto. Fui um dos que tiveram sorte. Meu par serviu. Nossas blusas e calças velhas foram cuidadosamente recolhidas. A excitação foi maravilhosa. Os rostos dos homens brilhavam. Eles se apressaram e se ajeitaram para vestir os novos e belos casacos. Chamavam uns aos outros e desfilavam em volta. E aqueles queridos piadistas, que haviam permanecido quase em silêncio desde que chegáramos à plantação de batatas, presentearam-nos com um desfile de modelos, de mãos nos quadris e barbas voando ao vento. É evidente que todas as coisas e experiências são comparativas. Pelos padrões normais, ainda estávamos pessimamente vestidos para um inverno siberiano, mas o calor adicional que sentíamos com nossas *fufaikas* era extraordinário.

No quarto dia de nossa estada na plantação de batatas, a questão das roupas de inverno foi encerrada. Entregaram a cada um de nós duas peças de roupa branca, que, os soldados explicaram, deviam ser colocadas em volta dos pés, dentro das botas. Poucos homens do nosso vagão conheciam essas "meias" e sabiam como enrolá-las melhor, para que não ficassem muito apertadas em volta dos pés, e pudessem evitar ulcerações. Houve algumas demonstrações por toda a plantação.

Um comboio de cerca de sessenta caminhões potentes chegou à área cercada, cada um deles com um motorista do Exército, acompanhado, na cabine, de um outro soldado como copiloto. Eram veículos resistentes, requisitados junto às fazendas coletivas localizadas a centenas de quilômetros ao redor, que tinham pintados dos lados os nomes dos vários colcozes. Logo atrás da cabine, eles carregavam geradores a gás, compridos e cilíndricos, cujo combustível eram achas de 20 centímetros de bétula e freixo, conhecidas pelos russos como *churki*. Essa madeira, amplamente disponível na arborizada Sibéria, era um substituto barato e eficiente para o precioso combustível líquido e resolvia um dos muitos problemas de transporte e distribuição da Rússia. Presa por suportes nas laterais dos caminhões via-se uma variedade de pás e picaretas. As caçambas para carga eram abertas. Exceto pelos geradores à combustão, de aparência estranha, eles se pareciam com os caminhões comerciais normais, de três toneladas, do Ocidente.

Enquanto os víamos sacolejando e rodando, ordens começaram a ser expedidas, e então soubemos que o último estágio de nossa jornada estava prestes a começar. Para muitos daqueles que se acotovelavam em volta dos caminhões, seria a última fase de qualquer outra jornada que fariam nesta terra.

5

Acorrentados

NAQUELE ÚLTIMO DIA na plantação de batatas havia no ar a sensação de um grande — e, de acordo com os 5 mil prisioneiros, agourento — acontecimento iminente, de algum importante empreendimento russo de transporte. Os soldados estavam em números de batalhão, todos com a cabeça coberta por balaclavas, as mãos protegidas por luvas quentes de pele de carneiro, e cada um deles carregava o inconfundível saco cáqui pendurado nas costas por um cordão. Havia no mínimo cinquenta caminhões, estacionados numa fila longa e bem espaçada. Eles eram abertos e carregavam plataformas para metralhadoras, apoiadas contra a cabine do motorista. Se a questão dos novos trajes de inverno não tinha sido um aviso suficiente, a presença de tantas tropas e veículos afastava qualquer dúvida de que alguma adversidade nos aguardava.

As tropas tinham chegado mais ou menos às 11 da manhã, após a distribuição matinal de pão e café ter acabado. Elas começaram a trabalhar imediatamente, fazendo uma rechecagem dos nomes na lista de prisioneiros. Às vezes, isso se tornava caótico. Alguns nomes tinham de ser gritados várias vezes até que os homens em questão os reconhecessem na forma russa mal pronunciada. Quando um grupo de cem nomes era riscado da lista, os prisioneiros eram levados em uma coluna em direção aos caminhões que os aguardavam. De propósito ou não, as comunidades dos vagões foram dispersas. Eu me vi em um grupo de homens quase inteiramente diferente quando nos conduziram. Fomos escoltados até o espaço que havia entre o sexto e o sétimo caminhões, onde permanecemos por algumas horas, enquanto a conferência de papéis e o agrupamento avançavam pela tarde na plantação.

A luz de um dia de dezembro claro e frio desaparecia quando as preliminares terminaram. Os soldados foram divididos em seções de, em média, vinte pessoas, cada uma sob a responsabilidade de um oficial subalterno ou inferior. Essas seções estavam dispostas de modo a guardar cem prisioneiros e foram colocadas uma de cada lado dos caminhões. Assistíamos aos procedimentos com interesse, gelados e esperando que acontecesse logo alguma movimentação.

Havia um burburinho de conversas em voz baixa ao longo de toda a comprida fila de homens. De repente, ele cessou, interrompido por um choque e uma terrível surpresa, quando, de cada caminhão, saíram extensões de pesadas correntes de ferro com cerca de 3 centímetros de diâmetro. Um soldado do meu destacamento caminhou até os dois homens à frente da coluna e os separou. Depois veio pelo meio, dividindo-nos em filas únicas. Outros o seguiam, estendendo a corrente. Após instruções serem gritadas, seguramos o grilhão com a mão mais próxima. Eu estava com meu lado esquerdo voltado para ela. Lembro-me de pensar que tivera sorte em não ter de usar minha mão direita, que ainda estava aberta, em carne viva e dolorida. Era uma corrente muito nova, ainda coberta com alguma substância antiferrugem, escura e pegajosa, e sua frieza feria a mão quase como uma queimadura. Depois, cinquenta homens de cada lado foram amarrados a ela pelo pulso. Três guardas os flanqueavam, espaçados ao longo da fila. O comandante da seção entrou na cabine, ficando ao lado do motorista, e as tropas restantes subiram rapidamente para a caçamba do caminhão. Estávamos prontos para partir. Os prisioneiros permaneciam muito silenciosos.

Como um grande réptil vagaroso, a longa procissão começou a se mover, com o caminhão à frente estabelecendo o ritmo, uma velocidade de caminhada, equivalente a 6 quilômetros por hora. A extremidade anterior da corrente estava presa a um forte gancho fechado por mola, um acessório usado normalmente para trabalhos de reboque. Quando nosso caminhão se moveu, e a corrente se retesou, marchamos à frente, pegando automaticamente o ritmo. Só havia espaço suficiente entre o homem na minha dianteira e o da traseira para eu andar sem impedimento. Quando o caminhão guia bateu em uma grande barreira de neve, todo o comboio se inclinou para a frente e depois parou, veículo por veículo, grupo de prisioneiros por grupo de prisioneiros, até que a velocidade total da marcha fosse retomada.

Andamos sem parar por toda aquela primeira e escura noite no início da terceira semana de dezembro, por 12 horas ou mais. O caminhão da frente iluminava o caminho com o facho de seus faróis brilhantes. Nós nos movíamos com grande esforço na escuridão, obedecendo ao puxão insistente da corrente, ainda nos perguntando para onde estávamos indo, temerosos em relação ao tempo que teríamos de marchar naquele frio mortal. A estrada era obviamente bem conhecida, e eu não tinha dúvidas de que esse primeiro e longo estirão à noite tinha a intenção de nos levar para longe de qualquer lugar habitado próximo a Irkutsk sem que fôssemos vistos pela população civil russa. Nos dias que se seguiram, a programação foi de marchas diárias e paradas noturnas, mas o percurso ainda era escolhido de forma a evitar locais onde pudessem nos ver. Essas áreas estupendas da Sibéria são tão vastas e escassamente povoadas que não vi um nativo sequer em toda a extensão da província de Irkutsk.

Uma parada foi anunciada cerca de meia hora após o amanhecer, em uma depressão de terreno arborizada situada entre dois morros. Estávamos todos rígidos, prostrados por uma fadiga pesada, gelados e famintos. No meu grupo, havia homens de todas as idades, desde rapazes de 17 anos até senhores com mais de 60, e de várias classes sociais. Alguns dos mais velhos já estavam gemendo de tanta privação. A maior parte deles era composta por profissionais liberais, advogados, arquitetos e assim por diante, que haviam atingido aquele estágio da vida, antes da chegada dos russos, em que dirigiam seus próprios carros, de casa para o escritório e vice-versa. Homens que já tinham aberto mão dos excessos físicos da juventude e que não estavam muito distantes de uma aposentadoria confortável, abastada e respeitável. Eles se encontravam agora em uma grande luta contra a morte e dispunham apenas de armas muito medíocres para o embate. Naquele momento e depois, nós, os mais jovens, fizemos o que podíamos para ajudá-los a prosseguir, mas as perdas entre eles eram, de fato, pesadas.

Aquela primeira parada durou apenas umas duas horas, longa o bastante para a cozinha de campo, que nos acompanhara, fazer café quente e para os soldados distribuírem uma ração de pão. O calor do café foi como um sopro cálido de vida, e comemos vorazmente nossa comida. Não fomos desacorrentados e, muito em breve, já estávamos em movimento de novo, dessa vez à luz do dia.

Os seis soldados que nos acompanhavam eram trocados regularmente, a cada duas horas. Eles subiam para o caminhão, seis substitutos desciam, e um novo turno de serviço começava, sem diminuir a marcha da sinuosa e fatigada coluna de prisioneiros. Nos lugares mais expostos, ou seja, nos terrenos mais altos, o vento uivava como um coro de demônios; nossos pés escorregavam na neve remexida, e as pontas dos dedos, das orelhas e do nariz sentiam o ataque traiçoeiro do enregelamento. Naquele mesmo dia começaram as mortes. Um grito foi passado de um contingente bem atrás de nós e retransmitido pelas sentinelas a pé até alcançar o comandante de transporte no caminhão da frente, que parou, sendo imitado pelos demais. Um pobre prisioneiro foi desacorrentado, e seu corpo, retirado. Seguiu-se o mesmo método usado no trem. Roupas e botas foram removidas, e o cadáver foi deixado para trás, sob um monte de neve. Aquele foi o primeiro de uma série. Tomando minha própria seção como exemplo, a taxa de mortalidade alcançaria entre 10 e 15 por cento até o final da marcha.

Era difícil avaliar se estávamos seguindo algum tipo de estrada regular. Tudo se encontrava coberto por uma grossa camada de neve. Mas a cada 100 metros via-se um poste sólido, com cerca de 2 metros de altura, encimado por um feixe bem amarrado de feno seco ou de pequenos gravetos, como uma sucessão de vassouras de bruxa. Acho que eram marcadores de rota. Estiveram conosco durante quilômetros, ao longo de morros íngremes, vales arborizados, nos locais usados para se vadear os rios absolutamente congelados. Havia vezes em que até as rodas com correntes dos caminhões começavam a derrapar. Então, os soldados tinham de descer e tentar levantá-los com os ombros, e nós, prisioneiros, motivados apenas pelo desejo de chegar ao nosso local de descanso o mais rapidamente possível, cerrávamos fileiras atrás deles e acrescentávamos nosso peso considerável ao esforço. Era um percurso difícil, que piorava à medida que progredíamos.

Poucos dos homens tinham qualquer dúvida no que dizia respeito ao nosso rumo. Estávamos indo para o norte — quase que diretamente — em direção à extremidade superior da província de Irkutsk, para chegarmos à vasta região de Yakutsk. Encontrávamo-nos, provavelmente, seguindo um rumo mais ou menos paralelo à margem oeste do lago Baikal, aquela espantosa extensão de água no interior em forma de banana que se espalhava por mais de 650 quilômetros para o norte a partir de sua extremidade sul, onde a cidade de Irkutsk está localizada, no caminho da ferrovia Transiberiana. Fomos conduzidos para o norte, da latitude 50 N para a 60 N, e, mais além, em direção ao Círculo Ártico. O clima siberiano piorava enquanto seguíamos em frente.

A marcha continuou no segundo dia, até o final da tarde. Poderia ter acabado mais cedo se tivéssemos alcançado uma posição protegida antes disso, mas, como seria a regra dali em diante, pareciam existir ordens requerendo que o comandante encontrasse um local abrigado, em geral com o resguardo de uma floresta, para o descanso noturno. Aquela consideração era, quase certamente, mais por conveniência que por razões humanitárias. Já que tanto tempo, esforço e dinheiro estavam sendo gastos no transporte daquela considerável força de trabalho gratuita de uma extremidade da Rússia à outra, devia haver uma certa pressão sobre o comandante para que trouxesse o máximo possível de homens ainda capazes de trabalhar. Assim, fora da área urbana de Irkutsk fomos desacorrentados para passar a noite, e nos foi permitido fazer fogo. Como na plantação de batatas, cavamos buracos na neve, a fim de conseguir um pouco de calor, e nos amontoamos bem próximos, cochilando à luz de fogueiras para as quais, com mãos entorpecidas e congeladas, havíamos saqueado avidamente os galhos das árvores ao redor. Ali recebemos a segunda caneca de café do dia, e os que tinham sido prevenidos o bastante para guardar um pouco do pão da manhã comeram enquanto bebiam.

Tenho gratas recordações da eficiência geral da pesada cozinha de campo. Todas as manhãs ela assava o pão destinado a nós, nosso único sustento, e produzia duas bebidas quentes por dia. Só uma vez houve falha, e foi após uma nevasca ter nos esbofeteado e atolado durante horas. Nesse dia, recebemos um suprimento de emergência, que mostrou ser uma mudança muito bem-vinda e palatável da nossa dieta — pão de centeio embebido em mel e parcialmente seco até formar uma espécie de ração firme, facilmente armazenável e transportável. Como me recordo bem de qualquer mudança de cardápio na longa estrada de Pinsk até o norte da Sibéria! Por vezes, esforço-me para me lembrar, com detalhes precisos, de algumas de minhas experiências, mas pequenos incidentes relacionados à comida me vêm à cabeça de forma clara e espontânea. O alimento nunca era suficiente e essa ideia nos atormentava sempre. Os homens dariam um punhado de diamantes por uma fatia extra de pão naquelas circunstâncias e se considerariam os mais afortunados dos seres, pois apenas a comida possuía valor. Não tinha preço.

Fomos atingidos por três nevascas tremendas no decorrer de nossa marcha. A primeira, que caiu lá pelo fim da primeira semana, foi a pior, por ter sido nossa experiência inicial da fúria plena de um desses ventos congelantes e de grande velocidade que trazem consigo uma quantidade concentrada e impulsionada de neve. O céu estivera carregado, as nuvens baixas, com nuances cinza-chumbo, quando nos pusemos em movimento logo após o amanhecer, e a nevasca desabou sobre nós cerca de duas horas depois. A tempestade de neve reduziu a velocidade do comboio quase que de imediato, enquanto nos arrastávamos, todos de cabeça muito baixa, mal saindo do lugar. Era quase impossível abrir os olhos. A neve se acumulava em nossos cabelos e barbas desgrenhados, cobria os caminhões e as correntes estiradas, ocultava os soldados expostos a ela, curvados para a frente, agarrados às metralhadoras embranquecidas. A nevasca nos pegou quase de frente, e seu impacto foi tal que me pergunto como, pelas horas seguintes, o caminhão guia conseguiu manter o comboio se arrastando. Encontramos uma espécie de abrigo por volta das 2 horas. Essa foi a primeira vez que vi os russos usando seus *bashliks*, um supertipo de balaclava feita com um material que se assemelha a pelo de camelo, cujo uso requer ordem especial do oficial de comando.

A tempestade durou pelo resto do dia e uma parte da noite. Não podíamos acender fogueiras enquanto continuasse. Quando diminuiu, antes do amanhecer, reduzindo-se a esparsas lufadas de neve, todos nós, e isso incluía os soldados também, nos sentíamos completamente esgotados. Pela manhã bem cedo, parecendo um grupo de bonecos de neve, voltamo-nos, com uma expectativa desesperada, na direção da cozinha de campo. O apelo mudo foi respondido, e o café quente chegou, juntamente com a distribuição de pão.

Existiam poucas oportunidades de se iniciar qualquer tipo de amizade com os companheiros de sofrimento. Todos pareciam preocupados com os próprios problemas, agarrando-se, cada um à sua maneira, à necessidade dominante de se manter andando. Um homem, no entanto, eu consegui conhecer, porque fazia par comigo na corrente, algemado no mesmo ponto ao meu lado. Ele era jovem, forte, tinha pernas grossas e ombros largos e musculosos. Passaram-se dias até começarmos a nos falar, embora nos observássemos desde o começo. No que me dizia respeito, eu gostava do que via, e acho que o sentimento era recíproco. Conversamos pela primeira vez durante uma parada forçada para desacorrentar um homem morto de um lugar na corrente bem à nossa frente.

— Eles não vão me matar assim — disse ele calmamente.

— Nem a mim — respondi — Vamos chegar lá... Seja onde for.

Seu nome, disse-me ele, era Grechinen, e ele vinha de Lublin. Trabalhava — apesar da descrição parecer um pouco grandiosa para suas tarefas — como chefe de uma pequena estação fora da cidade. Na verdade, ele fazia todo o trabalho sozinho, inclusive o de carregador. Rapaz de ambições modestas, contente com sua pequena esfera de importância, sentia-se mais feliz trabalhando com as mãos do que desempenhando as poucas tarefas administrativas que faziam parte das funções de um chefe de estação. Os russos vieram e, sem qualquer razão lógica, tiraram-no de suas funções, enviando-o para uma das estações de transporte de motores que estavam montando, a fim de lidar com conserto de tratores. Grechinen, ucraniano de nascimento, foi um dos que se tornaram poloneses durante a grande reorganização de fronteiras ocorrida depois da Primeira Guerra Mundial. Ele manteve uma posição filosófica acerca de sua mudança de ocupação. Na realidade, ele gostava muito de "ficar mexendo com tratores".

Alguns daqueles veículos, Grechinen me contou, não tinham mais conserto, mas ele e os colegas tinham de fazê-los funcionar, a fim de que fossem enviados para as fazendas. Ele passou quase uma semana trabalhando em um deles e depois o viu partir com um certo receio. Um dia, foi chamado ao escritório do superintendente e informado, de maneira solene, que aquela máquina havia pifado logo depois de ter retornado à sua fazenda. Grechinen era um rapaz imperturbável e que não perdia a calma, portanto fez sua defesa de modo firme e exato, falando sobre a impossibilidade de transformar ferros-velhos em tratores de fazenda.

O mecânico Grechinen foi preso e acusado de sabotagem. Outras denúncias também foram acrescentadas. Sua carreira irrepreensível como chefe de estação deu força à acusação de que fora um colaborador assíduo da polícia polonesa e, portanto, um inimigo do povo. Ele tentou explicar, mas ninguém prestou atenção, então Grechinen fechou a boca após o primeiro interrogatório e se recusou, terminantemente, a dizer outra palavra.

— O que é que se pode dizer — perguntou-me ele — para uma multidão de imbecis, que te fazem perguntas e ficam furiosos porque você não dá as respostas que eles querem?

Deram-lhe safanões, empurrões e gritaram com ele. Grechinen se manteve calado. Eles começaram a achar que ele era um pouco ruim da cabeça. No final, pararam de maltratá-lo e levaram-no a julgamento. Grechinen recebeu uma pena leve, de dez anos de trabalhos forçados.

Quando a sentença foi anunciada, ficou tão surpreso que esqueceu seu voto de silêncio:

— Dez anos! — exclamou ele. — Pelo quê?

O promotor se pôs de pé:

— Ah — disse ameaçadoramente. — Então agora você fala!

Grechinen calou a boca de novo. E ficou sem falar, disse ele, até me conhecer. Abrir a boca no lugar errado, advertiu-me, podia trazer muitos problemas inesperados para um homem. Aquele, percebi, era um conselho de amigo. Agradeci. Criou-se uma ligação forte entre nós, que durou pelo resto da nossa jornada. Eu gostei do honesto Grechinen.

Não sei como, durante a segunda semana de marcha, alguém soube que era dia 24 de dezembro. Talvez algum prisioneiro tenha achado que devíamos estar perto daquela data, e algum guarda tenha confirmado. A notícia correu ao longo de toda a fila como uma chama possuindo uma floresta. É véspera de Natal, sussurrava um homem para o outro.

— É véspera de Natal, Grechinen — disse eu.

Um meio sorriso escapou de seus lábios rachados.

— Véspera de Natal — repetiu ele.

Atrás de nós, bem ao fundo, de repente surgiu um som fraco e vacilante. Era algo estranho e surpreendente que cresceu em volume e chegou até nós. Era o som de homens cantando, cada vez com mais força, na solidão dos confins da Sibéria.

Achei que os soldados gritariam ordens para que nos calássemos, mas a canção chegou até nós sem ser contida. Eu cantava e Grechinen também. Todo aquele que possuía uma voz se juntava ao resto. Um coro ambulante de quase 5 mil vozes masculinas, afogando suas mágoas numa canção em homenagem à criança que nasceria no dia seguinte. A canção era "Noite Feliz", e os que não estavam cantando em polonês faziam-no na língua em que a haviam aprendido quando crianças. Depois, outras vozes deram início ao canto natalino polonês, "Canção de ninar Jesus", e a emoção me sufocou, silenciando-me. Durante o canto, outros iam parando e começavam a soluçar baixinho. A canção de ninar morreu abruptamente e ninguém cantou mais. Estávamos com o coração a ponto de explodir devido às lembranças, alegres e tristes, de outros Natais.

O dia de Natal chegou e se foi como qualquer outro daquela triste sucessão de dias de marcha. Passamos pela segunda nevasca e a deixamos para trás. Grechinen e eu carregamos entre nós dois o homem bem em frente a ele durante horas, no decorrer dessa segunda tempestade, gritando aos guardas que fizessem algo para ajudá-lo.

— Ele vai conseguir, sem problemas — disse um deles.

O homem morreu cerca de meia hora antes de alcançarmos o local de descanso para a noite.

Os soldados não eram sempre tão indiferentes ao apelo dos prisioneiros exaustos, mas ficou claro que haviam recebido ordens para fazer distinções. Os homens mais velhos, ofegantes, enfraquecidos e trôpegos do grupo original do trem nunca recebiam ajuda, apesar da recomendação, dada com frequência pelos guardas, antes do início de cada dia de marcha, de "chamem se alguém passar mal". Eles também nos lembravam que a equipe de primeiros socorros especialmente treinada ainda estava conosco, mas nunca os vi desempenhando suas funções.

No local onde haviam nos reunido perto de Irkutsk, um pequeno grupo de russos tinha se juntado aos prisioneiros do trem. Eles pareciam todos mais jovens, e acho que não eram como nós, prisioneiros políticos, mas delinquentes soviéticos comuns, enviados a Sibéria para expiar seus crimes. Havia três ou quatro deles na nossa corrente, e eram os únicos a receber ajuda durante a jornada. O procedimento, quando um homem começava a tropeçar e cair, balbuciando algo em sua infelicidade, era que os colegas mais próximos na corrente chamassem um dos guardas que seguia a pé. O nome do coitado era então gritado adiante, para os soldados que iam no caminhão. Uma lista era consultada. Na maioria das vezes, o doente não tinha sorte. Diziam-lhe que continuasse andando, e os amigos ofegavam e se esforçavam, a fim de mantê-lo de pé até a parada seguinte. Vi homens caírem na neve e berrarem para serem soltos e poderem se deitar a fim de dormir. Seria a libertação pela morte, e eles imploravam por isso. Mas os soldados os empurravam e chutavam até que se pusessem de pé e aquele esforço terrível continuasse.

Ficamos bastante surpresos diante do que aconteceu na primeira vez que um dos recém-chegados tombou, sua mão puxando a corrente. Ouviram-se os gritos costumeiros, trocados entre os guardas a pé e os soldados à frente. A lista de nomes foi trazida. Os guardas ergueram o homem com brutalidade. Um dos soldados fez uma brincadeira pesada enquanto o prisioneiro era desacorrentado.

— Você é um garoto forte e bonito — disse ele. — Vamos lhe dar um descanso e daqui a pouco você vai poder fazer um trabalhinho para a gente.

O rapaz foi levado até o caminhão e o ajudaram a subir para se juntar aos soldados, com os quais ele viajou por duas horas ou mais. Depois, trouxeram-no de volta para retomar seu lugar na coluna. Acho que devíamos ter ficado felizes por um dos nossos ter recebido um alívio para seus sofrimentos, mas, lembrando-nos do homem que morrera sem ajuda, passamos a odiá-lo e a desconfiar terrivelmente dele. Nunca mais dissemos nada a um prisioneiro que tivesse recebido uma carona no caminhão. Nossas suspeitas chegavam ao ponto de conjeturar se aqueles homens não teriam sido plantados entre nós como informantes, embora, pensando bem, fosse difícil imaginar que recompensa poderia ser oferecida por seus serviços que compensasse uma viagem pela Sibéria no inverno. A única discriminação por parte da escolta militar poderia ser com relação à idade — um expediente bastante prático para conseguir levar com vida o máximo possível de homens jovens —, mas nunca vi um polonês conseguir carona. De qualquer forma, aquela existência que levávamos não estava de acordo com nenhuma linha de pensamento lógico.

Os dias se arrastaram, seguindo o mesmo padrão, pelo mês de janeiro. Cada vez mais aguardávamos com grande ansiedade a parada noturna, as fogueiras, o pão e o café quente. Alguns dos soldados mais antigos diziam que tivéramos sorte, porque aquele não estava sendo um dos piores invernos siberianos, mas era mais cruel e gelado que qualquer outro clima que eu já tivesse experimentado. As ocasiões em que tínhamos de ajudar a tirar os caminhões de dificuldades estavam se tornando tão frequentes que começamos a nos perguntar por quanto tempo ainda conseguiríamos prosseguir com a marcha. O ferro frio da algema queimava meu pulso. Eu estava sempre com frio, molhado e vorazmente faminto. O impassível Grechinen marchava a meu lado dia após dia. Conversávamos pouco, mas extraíamos força um do outro, da nossa determinação mútua de chegarmos ao fim daquilo com vida. Ele passava dias em silêncio, mas às vezes sorria para mim através da barba, e eu lhe devolvia com meu sorriso, a cara gelada.

6

Fim da jornada

DEVE TER SIDO na última semana de janeiro de 1941, após termos enfrentado mais de quarenta dias de marcha, que a terceira e mais violenta das nevascas veio do norte e, por fim, atolou os caminhões. O comboio havia percorrido bem mais de 1.300 quilômetros desde Irkutsk. Cruzáramos dois grandes rios, o Vitim primeiro e, poucos dias depois, o poderoso Lena, ambos solidamente congelados e parecendo amplas estradas planas, serpenteando sobre seus longos leitos pela vastidão da Sibéria. Depois daquilo tudo, parecia incrível que os caminhões fossem ter de se deter em seu vagaroso percurso para o norte. Com a neve seca e empoeirada atirada dolorosamente em seus rostos pelo vento uivante, soldados e prisioneiros cavavam juntos para retirar o caminhão guia toda vez que este atolava. No entanto, chegou uma hora em que nenhuma porção de esforço humano conseguia ter sucesso. A longa fila de veículos e homens se inclinou para a frente, por si mesma, e teve desordenadamente de parar.

Havia sido prática, durante toda a jornada, que as importantes funções do caminhão guia fossem exercidas rotativamente. Quando a ordem para a troca de liderança era expedida, o primeiro motorista saía com seu veículo da fila, com os homens acorrentados atrás, e permitia que o restante passasse por ele, tomando posição atrás do último caminhão. A duração do turno à frente do comboio dependia do tipo de estrada e do tempo. Agora estávamos numa espécie de via principal, ao longo da qual havia postes de telefone com fios vergados sob o peso da neve, mas a vantagem de nos encontrarmos em uma boa estrada era contrabalançada por sua posição em um terreno alto, completamente exposta ao tempo. Além do acúmulo de neve, devia ser quase impossível para os motoristas enxergarem à frente através da parede branca de redemoinhos.

A posição do meu grupo àquela altura era a quarta ou quinta da fila, e foi ali, quase ao meu lado, que o comandante e seus oficiais subalternos, após inspecionarem as condições à frente, reuniram-se para conferenciar ansiosamente. Se uma parada forçada estava prevista, não sei, mas era óbvio que os oficiais russos estavam muito preocupados. Eles conversaram com as costas voltadas para o vento por alguns minutos, e depois um sinaleiro subiu precariamente por um dos postes e conectou a ele um equipamento portátil. Ao descer, ele fez seu relatório. Cabeças assentiram em tensa aprovação, e o grupo de oficiais se dispersou para desempenhar suas várias ações de emergência. Permanecemos parados enquanto uma pequena patrulha saía pela estrada em missão de reconhecimento, buscando refúgio.

Cerca de meia hora depois da interrupção, as correntes foram retiradas de seus ganchos nos caminhões, e os prisioneiros receberam ordens de marchar em frente, triturando ruidosamente a neve fresca e abrindo caminho com dificuldade. Os caminhões se moviam com lentidão atrás de nós. Movemo-nos com grande esforço por cerca de 1,5 quilômetro até chegarmos ao abrigo abençoado de um cinturão de árvores. Sabe-se lá como, conseguimos fazer fogueiras, centenas delas, e durante toda a devastadora noite tomamos conta delas para sobrevivermos. Sentíamos que a tempestade estava tentando nos sepultar em massa. Os prisioneiros se contorciam rigidamente em direção ao círculo interno da madeira em chama. Alguns tolos, ignorando as recomendações que haviam sido dadas desde o começo da marcha, esquentavam as mãos dormentes perto das labaredas e depois gritavam de agonia quando a circulação retornava, batendo os braços e se contorcendo com as dores terríveis. Dentro do raio de calor, ficávamos girando o corpo, porque a nevasca nos gelava as costas enquanto o fogo esquentava um pouco as mãos, o rosto e a parte da frente. Ninguém podia dormir. Aqueles no círculo interno que começavam a cochilar eram sacudidos com violência pelos amigos. Dormir, como sabíamos, poderia significar não despertar mais.

Durante 24 horas experimentamos a força plena da nevasca, os caminhões irremediavelmente cheios de neve. Apenas as fogueiras e a cozinha de campo, que ainda funcionava, foram capazes de nos preservar. Os tufos de capim de folhas largas, característicos do acostamento ao longo de toda a jornada, dobravam-se, balançavam e giravam sob o açoite do vento, zunindo e assoviando sem parar. A neve sibilava e chiava quando era arremetida contra o fogo. Nós batíamos os pés gelados para protegê-los do congelamento, enfiávamos as mãos em nossas *fufaikas*, amaldiçoávamos a tempestade e nos perguntávamos como sairíamos daquele lugar.

Quando o vento por fim amainou e a neve começou a ficar mais rala, a primeira impressão que tive foi a do silêncio. Era novamente possível ouvir com clareza os ruídos normais do acampamento e escutar murmúrios de conversas em voz baixa. Ainda soprava um vento forte, sibilando calmamente através das árvores, mas seu som não era nada se comparado ao uivo constante da nevasca que nos havia assolado durante aquelas longas horas. Não me lembro por quanto tempo ficamos ao abrigo da floresta. Pareceu-me um período muito longo. Talvez não tivesse sido mais que dois dias. De qualquer modo, nasceu uma manhã que era clara, com aquela limpidez extraordinária que se vê em um belo dia de inverno siberiano, muito frio, quando o ar é expelido em nuvens de vapor e o olhar consegue alcançar grandes distâncias. Um grupo de oficiais russos conversava de pé, olhando vez por outra na direção de onde viéramos e consultando o relógio ocasionalmente. Havia um clima de espera por algo, e como não tínhamos a mais remota ideia de qual seria o próximo movimento, estávamos todos cheios de curiosidade e de uma excitação crescente.

Ouvimos antes de ver o que esperávamos — o rumor de vozes humanas uivando e gritando a distância. Todos se viraram na direção do som. Ficamos parados, olhando, por cinco minutos talvez, até a primeira delas aparecer por sobre uma elevação a cerca de 500 metros de distância. Gritamos de surpresa e empolgação. Renas! Renas e trenós! Às dezenas. Duas, três e até quatro renas para cada trenó, em fila, guiadas por homens pequenos, de cor parda, com no máximo 1,5 metro de altura, rosto liso e traços mongóis. Eram os nômades *ostyaks*, pastores primitivos das estepes siberianas. A novidade daquilo tudo foi como um tônico. Os prisioneiros abandonaram seu sentimento de desconforto e apatia em meio a gritos e gargalhadas. Ao meu lado havia um homem que dava pulos e ficava repetindo:

— Não acredito, olhe aquilo!

Novos rostos, novas visões e novos sons. Os gritos dos *ostyaks*, a tarefa de desarrear as renas, a forma como elas dobravam as patas anteriores e a soltura dos animais para se alimentarem de sua dieta básica de musgos, que eles buscavam sob a grossa cobertura de neve — toda essa atividade absorveu nosso interesse. De repente tudo era novo em um cenário e sob condições em que acreditávamos que não pudesse haver nada de novo. O homem ao meu lado ainda estava falando sozinho, em um tom que sugeria: "O que é que eles vão inventar agora?"

Os *ostyaks* levaram pouco tempo para livrar as renas de seus arreios primitivos: uma coleira feita do próprio couro da rena, ligada por correias a duas hastes curvas que se estendiam embaixo e atrás, formando as lâminas do trenó simples, com uma plataforma de madeira sobre a qual se viam zibelina e outros tipos de peles. Os homenzinhos haviam trazido comida em pequenos sacos e se juntaram a nós em volta do fogo, enquanto recebíamos nossa ração matinal de pão e café. Eles usavam roupas quentes, de pele. Olhavam para nós com pena. Seus olhos puxados, cintilantes, franziam-se em fendas, como acontece entre homens que passam a vida enfrentando os riscos do pior clima do mundo.

Falei em russo com um deles, que devia ter uns 60 anos, mas é difícil ter certeza com esses tipos mongóis. Ele me contou que haviam recebido uma visita do Exército Vermelho em seu acampamento de inverno e que não ficaram satisfeitos de terem de fazer essa jornada. Achava que a viagem de quase 150 quilômetros para nos encontrar havia sido rápida. Tinham trazido soldados com eles, dois em cada trenó. Falou-me sobre as renas, que não se podia montar em seus lombos porque eram fracas, mas que elas possuíam muita força no pescoço e na curva dos ombros. Disse-me que um *ostyak* podia saltar sobre elas com a ajuda de uma vara longa, o suave aguilhão usado para conduzir o trenó, que se locomovia sem tensão ou fadiga para o animal. Ele me falou seu nome, mas para uma mente acostumada a nomes ocidentais e russos, não restou nenhum registro na minha memória.

Em várias ocasiões eu conversei com aquele homem. Ele me procurava de uma forma tranquila. Não tinha muito a dizer. Precisava pensar muito, com esforço óbvio, para expressar uma ideia. Mas nos chamava, como faziam todos os *ostyaks*, de "os infelizes". Tradicionalmente, desde o tempo dos czares, éramos, para aquele povo, os infelizes, prisioneiros de um regime que sempre tentara extrair as riquezas da Sibéria por meio de trabalhadores não remunerados, os prisioneiros políticos, que não se adaptavam à estrutura de sucessivas tiranias.

— Nós somos sempre seus amigos — disse-me ele certa vez. — Desde muito tempo, antes de mim, do meu pai e do pai dele, a gente colocava comida do lado de fora da casa à noite para os infelizes que vagavam por aí depois de fugir do acampamento e que não sabiam para onde ir. Ainda hoje, também, mesmo ficando velho, eu me lembro de colocar comida.

— Esses homens como nós — disse eu. — Eles sempre tentaram escapar dos russos?

— Sempre homens que são jovens e fortes, e que odeiam ser escravos, tentam escapar — respondeu o *ostyak* — Talvez você vá tentar fugir, eu acho.

Fugir. Fiquei refletindo sobre a palavra, e eu sabia que ela estivera comigo, como ideia, desde o dia que deixei a Lubyanka. Sim, velho *ostyak*, pensei eu, todo homem que é jovem e forte e não quer morrer tem de pensar em fugir. Um passo para a direita, um passo para a esquerda... Os russos sabiam disso também. Mas só um louco alimentaria alguma esperança sincera de fuga naquela viagem invernal em direção ao norte. Se não fosse metralhado — e existiam chances de escapar quando a segurança afrouxava nos últimos estágios, com os soldados preocupados como qualquer outra pessoa em se manterem saudáveis, vivos e completarem a marcha —, estaria, de qualquer forma, condenado a morrer na tentativa de escapar daquela região no inverno, fraco, morto de fome, como já estávamos. Apesar disso, o velho das renas me deixou com uma ideia que eu alimentaria mais tarde: homens tentaram fugir.

O velho falava sobre o estilo de vida do seu povo, dos animais cujas peles eram tão valiosas para eles, das renas, que eles cuidavam com tanto empenho.

— Houve um tempo — disse ele — em que a gente tinha permissão de atirar nos animais com uma arma, mas agora os soviéticos não deixam a gente usar arma, e a gente pega os animais com armadilha.

No dia em que partimos atrás dos trenós, ouviram-se algumas gargalhadas por causa dos protestos do *ostyak*, cuja junta de quatro renas fora selecionada para puxar a cozinha de campo, que era composta apenas de uma caldeira e um forno, feitos de ferro, acoplados. Ele jurava que os animais e seu trenó leve nunca conseguiriam carregar um peso tão grande. Os cozinheiros russos prosseguiam impassíveis com a tarefa, e nós assistíamos com risonha simpatia pelo *ostyak*, mas com um quê de preocupação de que seus temores fossem justificados. Entretanto, deu tudo certo. Marchamos em frente, com nossas correntes amarradas agora aos trenós, e a cozinha de campo, para nosso alívio, também veio. Alguns soldados permaneceram com os caminhões, e me causou pesar ver aqueles veículos grandes e confiáveis ficarem para trás. O que aconteceu com eles, não sei. Talvez tenham conseguido voltar, ou os tratores do colcoz tenham ido resgatá-los.

A novidade de marchar atrás dos quartos balouçantes das renas e ver suas cabeças com chifres sacudindo nunca se desvanecia por completo. Aprendemos que nos inclinando suavemente todos juntos para trás na corrente conseguíamos diminuir a velocidade de forma considerável. Pegamos aquele truque numa travessia algo desordenada de um pequeno rio flanqueado por margens íngremes. As renas ficaram confusas, os guardas gritavam para os condutores que as fizessem manter um ritmo razoável, e nós, até certo ponto apreciando a balbúrdia, jogamos todo o nosso peso para trás, contra os trenós em velocidade. Descemos uma das margens numa correria e depois subimos a outra num trote bamboleado. Levou quase uma hora para pôr aquele circo louco enfileirado novamente e pronto para prosseguir.

Os riscos da jornada não diminuíam, e a exaustão veio exigir mais vítimas, algumas delas entre os soldados. Agora a tropa tinha de lidar com dificuldades tão grandes quanto as nossas, embora ainda recebessem comida melhor. Suas rações eram reforçadas com carne enlatada e sopa de legumes, e eles estavam, é claro, mais agasalhados contra o frio. Mas nenhum deles — exceto o comandante e os doentes — tinha permissão para montar. Nós ainda éramos ajudados pelas correntes, mas eles tinham de abrir as próprias trilhas dos lados através da neve grossa, um esforço que ninguém, exceto o grupo de prisioneiros da frente, fazia. Para muitos daqueles guardas, homens das repúblicas soviéticas autônomas do sul, aquela era sua primeira experiência com as agruras de um inverno do norte, e eles, portanto, sofriam.

Os *ostyaks* eram os menos afetados. Para eles, a única coisa nova daquela situação era a tarefa que estavam desempenhando. Eles tinham pena de nós, mas pareciam sentir que o único auxílio que podiam dar era nos levar para onde íamos o mais rápido possível. Em todos os tipos de terreno, conseguiam fazer uma média de 25 quilômetros por dia. Portavam-se em relação aos soldados com uma independência quase airosa. A única coisa que cobiçavam do Exército eram as latas vazias, que, por ordens, eram sempre cuidadosamente preservadas. O interesse por coisas de metal revelava seu contexto primitivo. Assim, havia um escambo sub-reptício considerável entre eles e os cozinheiros russos de peles por latas. Uma pele de animal por uma lata vazia era uma pechincha para os dois lados e uma lição para o restante de nós sobre valores relativos. As latas, diziam-nos eles, eram usadas como utensílios de cozinha e altamente apreciadas pelas mulheres quando eles voltavam para casa.

A procissão fantástica foi serpenteando pelo caminho por mais de uma semana, grande parte do tempo por campo aberto, ainda evitando os lugares habitados. A extensão de corrente se arrastando na neve ao fim de cada seção de prisioneiros contava a história dos homens que haviam tombado no caminho. A cada morte os prisioneiros atrás do espaço vago eram deslocados para a frente, e os vários pedaços de corrente que sobravam eram uma indicação da taxa de mortalidade. Os dois prisioneiros no fim da fila enrolavam a corrente em seus corpos, embaixo do braço, para aliviar o esforço, e nos revezávamos nessa posição menos favorecida, poupando, no entanto, os mais velhos e mais fracos.

No oitavo ou nono dia depois de termos deixado os caminhões, entramos em uma vasta floresta que, de um terreno alto, algumas horas antes havíamos observado se estendendo à nossa frente sem interrupção, até onde os olhos podiam alcançar. Caminhamos ao longo de uma trilha muito larga entre as árvores, felizes por estarmos ao abrigo do golpe cortante do vento e por sabermos que nosso refúgio noturno estava garantido. Notamos também que os soldados estavam demonstrando sinais de animação e achamos — corretamente, como se revelou — que aquele devia ser um marco próximo ao fim da jornada. O percurso pela floresta durou dois dias, e no segundo dia de jornada, havia no ar um sentimento de pressão e urgência, que convenceu os homens que estavam quase mortos a ter esperança de que aquela grande provação estava terminando. Foi uma grande marcha, que começou à primeira luz do amanhecer e continuou pelo curto dia de inverno até o pôr do sol. Fomos dar, na luz fraca, em uma grande clareira feita pelo homem, cortada na floresta ao redor. Havia luzes à frente e vozes chamando.

Esse, então, era o nosso destino — o Campo Número 303, no lado norte do rio Lena, que estava localizado, imagino, entre 300 e 400 quilômetros a sudoeste da capital do norte siberiano, Yakutsk. Não me lembro com muitos detalhes da cena de nossa chegada àquela noite, na primeira semana de fevereiro de 1941. Recordo-me de como nos deslocamos, cada grupo de rena, até um portão principal, localizado numa paliçada sólida, com toras cortadas de modo tosco. De ser libertado das correntes, da estranha sensação de segurança, de me mover em círculos dentro do complexo, da refeição reforçada por uma "sopa" de água de beterraba, de fogueiras sendo acesas no que parecia ser uma grande área livre, de ouvir meu nome sendo chamado em uma conferência de listas. Sentado ombro a ombro com Grechinen em torno de uma pilha de toras crepitantes, conversei um pouco, cochilei várias vezes e fiquei de pé para aliviar as dores nas pernas. Depois de mais de 1.500 quilômetros de marcha desde Irkutsk, havíamos chegado ali. Eu estava maravilhado. Apesar de minha precariedade física, sentia-me quase feliz. A tensão terrível de dois meses na estrada tinha acabado. Nada que o dia seguinte pudesse trazer seria pior. Acho que estava um pouco fora de mim.

Doloridos, com os olhos pesados e cansados, já estávamos ativos, por hábito, ao amanhecer. Alguns homens estavam muito doentes, e seus companheiros tiveram de colocá-los de pé. Os *ostyaks* e suas renas haviam partido durante a noite. O primeiro dia de minha vida em um campo de trabalhos soviético estava diante de mim.

7

A vida no Campo 303

Uma neblina fina, de início de manhã, dissipou-se, e na luz fria e clara do dia examinei o lugar aonde havia sido enviado para passar 25 anos da minha vida. O Campo 303, localizado entre 500 e 600 quilômetros ao sul do Círculo Ártico, era um cercado com aproximadamente 800 metros de comprimento e 350 de largura, cujos quatro cantos possuíam torres de segurança erguidas sobre sólidos pilares altos de madeira e guarnecidas de soldados portando metralhadoras. O portão principal, em torno do qual estavam construídos os alojamentos para as tropas, as cozinhas, os armazéns e as barracas da administração, estava voltado para oeste, em um dos lados menores do retângulo. Mais ou menos no centro do complexo via-se uma extensão de terreno aberto, que era como uma terra de ninguém, de segurança, entre soldados e prisioneiros.

Entre nós e a floresta em volta ficavam as defesas típicas de um campo de prisioneiros. Olhando-se do interior, a primeira barreira para a liberdade era um anel ininterrupto de rolos de arame farpado, atrás do qual se via um fosso seco com 1,80 metro de profundidade. Seu lado de dentro fora cavado a um ângulo de cerca de 30 graus, e a parede exterior se erguia íngreme e perpendicular até o pé da primeira de duas toras de 3,5 metros da paliçada, oferecendo uma superfície lisa para o lado de dentro, mas bem reforçada na extremidade. Os dois lados exteriores das duas paredes de madeira eram protegidos por rolos de arame farpado. O espaço entre as duas proporcionava um caminho muito usado, que dava acesso da sala da guarda principal para as quatro torres de controle e que era regularmente patrulhado por sentinelas armadas, acompanhadas, à noite, por cães policiais, que dividiam os canis, perto do portão oeste, com uma matilha de cães puxadores de trenós.

Misturando-se timidamente conosco àquela manhã havia cerca de mil homens, grande parte deles da Finlândia, que já se encontravam instalados quando nossa multidão andrajosa de cerca de 4.500 prisioneiros chegou. Eles saíram de quatro grandes galpões da parte leste do complexo. Esses barracões para prisioneiros, construídos em madeira, tinham cerca de 70 metros de comprimento por 10 de largura, conformando-se em situação com a planta geral do acampamento. As portas, dando para oeste na extremidade mais estreita, eram protegidas das rajadas diretas do vento e da neve por um pequeno pórtico com abertura para o lado sul. Era óbvio que não havia acomodações para nós, recém-chegados.

As especulações foram interrompidas de súbito por ordens emitidas pelas tropas para que fizéssemos fila, a fim de receber comida à janela aberta das cozinhas, uma das construções à esquerda do portão principal. Aconteceu então a distribuição habitual de sucedâneo de café e pão. Cada homem bebia o mais rápido possível e devolvia a caneca de lata por outra janela. Havia bastantes líquidos quentes, mas uma escassez de utensílios. Essa carência continuou todo o tempo em que fiquei no acampamento e também se aplicava às tigelas de madeira nas quais a sopa era servida.

No meio da área livre, soldados estavam carregando um estrado portátil de madeira. Em torno dele, sob ordens de oficiais menos graduados e suboficiais, eles formaram um círculo. Nós, prisioneiros, fomos então empurrados para formar também um grande anel em torno da tropa, voltados para o interior, diante do estrado. Acompanhados por um pequeno guarda armado, dois coronéis russos caminharam por entre as fileiras até o pé da plataforma. Um deles subiu. Do meu lugar na primeira fila, olhei-o de perto. Era alto, magro e possuía um ar distinto, os cabelos grisalhos nas têmporas. Um exemplo típico do soldado profissional em qualquer Exército. Seu pequeno bigode grisalho estava cuidadosamente aparado, o rosto fino revelava duas linhas profundas que iam da boca firme até o queixo forte. Ele mantinha a cabeça ligeiramente para a frente. Fiquei impressionado com seu ar de imparcialidade, aquela característica indefinível de autoridade sem esforço que qualquer homem que já serviu nas forças armadas encontra nos comandantes profissionais. Estava diante de uma plateia hostil, uma ralé de seres humanos maltratados, cujo ódio rancoroso de tudo que fosse russo era algo quase tangível, mas ele não demonstrou nenhum sinal. Encontrava-se perfeitamente relaxado, não se via nenhum movimento de mãos, pés ou corpo. Entre os prisioneiros reunidos houve comentários sussurrados. O coronel virou a cabeça vagarosamente para nos olhar. O silêncio era absoluto.

Ele falou com clareza e decisão, em russo:

— Sou o coronel Ushakov — disse —, comandante desse campo. Vocês vieram aqui para trabalhar, e eu espero de vocês trabalho duro e disciplina. Não vou falar de punição, já que provavelmente sabem o que os espera se não se comportarem.

"Nossa primeira tarefa é providenciar abrigo para vocês. A primeira tarefa de vocês, portanto, será construir alojamentos. A rapidez com que vão se abrigar do clima frio vai depender do próprio esforço de vocês. Em todas as comunidades sempre têm aqueles que deixam os outros fazer o trabalho por eles. Esse tipo de negligência não vai ser tolerado aqui, e será para benefício geral fazer com que todo mundo trabalhe.

"Eu espero não ter problemas com vocês. Quem tiver alguma reclamação, eu estou aqui para escutar, e vou fazer o que estiver ao meu alcance para ajudar vocês. Não existe médico aqui, mas temos soldados treinados para administrar primeiros socorros. Aqueles de vocês que estiverem muito doentes para trabalhar depois dessa jornada vão ser acomodados nos alojamentos existentes, enquanto o resto vai trabalhando na construção dos novos. É o que eu tenho para dizer."

Ushakov desceu do estrado. Imediatamente o outro coronel tomou seu lugar. Ele subiu na plataforma de um salto, com ansiedade. Não existia nada de tranquilo naquele homem. Se havia uma sensação de autoridade controlada em relação a Ushakov, esse indivíduo exibia seu poder como uma bandeira tremulando ao vento. Ele estava mais bem-vestido que o comandante. Usava um casaco de pele de carneiro e botas altas de couro macio, muito bem-feitas e engraxadas. Era jovem o bastante para ser filho de Ushakov.

Se alguma vez soube seu nome, não lembro mais. Ele era o oficial político, e nós só o chamávamos de Politruk, um título diminutivo usado para esse tipo de servidor. Ficou por quase um minuto apenas nos olhando, sorrindo de leve, totalmente seguro de si, um retrato do bem-estar e da arrogância. Os homens se mexiam inquietos e permaneciam calados.

Ele falou como um primeiro-sargento, com força, dureza e de maneira insultuosa:

— Olhem para vocês — disse, curvando os ombros e pousando as mãos enluvadas nos quadris. — Parecem um bando de animais. Olhem para vocês! Vocês deveriam ser o povo altamente civilizado que acha que pode governar o mundo. Será que conseguem avaliar agora quanta idiotice foi ensinada a vocês?

Fortalecido pelo anonimato no meio da multidão inquieta, um homem corajoso teve a ousadia de responder. Sua voz produziu um choque durante o silêncio da pausa que Politruk se permitira para obter um efeito dramático após seu ataque de abertura.

— Como é que a gente podia parecer? Vocês não deixam a gente se barbear, não há sabão nem roupa limpa.

O Politruk se virou na direção da voz:

— Vou mandar interromper a ração de vocês se eu for interrompido de novo.

Ninguém mais o interrompeu.

— Depois de um tempo aqui — continuou ele —, e sob a direção do camarada Stalin, vamos fazer de vocês cidadãos úteis. Os que não trabalharem não vão comer. A minha tarefa é ajudar vocês a melhorar. Não vai ser só trabalho. Vocês vão poder assistir aulas para corrigir o modo de pensar. Nós temos uma biblioteca excelente, que vocês podem usar depois do horário de trabalho.

E o discurso continuou no mesmo tom. Depois, rapidamente:

— Alguma pergunta?

Um prisioneiro perguntou:

— Quando a primavera começa aqui?

O Politruk retrucou:

— Não faça perguntas idiotas.

Assim terminou o encontro.

Os primeiros dias de construção dos novos alojamentos para prisioneiros foram caóticos. Todos tinham vontade de trabalhar, mas era muito difícil direcionar os homens com as melhores qualificações para aquelas tarefas em que tinham mais competência. As posições foram se definindo por si só, de forma tranquila, após cerca de três dias. Havia as equipes de arquitetos e agrimensores para dimensionar o terreno, que marcavam com estacas as áreas de cada galpão; as de trabalhadores jovens, que escavavam a terra congelada a fim de fazer buracos profundos para os pilares das estruturas de madeira principais; e as de construtores, homens hábeis no uso de machados, que modelavam toscamente a madeira virgem retirada da floresta. A principal força de trabalho saía pelo portão do campo todas as manhãs, às 8 horas, escoltada por soldados armados.

Juntei-me aos trabalhadores da floresta. O campo era despertado por uma corneta às 5 horas. Uma procissão matinal de homens semiacordados se dirigia, então, às valas que serviam de latrina, dentro da cerca, atrás do canteiro de obras. Depois vinha a fila do café da manhã. Mais tarde, as ferramentas eram distribuídas no depósito à esquerda do portão, conferidas com cuidado na saída e escrupulosamente verificadas na volta, ao final do dia. Quando passávamos pelo portão, um fiscal checava nossos nomes em uma lista.

A floresta era composta, na maior parte, por pinheiros, mas havia também bastantes bétulas e coníferas. Eu trabalhava na equipe de corte, manejando uma das extremidades de um serrote pesado, de corte transverso, para dois homens. Ocasionalmente, conseguia variar um pouco, cortando galhos das árvores com o machado. Desde meu tempo de garoto, na propriedade de Pinsk, eu sempre tivera jeito com machados e gostava do trabalho. Sentia que minha força retornava a cada dia. Deixei-me absorver por todo aquele trabalho pesado. Havia um quê de orgulho e satisfação por poder usar as mãos novamente. Às 13 horas voltávamos para o campo carregando a madeira que havíamos cortado para os construtores. Recebíamos uma ração de sopa e voltávamos para a floresta, a fim de trabalhar até que a luz acabasse. Todos os dias a fila de galpões aumentava um pouco.

Duas semanas após nossa chegada, os galpões estavam prontos. Eles ficavam dispostos em duas fileiras, com uma "rua" larga a cada dez deles. Alocaram-me um beliche em um desses alojamentos, entre a meia dúzia restante que faltava terminar, e me lembro bem da sensação maravilhosa de ter abrigo, calor, proteção e conforto que senti na primeira noite ao entrar, vindo da escuridão gelada, em meu novo lar. O ar cheirava deliciosamente a pinheiro recém-cortado. Ao longo de cada lado das paredes de toras pesadas ficavam 53 beliches, feitos de pranchas simples colocadas dentro de uma estrutura forte de quatro colunas. Três fogões quadrados, com chapas de ferro e situados a espaços regulares ao longo do galpão, chamejavam vermelhos na escuridão, alimentados por pedaços pequenos de madeira serrada, da qual os grupos de trabalhadores da floresta traziam um suprimento diário. Seguindo o exemplo daqueles já instalados em seus galpões, trouxemos o máximo de musgo que conseguimos carregar em nossas *fufaikas* para espalhar sobre as tábuas duras de nossas camas. Os fogões não possuíam chaminés; a fumaça saía por um pedaço de cano e passava por umas aberturas no teto. Seu cheiro se misturava com o do pinho. Eu ficava deitado em meu beliche superior, as mãos atrás da cabeça, escutando a conversa dos homens ao meu redor.

Deitado de lado, na minha frente, em um dos beliches superiores adjacentes, havia um homem de cerca de 50 anos. Conversamos sobre os galpões. Elogiamos os construtores pela excelência de seu trabalho e fomos suficientemente magnânimos para expressar nossos cumprimentos aos russos pela eficiência dos fogões. Também falamos sobre nós mesmos. Ele me contou que fora professor de escola em Brest Litovsk e sargento da reserva no Exército polonês. Os russos chegaram e ele perdeu o emprego para um comunista que havia feito um "curso intensivo" de 15 dias para ensinar no estilo soviético. As mães ainda traziam seus filhos para ele, mesmo assim. Alguém se queixou. Ele foi preso, interrogado e sentenciado a dez anos. Solidarizei-me com aquele professor, mesmo enquanto pensava: "Dez anos; você tem sorte, amigo." Ele ainda estava falando quando adormeci, minha primeira noite de sono depois de meses.

Tínhamos de passar muitas horas em nossos galpões. Depois das 6 da tarde, todos os prisioneiros deviam estar de volta em seus alojamentos. Uma certa movimentação dentro e em torno dos galpões, era permitida, desde que não houvesse formação de grupos grandes. As duas fileiras de alojamentos eram cuidadosamente supervisionadas das torres na extremidade leste do complexo, mas se os prisioneiros obedecessem às ordens estritas de ficarem bem longe das cercas, os guardas não entravam em ação. Não havia muito o que fazer nos galpões. Não se tinha nada para ler e nem luz para isso. A única atividade permitida depois das 6 da tarde era uma visita à palestra de quarta-feira à noite do Politruk ou uma ida à biblioteca, outra iniciativa controlada por ele. Comecei a achar que uma folheada nos livros não me comprometeria em nada e ajudaria a passar as noites longas. Cedendo a um impulso, pedi autorização para ir à biblioteca uma noite, o que foi prontamente concedido.

A biblioteca ocupava metade de um dos prédios da administração à esquerda do portão, mas bem longe dele, a uma distância de 20 metros da cerca, na longa extremidade sul. Duzentos livros, mais ou menos, encontravam-se dispostos em prateleiras de madeira simples ao longo de um dos lados da sala, e eu os fui pegando ao acaso. Havia uma quantidade de trabalhos de um homem chamado Maiakovski e uns cinquenta livros de uma série chamada *Russkaya Azbuka*, que eram cartilhas ilustradas para crianças. Naquela e em outras noites, passei meu tempo lendo-os. Era uma espécie de "abc", com texto em versos simples, elogiando as virtudes de aviões, pilotos, tanques, soldados, heróis como Voroshilov, homens de Estado como Lenin e Stalin, motoristas de tratores, trabalhadores dos colcozes, do Exército Vermelho e de todo o restante das glórias da URSS.

Mas o orgulho da coleção era uma *História do Grande Partido Comunista de Bolcheviques*, em dois volumes bem encadernados, e uma versão completa da Constituição Russa. Passei algumas horas interessantes com os dois trabalhos e concluí que havia pouco perigo de que, mesmo em 25 anos, eu me convertesse ao comunismo dos russos ou a qualquer outro rótulo.

Foi um tcheco animado, cínico e divertido, que ocupava um beliche próximo ao meu, quem me persuadiu a ir até uma das palestras de quarta-feira à noite do Politruk, obrigatórias para todas as tropas de folga. Ele não escondeu seu prazer ao nos ver e nos dirigiu algumas observações especiais, antes de continuar a ministrar sua aula militar. Falou sobre o poder da Rússia, de sua situação de controle no mundo (com apartes para nós sobre a decadência do nocivo sistema capitalista). Os soldados faziam perguntas, e o Politruk respondia com a doutrina de Marx, além de citações de discursos e escritos de Lenin e Stalin. Ele estava sorrindo quando saímos, mas não teria rido alguns minutos depois se tivesse assistido à magnífica exibição do tcheco — para a alegria dos prisioneiros de nosso galpão — de seus ensinamentos ao Exército Vermelho. Juntei-me ao coro de gargalhadas estrondosas. O tcheco era um ator e mímico nato. Ele terminou a apresentação solicitando perguntas ao seu amplamente deliciado público e respondendo-as com distorções inteligentes e mordazes do marxismo, do leninismo e do stalinismo. O restante dos prisioneiros concordou que nossa visita à escola havia de fato valido a pena.

Houve outra diversão, de um tipo diferente, algumas noites depois. Em nosso galpão, havia um entre dezenas de prisioneiros sacerdotes, a maioria católicos romanos, mas com alguns ortodoxos russos e gregos também. Estávamos todos deitados ou sentados, tarde da noite, quando nosso clérigo católico romano passou devagar pelo corredor formado entre as camas, perguntando calmamente se alguém tinha objeções a que ele fizesse uma breve cerimônia religiosa. Alguns não responderam, e ninguém foi contra. Ele se pôs no meio do aposento e realizou um pequeno culto, com as palavras em latim soando de maneira estranha naquele local. Espiei-o através da luz fraca emitida pelos fogões e achei estranho ver um padre católico com uma barba longa e negra. Depois, ele orou por nossa libertação e eu desci do beliche, ficando de joelhos. Muitos fizeram o mesmo. Segurando na mão um crucifixo prateado, feito com madeira de bétula, ele pediu uma bênção para nós. Ele era magro como um varapau, alto e ligeiramente corcunda. O cabelo negro tinha mechas grisalhas, embora não devesse ter mais de 35 anos. Nunca soube o que o trouxera para a Sibéria. Ele nunca falava de si. Seu nome era Gorycz, que em polonês significa "amargura". Ninguém poderia ter sido batizado de maneira mais imprópria.

No fim do primeiro mês, o campo entrou em um ritmo de vida disciplinado, e havia um sentimento geral de que, embora a existência fosse dura naquele local remoto e invernal, as condições poderiam ser muito piores. Todos os prisioneiros que trabalhavam recebiam 400 gramas de pão (alguns, um pouco menos) por dia, e os que se encontravam muito doentes, 300 gramas. O pão era distribuído no café da manhã. Comia-se uma parte então, outra parte consumia-se com a sopa diária, e o restante acompanhava a bebida quente, servida ao final do dia de trabalho. Havia um regalo ocasional aos domingos, quando nos era servido peixe seco, mas o pão permanecia como base da dieta e fator mais importante de nossas vidas. O tabaco também tinha importância, mas em escala menor. Havia uma distribuição razoavelmente generosa, uma vez por semana, do tosco *korizhki*, juntamente com uma folha muito velha de jornal, que era para enrolar os cigarros. Pão e tabaco eram os únicos artigos de valor no campo. Serviam de moeda, único meio de pagar por serviços.

A taxa de mortalidade permaneceu alta naquele primeiro mês. Muitos dos homens que sobreviveram à marcha da morte, aniquilados física e mentalmente, nunca faziam trabalho nenhum. Eles haviam recebido beliches nos galpões existentes quando chegamos e, exauridos além do suportável, ficavam deitados ali dia após dia, até perderem o vínculo já fraco com a vida. Grupos funerários de voluntários, organizados entre os amigos, carregavam seus corpos sob escolta armada até uma clareira a cerca de 300 metros do campo, e se esforçavam para cavar covas rasas na terra dura e congelada, a fim de que finalmente descansassem.

Participei de dois desses grupos e, ao fazê-lo, descobri que o comandante dispunha de um aeroplano. No caminho passamos pelo que me pareceu ser uma pista de pouso improvisada, aberta na floresta em seu ponto mais alto. O avião, coberto por um oleado, estava abrigado sob algumas árvores. Era um Tiger Moth pequeno, do tipo usado para treinamento. Um dos guardas disse que o próprio Ushakov o pilotava, a fim de participar de conferências no quartel-general do Exército da área, em Yakutsk.

Os russos interferiam muito pouco em nossa vida fora do horário de trabalho. Inspeções nos alojamentos eram raras e superficiais. Os prisioneiros que trabalhavam na derrubada de árvores, na floresta, fizeram novos amigos e pediram permissão para trocar de galpão, com o objetivo de ficarem perto dos colegas de equipe. As autoridades não fizeram qualquer objeção e deram a entender que esse tipo de mudança podia ser realizado por meio de combinação mútua entre os prisioneiros. A maioria dos homens era passível de ser convencida a trocar de lugar de um galpão para outro se subornada com um pouco de tabaco, havendo, portanto, uma movimentação constante naquelas primeiras semanas, enquanto os prisioneiros se redistribuíam, escolhendo os amigos. Eu não conhecia nenhum dos meus companheiros particularmente bem, embora às vezes ainda visse Grechinen, meu colega de marcha. Além dele, havia apenas o tcheco, cujo espírito e animação eu admirava, mas que nunca foi um amigo próximo. Os vários grupos de nacionalidades tendiam a ficar juntos, e nós poloneses, por exemplo, costumávamos começar o dia cantando um pequeno hino de louvor tradicional: "Quando a luz da manhã aparece". Os russos não se importavam que cantássemos e nunca tomaram nenhuma medida concreta para nos impedir.

Eu costumava ficar deitado no meu beliche durante as noites longas, olhando para a abertura por onde saía a fumaça, 6 metros acima de mim, e pensando naquilo tudo. Os homens conversavam em voz baixa. Alguns deles eram visitantes de outros galpões. Palavras e frases desconexas chegavam até mim... Nomes de lugares, prisões e regimentos militares: "Ela disse: 'Querido, não se preocupe, tudo isso vai acabar logo, e eu ainda vou estar aqui.'"

Um pedaço de conversa sobre o guarda que não saiu do caminho quando a árvore rangeu, quebrou e caiu para o lado errado:

"Pobre coitado, ele não vai conseguir tratamento nenhum para aquela perna dele."

Outra conversa era sobre alguém que havia quebrado as costelas: "Ele está se dando bem. Só pega trabalho fácil. Limpar o refeitório dos oficiais. Além de conseguir muito tabaco."

Isso tudo fluía de modo quase despercebido a meu redor, como um pano de fundo para meus pensamentos. O cheiro de pinho, o calor e o movimento dos homens abrindo a tampa dos fogões para atiçar as brasas da madeira. E o tempo todo minha cabeça fazia malabarismos com as cenas do campo cercado, de Ushakov, Politruk, dos soldados (quantos deles morriam?) e os homens sempre à minha volta. Os jovens, como eu, resistentes e rápidos na recuperação; os quarentões, que, de modo surpreendente, moviam-se devagar, mas com grandes reservas de coragem e força; e os com mais de 50 anos, que lutavam para permanecer jovens, trabalhar, viver; homens que tinham levado uma vida confortável e agora, maravilhosamente, demonstravam com muita bravura que tinham fibra para encarar uma vida nova, cruel. Eles deviam estar contando histórias para seus netinhos queridos, aqueles velhotes. Em vez disso, passavam os dias fazendo força e carregando grandes árvores tombadas, trabalhando lado a lado com homens que, muitas vezes, tinham a metade de sua idade. Existe uma coragem que aflora durante as piores adversidades, e ela não tem nada de espetacular. Esses homens a possuíam em doses máximas.

Minha cabeça ficava revolvendo essa multidão de impressões. E depois, infalivelmente, até pegar no sono sobre as pranchas cobertas de musgo, eu me debatia com meu problema. O pensamento insistente, martelante, era sempre "25 anos neste lugar". Muitos daqueles homens que eu conhecia agora morreriam com a passagem dos anos. Haveria gente nova chegando. E eu ficaria cada vez mais velho. Vinte e cinco anos. Vinte e cinco anos. Ainda faltava tudo que eu já tinha vivido. Mas como escapar? E tendo vencido o arame farpado, o fosso e a cerca formidável de madeira, fugir para onde? Eu pensava no pequeno *ostyak* e na sua conversa sobre os Infelizes. Será que algum deles conseguiu sair da Sibéria? Nenhum homem podia ter esperança de encontrar o caminho sozinho, diante os riscos esmagadores daquela região, com suas distâncias imensas. Onde, depois de planejar a fuga, seria possível encontrar homens decididos a tentá-la? Eu me fazia essa e outras perguntas. E não encontrava nenhuma resposta.

Dei com Grechinen no caminho das latrinas certa tarde.

— Grechinen — disse eu —, se algum dia eu conseguir bolar um plano de fuga, você iria comigo?

Ele franziu a testa:

— Você está falando sério?

Assenti com a cabeça. Grechinen passou os dedos vagarosamente pela barba.

— Rawicz — retorquiu ele, por fim —, vou pensar nisso esta noite e amanhã lhe dou uma resposta.

O prudente Grechinen. Encontrei-o no dia seguinte, no espaço grande entre as duas fileiras de galpões.

— Não — disse ele. — Eu iria com você se houvesse alguma chance, mas a neve e o frio nos matariam antes de chegarmos a algum lugar, mesmo que os russos não nos pegassem.

Encolhi os ombros.

— Eu ainda não quero morrer jovem — acrescentou Grechinen.

Fiz a mesma pergunta ao tcheco. A princípio ele pensou que eu estivesse brincando. Depois, sentou-se na beira do beliche e fez sinal para que eu fosse para o seu lado. Pôs a mão no meu ombro.

Com voz muito baixa, quase num sussurro, ele disse:

— É, eu iria, mas você precisa de caras fortes e saudáveis. Eu sofro do estômago e acho que isso vai acabar me matando. Se eu fosse, morreria muito em breve e seria um sofrimento para você.

Ficamos sentados em silêncio durante alguns minutos depois disso. Então, o tcheco falou de novo:

— Se você tiver alguma chance, cai fora, meu garoto. Fique de olhos abertos, escolha bem os caras. Eu vou lhe desejar sorte de qualquer jeito.

Trabalhávamos duro durante seis dias e tínhamos folga no sétimo. Domingo era o dia em que o comandante falava com os prisioneiros. Ele explicava a meta de trabalho da semana seguinte, chamava atenção para as infrações de normas no campo e fazia os anúncios necessários, que afetavam a vida dos prisioneiros. Pedia também sugestões e abria espaço para perguntas. Nós já estávamos lá havia um mês quando o comandante convocou voluntários para um novo trabalho. Ele queria homens que tivessem experiência na fabricação de esquis. A princípio, não houve qualquer resposta. Ele disse:

— Os voluntários receberão um acréscimo imediato de 100 gramas na ração diária de pão, e vai ter mais se os esquis produzidos forem de boa qualidade.

Sessenta homens se ofereceram, inclusive eu. Certa vez eu fizera um par de esquis. Não podia dizer que era um especialista, mas, por 100 ou 200 gramas de pão por dia, estava disposto a tentar.

A oficina de esquis ocupava a outra metade do prédio da biblioteca. Meia dúzia dos voluntários era realmente especialista no trabalho e, com o consentimento de todos, eles dividiram o restante em equipes de ajudantes para o processo de manufatura e na formação de uma equipe para derrubar as bétulas, serrando a madeira nas dimensões corretas e mantendo a oficina com um suprimento constante da madeira certa. A façanha de já ter construído um par de esquis me valeu uma vaga dentro da oficina, trabalhando no último estágio, de fumegar e modelar. E já no primeiro dia, antes que se produzisse um único par, recebemos todos a nova ração de 500 gramas de pão.

No segundo dia, apresentamos os dois primeiros pares. Eles foram colocados com as extremidades sobre duas toras levantadas, o meio sem apoio, e o próprio Ushakov os testou, pisando com eles até formarem uma letra U no solo. Depois, dois soldados os levaram para experimentá-los numa rampa na floresta. Eles passaram em ambos os testes. No final da semana, Ushakov veio até a oficina e anunciou que as amostras enviadas a Yakutsk haviam sido aceitas, estando de acordo com o padrão exigido pelo Exército Vermelho. Nossa ração de pão subiu imediatamente para um quilo por dia — mais que o dobro do normal — e recebemos mais tabaco. Ao final de uma quinzena, estávamos produzindo 160 pares de esquis diariamente.

Isso tudo causou uma má impressão considerável entre os grupos que trabalhavam na floresta, por causa dos nossos novos privilégios. Perguntaram-me mais de uma vez como eu podia fazer esquis para os soldados russos, mas eu nunca me envolvi em discussões. Meu sentimento pessoal era de que qualquer trabalho realizado em um campo de trabalhos forçados na Sibéria terminaria por beneficiar os soviéticos de alguma forma. Então, as pessoas deviam fazer o trabalho que achassem mais interessante e, naturalmente, que fosse mais bem pago. Com o pão ocupando a posição premente que tinha em nossas vidas, seria de surpreender que não houvesse comentários desabonadores vindos da maioria menos favorecida. Eu compartilhava meu tabaco extra com outros e levava meu pão a mais para os doentes. Muitos dos prisioneiros que fabricavam esquis faziam a mesma coisa. Mas a insatisfação persistia. É estranho pensar que os defensores primordiais de uma sociedade sem classes tivessem, tão cedo, conseguido forjar duas categorias de trabalhadores e marcar essa diferença de modo tão claro, criando recompensas substanciais para uma delas.

Trabalhando no calor da oficina de esquis, com o grande fogão crepitando o dia todo para fumegar a madeira, eu sentia que estava recuperando de novo a totalidade das minhas forças. Isso deveria ter me deixado mais resignado em relação à pena, mas, pelo contrário, meus pensamentos se voltavam cada vez mais para a ideia de fuga. Comecei a me perguntar como eu poderia preservar e esconder um pouco da ração extra de pão. Eu ainda não tinha nenhum plano executável e não podia saber, então, que em breve receberia ajuda de onde menos esperava.

8

A esposa do comissário

Eu havia me oferecido como voluntário uma vez e tido sorte. Ofereci-me de novo em uma manhã de domingo fria e tempestuosa, em meados de março, enquanto rajadas de neve atingiam os prisioneiros encolhidos, durante o desfile semanal.

— No meu alojamento — disse Ushakov — tenho um aparelho de rádio chamado Telefunken. Algum de vocês conhece essa marca o suficiente para fazer um conserto?

Eu conhecia o Telefunken, porque tínhamos um em casa — uma marca alemã, creio eu, feita sob licença por uma fábrica, em Wilno, para o mercado polonês. Os homens viraram a cabeça para ver quem daria um passo à frente. Passou-se um minuto de silêncio absoluto e ninguém se mexeu. Eu conhecia o aparelho, mas será que poderia consertá-lo? Se conseguisse, existia a excitante a perspectiva de ouvir um pouco de notícias do mundo lá fora, do qual um fora arrancado havia já quase um ano e meio. Entrei subitamente em pânico com a ideia de que alguém pegasse o trabalho. Levantei a mão e gritei. Um oficial não comissionado veio até mim e anotou meu nome e local de trabalho.

— Vou mandar chamar você quando precisar — disse o comandante.

Seria uma decisão determinante, que me lançaria na última e mais extraordinária fase da minha estada no Campo 303. Naquela comunidade isolada, com cerca de 5 a 6 mil condenados, e um batalhão de oficiais e homens, havia apenas uma mulher.

O Telefunken defeituoso seria meu meio de conhecê-la, e, pelo que eu soube, fui o único prisioneiro que falou com ela.

Na tarde seguinte, enquanto trabalhava na oficina de esquis, o mensageiro do comandante, um soldado raso com cara de lua chamado Igor, foi me chamar:

— O comandante quer ver você — disse ele. — Venha comigo.

Enquanto saíamos, os homens da oficina gritavam:

— Descubra em que pé anda a guerra!

— Traga notícias da Polônia pra gente!

E assim por diante. Acenei com a mão. Confesso que me sentia nervoso ao sair da oficina e passar pela frente do portão grande do refeitório dos oficiais até a casa do comandante, que ficava do outro lado do campo, no canto noroeste da área livre. Ela era, como todas as outras construções, feita de toras, com o pórtico característico dando para o sul, a fim de manter o vento e a neve longe da porta da frente. Quando entrei, vi que só se diferenciava do estilo dos alojamentos para prisioneiros por causa da parede de pranchas lisas, do teto e do chão de madeira e do cano do fogão, que subia até o telhado. As janelas não tinham vidro, mas o mesmo e peculiar material feito de couro de peixe que se via em todos os outros prédios. O máximo que se poderia dizer dessa pele é que era à prova de vento e deixava passar luz, mas não era transparente.

Igor me conduziu para dentro. Ushakov veio em direção à porta, dispensou o soldado e fez sinal para que me aproximasse.

— Vim ver o rádio, *Gospodin Polkovnik* — disse eu em russo, usando o estilo antigo de tratamento respeitoso a um coronel.

— Sim, é claro. Vou mostrar para você.

Ele passou por mim, saiu pela porta por onde eu havia acabado de entrar, olhou em torno e voltou.

A mulher estava sentada em frente ao fogão, que havia sido colocado de forma a se projetar pela divisória que dividia a casa em dois aposentos a fim de esquentar as duas metades. O coronel murmurou uma apresentação convencional à esposa. Inclinei-me e disse algo formal. Ela sorriu com um pequeno aceno de cabeça. Surpreendi-me fitando-a. Era a primeira mulher que eu encontrava desde que deixara minha esposa e minha mãe em Pinsk. Sentia-me desajeitado e pouco à vontade, dolorosamente consciente das minhas roupas feias, da barba imensa e do cabelo longo, que se enrolava sobre o colarinho do casaco. Eu não conseguia tirar os olhos dela.

Ela se levantou e vi que era alta para uma mulher. Vestia uma saia longa e grossa, um casaco escuro de lã sobre uma blusa branca de algodão, bordada com flores. O cabelo castanho, de tranças apertadas passadas em torno da cabeça como uma auréola, ao estilo russo, tinha um brilho vivo, como se tivesse sido bem escovado, e fiquei impressionado com a alvura de sua pele. Nunca fui muito bom em adivinhar a idade das mulheres, mas acho que devia estar beirando os 40 anos. Não era bonita, mas possuía aquela característica tranquila de feminilidade pura, um jeito de se portar, uma facilidade de movimentos, uma maneira de olhar para os outros que chamaria a atenção em qualquer lugar. Saí do meu transe momentâneo e encontrei seus olhos azuis me contemplando, com um olhar de piedade e simpatia sinceras. Virei a cabeça e vi Ushakov parado na entrada entre os dois aposentos, olhando para mim com seu jeito preocupado e alheio ao mesmo tempo.

— Deixe eu lhe mostrar o rádio.

O aposento interior era uma combinação de quarto de dormir e escritório. Ao longo de uma das paredes, a que ficava mais perto do fogão, havia uma cama grande de madeira, na extremidade da qual se encontrava um armário, em que pude ver seus uniformes pendurados. Ao lado, contra a parede mais distante da porta, estava colocado um baú sólido, de madeira. A cama ficava à esquerda, entrando-se pela porta divisória, e o baú logo à frente. O lado do aposento à minha direita era o escritório de Ushakov. Pendurado na parede, via-se um grande mapa topográfico do leste da Sibéria — um exemplar extraordinário que, em vez dos nomes dos lugares, ostentava apenas números. Havia também uma planta do campo e um retrato colorido de Joseph Stalin. Em cima de um banco, sob o olhar que tudo via do ditador, estava o rádio, um Telefunken novo em folha, à pilha.

Ushakov me deu um cigarro Pushki, pegou uma lamparina de querosene e a colocou sobre um banco, a meu lado. Retirei a parte de trás do aparelho e comecei a passar os dedos ao longo dos fios, tentando ver se havia uma conexão solta em algum lugar. O comandante me fez perguntas sobre o rádio, onde era feito, quanto custava e como funcionava. Hesitante, procurei me informar sobre onde ele o adquirira.

— Aconteceu, infelizmente — respondeu ele —, de eu estar no comando das tropas na Polônia em 1939, e eu o adquiri lá.

Intrigou-me o uso da palavra “infelizmente”. Encaixava-se bem à teoria formulada pelos prisioneiros de que ser comandante de um campo na Sibéria só podia ser uma espécie de punição. Fiquei com a impressão, reforçada mais tarde, de que Ushakov devia sua transferência para lá a alguma indiscrição cometida durante a campanha da Polônia.

Ele voltou para perto do fogo, sentando-se no banco lustrado com a esposa. Continuei trabalhando, checando os circuitos sem pressa. Após cerca de meia hora, percebi que ela estava ocupada, fazendo alguma coisa no aposento ao lado. Ushakov me chamou, então, para perto do fogo também, e ela serviu duas canecas de chá, adoçado com sacarina. O coronel bebeu primeiro e depois me passou a caneca. Voltei para o rádio e, enquanto trabalhava, surpreendi-me com o pensamento de que não queria me apressar com a tarefa, porque ela era a experiência mais agradável que tivera desde minha prisão, e que devia, portanto, fazê-la durar. Quando Igor veio me buscar, expliquei que conferir todos os fios e válvulas era um trabalho lento.

— Muito bem — disse Ushakov —, você vai voltar. Vou mandar chamá-lo.

Ele me deu mais um cigarro e eu saí com o guarda.

— Quais são as notícias? — perguntaram-me quando retornei.

— Ainda não consegui fazer o rádio funcionar — disse eu —, mas vou contar para vocês tudo o que está acontecendo assim que souber.

Igor foi me buscar novamente no dia seguinte. Enquanto mexia no rádio, os dois conversavam comigo. Ushakova se mostrava interessada na minha família, impressionada com a fluência do meu russo. Disse-lhe que minha mãe era russa.

— O que você fez para ser enviado para cá? — perguntou o coronel.

— Nada — respondi.

— Por 25 anos, não é isso?

— É.

Houve uma pausa, depois ela falou:

— Vinte e cinco anos é muito tempo. Que idade você tem?

Disse-lhe que tinha 25.

A conversa a três era entremeada de estranhos silêncios. Eles estavam sentados bem perto um do outro no banco, enquanto eu me encontrava agachado, olhando a parte de trás do Telefunken. De súbito, Ushakov me perguntou se eu achava que a Rússia se envolveria em outra guerra. A última guerra russa, segundo ele, fora a de 1914. Mencionei a Finlândia e a Polônia.

— Ah — retorquiu ele —, isso não foi guerra, foi libertação.

Perguntei-me se ele acreditava mesmo naquilo. Levantei a cabeça e olhei para o coronel. Estava com os olhos fixos no teto e seu rosto não revelava qualquer expressão. Ele voltou à questão da Rússia se envolver em outra guerra.

— Na Polônia — disse eu —, era do conhecimento de todo mundo que Goering viera para nos atacar, a fim de criar um corredor para os alemães invadirem a Rússia. A Alemanha está pronta e o ataque é inevitável.

Soltei isso tudo muito rápido e fiquei esperando me dizerem que eu estava falando demais. Mas nem Ushakov nem a esposa fizeram qualquer comentário.

— Você acha a guerra muito cruel? — perguntou-me ela por fim.

Contei a ela sobre as estradas polonesas congestionadas de mulheres, crianças e velhos, e como os Stukas chegaram roncando e metralhando todos.

— A guerra é isso — disse o coronel. — Quando se corta madeira, sempre existe a probabilidade de alguém se machuque com uma farpa.

Ocorreu-me então que eles não pareciam muito ansiosos para apressar o conserto do rádio. Eu encontrara o que acreditava ser o defeito, um fio de bateria solto. Mas eu não queria fechar a parte de trás do aparelho, conectar e ligar. Achava que minhas visitas iriam então terminar.

Ela me perguntou sobre a Polônia antes da guerra. Qual era a moda para as mulheres? Eu lhe disse que era sempre elegante, vinha direto de Paris. E sapatos de salto alto? Sim, falei. Eles também eram muito bonitos.

Dois dias se passaram até eu ser chamado novamente e, enquanto isso, os colegas de trabalho zombavam de mim, dizendo que eu não ia conseguir consertar o aparelho e que o comandante ia acabar se aborrecendo com a demora.

Nessa terceira visita, comecei logo a fazer com que o Telefunken funcionasse. Ushakov estava ocupado, trabalhando em sua mesa, e a esposa se encarregou da conversa. Perguntou sobre os filmes que eu costumava ver e ficou surpresa ao ouvir que as películas russas eram proibidas na Polônia. Enquanto ela falava, liguei o aparelho, que voltou à vida, e comecei a procurar as estações. O coronel largou o trabalho e veio para o meu lado. Ouvimos um concerto, irradiado de Moscou. Fui indo de estação em estação, pegando fragmentos de notícias e, finalmente, escutamos a voz de Hitler, vociferando em seu modo inconfundível, de um encontro de jovens no Ruhr — acho que era em Düsseldorf.

Ushakov me deu um pacote inteiro de tabaco *korizhki* e uma folha velha de jornal. E quando Igor já estava na porta esperando para me levar, ele disse:

— Se o aparelho precisar de qualquer reparo, mando chamar você de novo. Acho que nós não sabemos mexer nele direito.

Voltei e contei aos homens tudo que ouvira no rádio. O interesse maior deles foi pela Alemanha e pelo discurso de Hitler. Queriam saber quando eu iria lá novamente.

— Quando o aparelho enguiçar de novo — disse.

Estávamos nos aproximando do final de março. Trabalhei sem interrupção por alguns dias na oficina de esquis e comecei a pensar com tristeza que o episódio do Telefunken havia terminado. Foi exatamente nesse período que vim a conhecer um homem notável, chamado Anastazi Kolemenos. Eu já o havia visto algumas vezes, entrando para se aquecer um pouco diante do grande fogão. Ele possuía uma das formas físicas mais admiráveis que já encontrei. Sua altura era superior a 1,90 metro, barba e cabelos louros, olhos verde-acinzentados, muito curiosos. Apesar de todas as privações que havia passado, devia pesar uns 90 quilos. Era uma espécie de gigante bom e prestativo, cujo trabalho era carregar as toras de bétula e cortá-las para uso na oficina de esquis.

Eu estava parado do lado de fora da porta, observando-o nesse dia. Fui até o local onde ele havia empilhado umas toras e tentei erguer uma, a fim de levá-la. Peguei sem problemas uma das extremidades para levantá-la. Meus esforços se mostraram em vão. Então, de repente, Kolemenos estava ao meu lado.

— Tudo bem, amigo — disse ele. — Eu faço isso.

O gigante se abaixou e jogou a tora no ombro com um movimento poderoso. Não me considero um fracote, mas a força daquele homem era fenomenal. Falei com ele, dizendo-lhe espontaneamente quem eu era. Kolemenos me disse seu nome e, sem que eu perguntasse, informou-me que havia sido proprietário de terras na Letônia e tinha 27 anos. O velho projeto de fuga me voltou imediatamente à cabeça, mas ali não era local para se conversar sobre isso.

— Vamos conversar um dia desses — disse eu.

— Vai ser um prazer — replicou o gigante.

Em meio ao barulho da oficina, gritaram para mim:

— Seu amigo está chamando você de novo.

Vi Igor parado, impassível, do lado de dentro da porta, fazendo sinal para mim. Larguei o esqui que estava testando, bati a poeira da roupa e saí com ele.

Ushakov e ela estavam lá. Ele me contou que o aparelho não estava mais funcionando tão bem como antes. Testei-o e parecia estar em perfeita ordem, embora a força do sinal estivesse um pouco mais fraca. Aconselhei-o a conseguir pilhas novas. O comandante disse que iria providenciá-las. Ele pôs o sobretudo, murmurou algo para ela, a respeito de precisar ir a uma reunião de oficiais, e saiu. Havia um grande entendimento entre os dois, que eram muito dedicados um ao outro.

— Vou fazer um pouco de chá para você. — Ela sorriu. — Encontre para mim uma estação com música boa.

Ela falou um pouco sobre o tipo de música que apreciava, elogiou Chopin, mas declarou que seu compositor favorito era Tchaikovski. Contou-me que tocava piano e que precisara deixar seu instrumento para trás, uma de suas maiores infelicidades ali na Sibéria. Olhei para as mãos que ela havia estendido à frente, bem-feitas e cuidadas. Os dedos eram brancos, longos e hábeis.

— São mãos de artista — arrisquei-me.

— Eu também desenho — disse-me ela. — É um hobby para mim.

Encontrei o tipo de música que ela apreciava, e a esposa do comissário começou a falar sobre si com uma orquestra sinfônica ao fundo. Ela puxava por mim, tentando fazer com que contasse minha vida. Era como se estivesse dizendo: "Esta sou eu e esta é minha história. Confie em mim."

Eu não sabia ao certo por que aquilo estava acontecendo comigo. Disse para mim mesmo que, apesar da posição elevada ali, eles, na verdade, eram exilados e proscritos. Ela, em especial, era quase tão prisioneira quanto eu. Só estava ali porque o marido estava e, provavelmente, o verdadeiro chefe do Campo 303 era o Politruk.

Bebíamos o chá quente, e ela mantinha o tom de voz baixo. Essa foi a história que me contou: vinha de uma família de oficiais do Exército desde muitas gerações antes da Revolução. O pai fora coronel da guarda pessoal do czar e os bolcheviques o haviam metralhado. O irmão mais jovem, cadete, morrera em decorrência de ferimentos ocasionados na defesa do Instituto Smolny. A mãe fugira com a filha da casa em que moravam próximo a Nijni Novgorod, e quando mais tarde a mãe morreu, ela teve de se adaptar à nova ordem das coisas, tirando uma carteira de trabalho e conseguindo emprego. Foi bem-sucedida e ganhou férias patrocinadas pelo Estado, juntamente com outros trabalhadores favorecidos, em Yalta. Lá conheceu Ushakov. Deduzi que, dali em diante, ele tinha sido o único homem em sua vida.

Ela era muito leal a Ushakov. Não me contou por que ele tão de repente fora transferido da Polônia. Primeiro o coronel foi para Vladivostok, e a esposa não tivera notícias dele durante seis meses. Ushakova conhecia algumas pessoas influentes no Partido. Elas lhe contaram que ele estava indo para a Sibéria, responsável por um campo, e ela lutou sem trégua até os amigos lhe conseguirem uma licença para viajar e se juntar a ele.

O tempo todo, enquanto ouvia, eu ficava dizendo para mim mesmo: ela me conta essas coisas porque sou um prisioneiro, sou digno de pena, e porque ela não pode repeti-las às pessoas de sua nacionalidade. No entanto, em meio a essas dúvidas que me pairavam no espírito, havia a convicção de que se tratava de uma mulher inteligente, sensível e muito compassiva. Aquele campo, que a cercava com o espetáculo de vidas cruelmente consumidas, deixava-a chocada. Não era lugar para uma mulher. Ushakova era russa, acreditava apaixonadamente no grande destino de seu país, mas também era mulher, e não acho que gostasse do que via, dia após dia, mês após mês.

O que me fez falar sobre os *ostyaks*? Não sei. Acho que me sentia embaraçado com sua aceitação total da minha pessoa, e me agarrei a outro assunto para afastar a conversa de nós mesmos. Eles costumavam deixar comida para os Infelizes, disse.

Os olhos azul-claros estavam fixos nos meus:

— Você já pensou em fugir?

A pergunta me pôs em pânico. Havia um perigo tremendo nela. Eu abri a boca, mas não consegui falar. Pousei a xícara fazendo um barulho acanhado. E seus olhos, muito abertos, azuis e cândidos, paralisavam-me e assistiam à vibração do meu medo.

A voz tranquila prosseguiu:

— Você não responde, Rawicz, não confia em mim. Achei que talvez quisesse falar sobre isso. Não tem perigo nenhum em conversar comigo sobre isso...

Fuga. Fuga. Era como se ela tivesse visto o que estava na minha cabeça e puxado aquela palavra que simbolizava perigo, desejo e esperança. Sim, queria lhe contar sobre meus sonhos arriscados, mas ela havia me chocado e calado. As palavras não vinham.

Então, Igor chegou e me levantei para ir embora, desconcertado e infeliz, como um homem que vira as costas à mão estendida de um amigo. Ela falou com frieza e formalidade.

— Você vem de novo se o rádio precisar de algum conserto?

Minhas palavras saíram como em uma torrente:

— Venho, venho, claro que sim. Vai ser um prazer.

Senti uma espécie de excitação em fogo baixo enquanto esperava, durante os dias que se seguiram, para ver se receberia outro chamado. Conheci um homem chamado Sigmund Makowski, de 38 anos, capitão das forças polonesas de fronteira. Ele era um camarada preciso, de mente clara, saudável, ativo, que exibia a marca do oficial de Exército. Escolhi-o como havia escolhido Kolemenos, mas não disse nada sobre meus planos àquela altura. Eu não sabia o que esperar de Ushakova, mas achava que, pelo menos, ela estava em uma posição de poder aconselhar.

E ela mandou me chamar. Depois que eu havia ligado o rádio, passeando pelas estações em busca de notícias para meus amigos, ela começou, com um mínimo de casualidade, a falar sobre a aproximação do curto verão siberiano. Resolvi mergulhar de cabeça:

— Eu sinto muito pela última vez — disse eu. — É claro que penso nessas coisas, mas as distâncias são enormes, a região é muito difícil, e não tenho nenhum equipamento para encarar uma viagem dessas.

— Você só tem 25 anos — respondeu ela. — Não precisava ter tido medo de admitir que não espera passar os próximos 25 anos neste cenário. Era uma coisa para a gente conversar entre nós. Eu sou razoavelmente bem cuidada aqui. Nós temos alojamentos confortáveis, comida muito melhor que a sua e todos os cigarros de que precisamos. Mas eu não conseguiria passar 25 anos aqui. Então, fugir deve ser uma ideia muito presente em seu coração, e talvez lhe faça bem me dizer o que pensa.

Assim, falamos sobre o assunto como uma coisa abstrata, como se estivesse sendo contemplado por uma terceira pessoa. Colocamos a questão da seguinte forma: supondo-se que um homem conseguisse sair do campo, para onde iria? A única possibilidade para ele, pensava, seria correr para o leste, apenas mil quilômetros, até Kamchatka, e de lá encontrar um jeito de ir para o Japão. A tentativa seria um fracasso, na opinião dela. O litoral de Kamchatka era uma zona de segurança máxima e muito bem vigiada. E se ele conseguisse pegar um trem rumo ao oeste, encontrasse talvez um emprego nas minas dos Urais e, mais tarde, saísse da Rússia? Haveria as dificuldades da viagem, de conseguir uma licença para trabalhar e outros documentos imprescindíveis, disse ela. Essas foram todas as especulações que fizemos aquele dia, e foi só quando eu já estava deitado no meu beliche, à noite, pensando sobre as coisas, que me dei conta de que ela, ao que parecia, havia deliberadamente ignorado uma única rota — a do sul, passando pelo lago Baikal. Mas dali para onde? Afeganistão foi o nome que me veio à cabeça. Soava suficientemente neutro e obscuro.

Foi o próprio coronel quem me chamou da vez seguinte. Ele realmente não conseguia operar aquele aparelho de rádio tão simples, fato muito surpreendente, pois era um homem inteligente. Parecia ficar um pouco amedrontado com o Telefunken e preferia que eu encontrasse as estações para ele. O comandante queria escutar notícias, e quando consegui fazer com que as ouvisse, por meio de discursos e boletins, ele disse que agora tinha certeza de que a Rússia se envolveria muito em breve na guerra. Não acho que o coronel a desejasse, mas era nela que jazia sua chance de sair da Sibéria e voltar ao verdadeiro ofício de soldado, para o qual fora treinado.

Não havia nenhuma conversa fantasiosa sobre fuga quando o comandante estava lá. Imagino que ficaria horrorizado se soubesse que sua esposa levantara tal assunto com um prisioneiro. Quando chegou o momento de eu ir embora, ele se encontrava perto do rádio e ela me levou até a porta.

— Não se preocupe — disse Ushakova. — Vai dar tudo certo para você.

Naquela noite, falei com Makowski. Levei-o até as latrinas:

— O que você acha de fugir?

— Pare de ser louco, cara. A gente não tem nada para fugir, mesmo que consiga sair do campo.

— Posso conseguir uma ajudinha.

— Se conseguir, eu estou com você. Quero que este lugar vá para o inferno!

Ushakova parecia estar desfrutando ativamente seu papel de conspiradora-chefa. Até hoje não consegui chegar a uma conclusão sobre se ela acreditava de fato que eu tentaria mesmo a fuga. Podia ser que aquilo tudo não passasse de um exercício intrigante, para a inteligência afiada de uma mulher entediada com a vida depressiva de um campo de prisioneiros. Há coisas que, mesmo com todo o distanciamento do tempo, não sei responder.

O negócio havia surgido do nada. Ushakova planejava enquanto o rádio nos brindava com uma de suas sinfonias favoritas de Tchaikovski:

— Você vai precisar de um grupo de homens, dos mais fortes e com mais iniciativa. Da sua ração extra, você pode economizar 250 gramas de pão por dia, pode secar o pão atrás do fogão da oficina de esqui e depois esconder. Vou procurar uns sacos para fazer sacolas. Você vai precisar de peles para confeccionar roupas extras e sapatos. Os soldados pegam martas com armadilhas e os oficiais, com bala. Depois eles penduram tudo na cerca externa de arame. Seus companheiros que trabalham do lado de fora devem pegar uma pele por dia. Ninguém vai sentir falta. Planeje a saída e vá para o sul. Espere uma noite em que esteja nevando muito, para apagar o rastro.

E depois, como se tivesse se lembrado de algo:

— Em breve o coronel Ushakov vai fazer um curso para oficiais graduados em Yakutsk. Eu não gostaria que acontecesse nada com ele estando no comando.

Ushakova era uma esposa muito leal.

Fui imediatamente procurar Makowski.

— Vamos fugir — disse eu. — Teremos uma pequena ajuda.

— Quantos homens você vai querer?

— Uns 12 — disse eu.

— Bom. Vamos providenciar. Conheço um que posso recomendar pessoalmente.

Pensei em Kolemenos:

— Conheço um, também. Vamos começar a reuni-los amanhã.

9

Planos de fuga

— É AQUELE ali — disse Makowski, parado a meu lado durante o intervalo diário do dia seguinte, indicando um prisioneiro um pouco afastado dos demais.

— Vamos ficar aqui uns minutos para você poder dar uma examinada nele.

Os ombros retos e as roupas largas não conseguiam disfarçar suas costas possantes.

— Você é um homem de cavalaria — disse Makowski, por fim. — Devia reconhecer o tipo.

— Quem é ele?

— É polonês. Sargento de cavalaria Anton Paluchowicz. Tem 41 anos, mas é forte e está em forma, bem-treinado, experiente. Eu iria a qualquer lugar com ele. Vamos falar com ele?

Fomos até o homem e conversamos. Gostei da aparência de Paluchowicz. Ele aceitou a proposta como o bom soldado que vai cumprir uma missão de guerra. Ficou contente em saber que eu era tenente da cavalaria polonesa.

— Vamos fazer isso juntos — disse ele. — Não vai ser fácil, mas nós vamos conseguir.

Aquela noite me aproximei de Kolemenos. Bati no seu ombro e ele se virou, sorrindo ao me ver:

— Ah, é você de novo.

— Kolemenos, vou sair daqui com alguns outros. Você gostaria de se juntar a nós?

Ele pôs a mão grande no meu ombro:

— Você está falando sério? Mesmo?

Fiz que sim com a cabeça.

O homenzarrão sorriu de felicidade através da barba loura:

— Eu vou.

Ele riu alto e bateu duas vezes com a mão no meu ombro:

— Posso até carregar você no ombro, se precisar. Se a gente conseguiu fazer todo aquele caminho desde Irkutsk amarrado naquela maldita corrente, podemos ir muito mais longe sem ela.

Agora éramos quatro. Começamos a planejar com um sentimento de urgência. Era final de março, e vi que não tínhamos muito tempo. Começamos a observar tudo de perto. Notamos, por exemplo, que o começo da patrulha com os cães, em torno do perímetro, à noite, era sempre indicado pelo latido e ganido dos puxadores de trenó, que demonstravam sua insatisfação por serem deixados para trás. Aquele sinal vinha a cada duas horas. Descobrimos que a patrulha sempre fazia a ronda no sentido anti-horário, percorrendo o lado sul, mais longo, primeiro. Decidimos que a fuga deveria se dar pelas defesas do lado sul e que, portanto, tínhamos de nos alojar no galpão que ficava naquela extremidade. Começamos a espalhar propinas e bajulações para conseguir beliches nesse alojamento.

Paluchowicz trouxe Zaro para o esquema. Eugene Zaro era dos Bálcãs, iugoslavo, acho. Tinha 30 anos e, antes de os russos o pegarem, havia sido escriturário.

— Se vocês querem um pouco de diversão no caminho — disse nosso sargento —, Zaro é o homem.

Como em um comitê de inspeção, Makowski, Pachulowicz e eu nos pusemos à parte, observando-o na fila da comida. Era um homem de boa constituição, abaixo da altura mediana, e seus olhos quase negros tinham um ar constante de hilaridade e travessura. Os homens à sua volta tinham acessos de gargalhadas, e Zaro permanecia imóvel, piscando os olhos, em uma atitude fingida de seriedade.

— Tudo bem — anunciei. — Vamos levá-lo.

— Sempre quis viajar, e essa ideia me parece boa — foi a resposta de Zaro à minha abordagem.

— Vai ser a pior viagem que você já fez — disse-lhe.

— Eu sei — retrucou ele —, mas vou com vocês de qualquer jeito.

Houve uma pausa.

— Os russos não têm senso de humor. Vai me fazer bem me afastar deles.

Assim, Eugene Zaro se juntou a nós e nos tornamos cinco. Falamos em juntarmos dez homens, de forma que lá fora pudéssemos nos dividir em dois grupos, tomando rotas diferentes, para que a perseguição se tornasse uma tarefa mais difícil e confusa.

Mas não era assim tão fácil. Dois possíveis camaradas que abordei, da oficina de esquis, recuaram à simples menção da palavra fuga. Falar daquilo já era suficientemente perigoso na opinião deles. Tentar seria suicídio. Eles estavam contentes com a riqueza recém-adquirida, o quilo diário de pão e o tabaco extra. Por que dar chance ao desastre e à morte em uma tentativa insana de cair fora?

— Provavelmente vocês estão certos — disse eu. — Foi só uma ideia que me passou pela cabeça.

E continuei na minha tarefa diária de secar 250 gramas do meu pão atrás do grande fogão para aumentar o estoque que crescia sob a pilha de esquis rejeitados, no canto mais longínquo da oficina.

O fugitivo número seis foi trazido por Kolemenos. Era um arquiteto lituano de 28 anos, chamado Zacharius Marchinkovas, alto, magro e de olhos castanhos, alertas. Fiquei impressionado com a maneira como ele já tinha pesado nossos prós e contras e, tendo-os achado formidáveis, decidiu que a menor esperança de sucesso já valia a pena. Era um tipo inteligente e simpático, aquele lituano.

Quando o sargento Paluchowicz trouxe o nome de Schmidt às nossas deliberações secretas, achei que devia ser alguém da colônia russo-alemã que se juntara a nós em Ufa, nos Urais. Esses russos com nomes alemães eram descendentes de artesãos trazidos da Alemanha por Pedro, o Grande. Eu li que eles haviam se estabelecido no Volga.

— Ele é alemão? — perguntei ao sargento.

— O nome dele é Schmidt, mas não sei — foi a resposta. — Ele fala russo muito bem e fluentemente. Está muito além dos outros. Pensa muito sozinho e me dá excelentes conselhos sobre tudo. Eu o recomendo a você.

Makowski e eu anunciamos nossa intenção de nos encontrarmos com Schmidt no dia seguinte.

— Vou apontá-lo para você, então — disse o sargento com um sorriso.

Ele estava indo para a janela da cozinha pegar seu café, a última distribuição do dia, quando Paluchowicz o apontou com um gesto de cabeça. Makowski e eu fomos até ele. Minha primeira impressão foi a de que talvez fosse velho demais para os rigores da aventura que estávamos planejando. Achei que devia andar por volta dos 50 anos. Tinha uma boa constituição, ombros largos e cintura fina. Seu cabelo e barba cheios possuíam fios grisalhos. Ele tinha percebido nossa aproximação e, provavelmente porque o sargento havia lhe avisado do encontro, não demonstrou nenhuma surpresa quando eu disse:

— A gente quer falar com você.

Falei em russo, e ele respondeu na mesma língua:

— Vão na direção dos galpões e eu vou lá encontrar vocês.

Ele continuou seu caminho e nós nos afastamos.

Segurando a xícara de café, aproximou-se de nós depois e, longe da multidão, paramos. Ele nos encarou e sorriu:

— Senhores, meu nome é Smith. Pelo que sei, vocês têm uma proposta.

Makowski e eu ficamos boquiabertos.

— Smith? — Repetimos o nome juntos.

— Eu sou Smith, *mister* Smith. Sou americano.

Ele sorria de contentamento diante do nosso espanto.

— Vocês estão surpresos, senhores.

Não podíamos acreditar no que estávamos ouvindo. Seu russo era impecável. Eu não conseguia notar nem um vestígio de sotaque.

— Bem, me desculpe — disse eu por fim. — É difícil acreditar. Como você veio parar aqui?

Ele tinha um jeito de falar fácil, paciente, quase professoral.

— Deixe-me repetir, sou americano, engenheiro de profissão e fui um entre vários cordialmente convidados pelo governo soviético para ajudar a construir o metrô de Moscou. Éramos uns cinquenta. Isso foi há nove ou dez anos. Eles me prenderam em 1936, convenceram-se de que eu era um espião estrangeiro profissional e me deram vinte anos.

Ele terminou o café. Nós ainda olhávamos para ele como dois idiotas.

— Vou levar minha caneca de volta e depois vamos juntos para os galpões.

Makowski e eu o seguimos com o olhar. Poloneses, ucranianos, letões, estonianos, tchecos, finlandeses, os destroços de um levante europeu, era o que esperávamos encontrar nas mãos dos russos. Mas um americano...

Makowski disse, com um humor pesado:

— Talvez, se a gente olhar em volta um pouquinho mais, encontremos alguns ingleses e franceses.

Paluchowicz veio se juntar a nós.

— O que acharam dele?

Makowski encolheu os ombros, ainda seguindo com o olhar a figura de Smith, que entregava a caneca e se virava para voltar.

— *Herr* Schmidt — disse ele ao sargento — é *mister* Smith.

Paluchowicz franziu a testa, intrigado.

— E *mister* Smith, meu caro sargento, é americano.

O mundo desabou sobre Paluchowicz, que abriu a boca para falar, mas fechou-a sem dizer nada.

Fomos andando, os quatro, devagar, até os galpões e, como era de costume, trocamos algumas frases. Ou seja, apresentamo-nos por nossos nomes como Smith fizera. E ele, de acordo com a etiqueta do campo, perguntou-nos por sua vez:

— Vocês vão ficar aqui por quanto tempo?

Essa pergunta sempre era feita nos primeiros encontros. Era uma forma de apresentação.

Àquela altura, começo de abril, Makowski e eu já havíamos conseguido beliches próximos à porta do último galpão. Kolemenos também já tinha providenciado a mudança, e os outros esperavam se juntar a nós dentro de alguns dias. Dizendo ao sargento que o veríamos mais tarde, convidamos *mister* Smith para ir ao nosso galpão. Sentado no beliche de Makowski, embaixo, delineei nossos planos com cautela. Disse-lhe que tinha boas razões para crer que apenas a longa estrada para o sul reservava alguma chance de sucesso, embora alguns dos outros ainda relutassem em abandonar a ideia da rota curta para o leste, até Kamchatka.

Ele não se apressou em responder. Fez algumas perguntas perspicazes. Ficamos em silêncio enquanto ele pensava. E então:

— Senhores, vai ser um privilégio me juntar a vocês. Concordo que a rota do sul é a melhor. Podem contar comigo.

Ficamos bastante tempo com Smith. Todas as nossas histórias, os nossos dossiês, seguiam um padrão semelhante. Smith era diferente, um caso singular, que nos intrigava. Ele nos contou muita coisa, mas nem ali nem depois, nos revelou seu nome de batismo... jamais. Mais tarde, quando nós, seis europeus, nos tratávamos familiarmente pelo primeiro nome, o americano era sempre, como se apresentara a nós, *mister* Smith para todos. O *mister* foi aceito como substituto do nome que ele nunca nos revelou.

Ele tinha uma cicatriz saliente que ia, em uma curva escura, da esquerda para a direita, desde o alto da cabeça até a nuca, com cerca de 20 centímetros. Adquirira-a após a queda de um andaime durante a construção do metrô, explicou-nos.

— Exceto pelo acidente que me deixou essa cicatriz — contou ele —, vivi bem em Moscou alguns anos. O trabalho era interessante, eu era muito bem pago, e achei os russos fáceis de se trabalhar. Eles também tinham engenheiros muito bons, mas os cargos importantes iam para os estrangeiros, como eu. A razão, acho, era pelo fato de esse projeto do metrô ter muito prestígio, e se alguma coisa desse errado, o orgulho nacional seria poupado tendo um estrangeiro como bode expiatório. Eu era muito feliz. Queria conhecer a Rússia e estava sendo muito bem recompensado, financeiramente, pela experiência.

Em uma Moscou obcecada, no período entreguerras, pelos seus Planos de Cinco Anos, Smith e os amigos, instalados em apartamentos bem localizados e com dinheiro sobrando para comprar artigos de luxo naquelas lojas em que a licença para entrar era um cartão de sócio do Partido ou um passaporte estrangeiro, deviam chamar atenção. Ele tinha carro e viajava pelos arredores livremente — circunstância que lhe deve ter valido relatórios sublinhados nos arquivos da polícia secreta. Tinha uma namorada russa; a polícia não devia gostar disso também. Mas eles o deixaram seguir, trabalhando muito e se divertindo outro tanto.

— Nunca suspeitei do golpe que ia receber — continuou ele. — Depois de um ano de trabalho, os russos, sem qualquer solicitação da minha parte, dobraram meu salário, que tinha sido fixado por contrato, para mostrar sua apreciação pelos progressos constantes que estavam sendo feitos no trabalho. A partir dali, achei que havia subido no conceito deles.

Smith estava certa vez no apartamento com a garota, depois da meia-noite, quando a NKVD. entrou à força. Era 1936. Mostraram determinação, tranquilidade e muita eficiência. Smith e a garota foram presos. Ele nunca mais a viu. Os outros ocupantes do edifício nada viram ou ouviram. Quando amanheceu, Smith ocupava uma cela na Lubyanka — seria seu lar pelos próximos seis meses. Repetidamente, eles ignoraram seu pedido para ver alguém da embaixada dos Estados Unidos.

— Que mudança — refletiu *mister* Smith. — Um dia, engenheiro de sucesso; no outro, espião estrangeiro profissional. Parece que, além de manterem os olhos atentos às minhas atividades, andaram abrindo minha correspondência para casa. A acusação principal contra mim era que eu tinha enviado informações sobre a Rússia nas cartas para o meu pessoal nos Estados Unidos.

"O julgamento foi secreto e uma farsa. Eles me deram vinte anos, como já disse. Confiscaram meu carro e todos os meus pertences. Então, talvez tenham pegado de volta a maior parte do salário extra que tinham me dado tão generosamente.

"Mandaram-me para uma mina nos Urais, para cavar diamantes. Eu falei para eles que, pela minha prática com a engenharia moderna, eu poderia aumentar substancialmente a eficiência e a produção lá. Eles não se interessaram. Preferiram me manter no trabalho braçal."

Makowski interrompeu-o:

— Alguma vez você pensou em fugir?

— Eu venho pensando em como fazer isso desde que fui mandado para os Urais, e cheguei à conclusão de que não dava para fazer isso sozinho.

Depois, ele nos questionou detalhadamente sobre nossos planos. Queria o quadro mais claro e preciso que pudéssemos lhe dar àquela altura. Fez perguntas inteligentes sobre as distâncias envolvidas. Tínhamos consciência de que seriam mais de 1.500 quilômetros a pé só até a fronteira com a Mongólia? Conversamos durante muito tempo, quase aos sussurros, enquanto os outros ocupantes do Galpão Número 1 passavam por nós, batendo a neve das botas, chamando amigos, formando grupos em torno dos três fogões incandescentes. Disse-lhe que o ajudaríamos a se mudar de seu galpão, no meio da fileira, para aquele. Salientei que o tempo era curto.

Ele se levantou, balançando a cabeça pensativamente.

— Adeus, por enquanto — disse eu.

— Adeus, senhores — respondeu ele, saindo.

Os outros aceitaram prontamente o sétimo e último recruta para o grupo. Havia a consideração prática de que ele seria útil quando alcançássemos o mundo de fala inglesa. Zaro havia lhe dito:

— Eu gostaria de ir para os Estados Unidos quando a gente estiver livre.

Smith respondera:

— Eu gostaria que vocês todos fossem para lá.

Ao final da primeira semana de abril, estávamos todos no mesmo galpão — um triunfo de organização preliminar. Estávamos juntando um arsenal impressionante de peles, a maioria delas puxada das cercas por Kolemenos durante seus deslocamentos frequentes, a fim de pegar toras de bétula para a oficina de esquis, em cujo esmeril aplainei e modelei um prego de 15 centímetros, transformando-o em um instrumento que pudesse ser usado para cortar e fazer orifícios nos couros duros. Nossa coleção final incluía martas, arminhos, raposas siberianas e, um verdadeiro troféu, a pele de um veado, que um dos oficiais matara para comer. Cortamos tiras longas de couro para amarrar os mocassins simples que confeccionamos na penumbra noturna do galpão. Trançamos correias, usando-as como cinto. Cada homem fez e vestiu, sob a *fufaika*, um colete grosso, com a pele voltada para dentro, junto ao corpo. Para proteger as pernas, criamos perneiras de pele.

O medo maior, naquele momento, era o de que fôssemos traídos. Nossos esforços febris acabariam atraindo alguma atenção. Se uma palavra chegasse aos ouvidos dos russos, o informante seria bem pago, com pão e tabaco extra. Mas não houve nenhum judas. Os que suspeitavam do que tínhamos em mente provavelmente achavam que éramos loucos e nos deixavam em paz, para encarar o desastre que, eles tinham certeza, estávamos atraindo. Para o observador mais casual, não havia nada de estranho em furtar peles dos russos, utilizando-as da melhor maneira possível. Mantínhamo-nos à parte, tanto quanto possível, no galpão, e a maior parte do nosso planejamento era feita em passeios até a fileira das latrinas.

Contei a Ushakova que tinha encontrado seis amigos. Ela não me perguntou quem eram e não acho que quisesse saber. Entregou-me um presente que seria de valor inestimável — uma cabeça de machado.

— Isso vai ficar na minha consciência a vida toda — disse ela. — Foi a primeira coisa que roubei.

Fiz um cabo para ele e Kolemenos guardou-o, por proteção, passando-o por dentro do cós das calças, na parte de trás. Confeccionei na oficina de esquis outro artigo imprescindível: uma faca fina, com 7 centímetros de largura e 30 de comprimento. Originalmente, era um pedaço quebrado de lâmina de serrote, que aqueci no fogão, martelei até dar forma e poli no esmeril. O cabo foi feito com dois fragmentos de madeira fortemente amarrados com duas tiras longas de couro de veado. Já que Kolemenos se tornara o guardião do machado, assumi a custódia da faca. Eram pertences perigosos dentro do campo. A descoberta de um deles arruinaria todo o esquema.

Para o problema de fazer fogo, já havíamos encontrado solução. Ali, onde os fósforos eram considerados um luxo, existia um método eficiente, embora primitivo, que utilizava uma espécie de fungo que crescia na floresta, chamado de *gubka* pelos russos, que significa literalmente "esponja". Podia ser arrancado das árvores em lâminas. Depois, fervia-se e secava-se. Esse equipamento para fazer fogo ficava completo com um prego dobrado e um pedaço de sílex. O *gubka* seco respondia prontamente à faísca produzida pela pedra e, com alguns assoprões, começava a queimar. Todos nós carregávamos um suprimento dele no bolso dos casacos e havíamos nos tornado peritos em seu uso.

Chegou a nós a notícia de que faltava uma semana para o domingo de Páscoa. Em 1941, caiu no dia 13 de abril, descobri mais tarde. O domingo anterior, dia 6, marcou o final de nossos preparativos. O guarda-roupa de fuga já estava completo, com a confecção de sete toucas de pele, do tipo balaclava, com uma aba que descia pelo pescoço e podia ser enfiada dentro da gola do casaco. Estávamos todos tensos e prontos para partir, preocupados com nossos novos pertences valiosos — as peles, o machado, a faca, o estoque de pão desidratado — e temerosos de que, àquela altura, algum deles pudesse ser roubado.

Naquele dia, Ushakova mandou me chamar e disse:

— Meu marido foi para Yakutsk. Foi por isso que não compareceu ao desfile hoje. Fiz sete sacolas com os sacos de suprimentos. Você vai ter que levá-las uma de cada vez.

Ela estava perfeitamente calma. Meu coração batia forte de ansiedade. Quando ela me entregou a primeira das sacolas, vi que a havia abastecido também e me perguntei como poderíamos escondê-la. Coloquei-a debaixo do braço, por dentro do casaco, enfiei as mãos nos bolsos fundos e caminhei de volta à linha de prisioneiros, encurvado como um homem imerso em pensamentos profundos. Fiz aquele percurso arriscado mais seis vezes nos dias que se seguiram, ciente, a cada vez, que se algum russo descobrisse o que eu estava carregando, o desastre seria súbito e completo. Fizemos travesseiros com elas, cobrindo-as com pedaços de peles de animal e musgo, e toda vez que nos encontrávamos longe do galpão suávamos de apreensão.

Naqueles últimos dias, conseguimos um casaco usado e descartado de soldado, forrado com pele de carneiro. Contei aos outros sobre um antigo truque de caçador clandestino, de arrastar uma pele de carneiro atrás, para fazer com que os cães do guarda-caças não farejassem o odor humano. Poderíamos tentar esse subterfúgio também, sugeri. Os outros concordaram.

Observávamos o tempo, parte tão essencial de nosso plano de fuga. Queríamos neve, com grandes flocos caindo pesadamente para encobrir nossos movimentos. Segunda-feira fez um dia frio e claro. Na terça-feira, teve granizo com vento. No meio da manhã de quarta, um céu cinza-chumbo, baixo, deu-nos o presente que desejávamos. A neve engrossou à medida que o dia passava. Começou a formar montes em torno da terra de ninguém entre nós e a cerca. Durante o descanso do meio-dia, nós sete nos encontramos rapidamente. A notícia circulou:

— Hoje é o dia.

Por volta das 4 da tarde, saí da oficina de esquis pela última vez, a *fufaika* inchada com meu estoque de pão e a faca me gelando a perna direita, por dentro da bota. Bebemos nossa caneca de café da tarde, comemos um pouco da ração diária de pão e voltamos para os galpões sozinhos ou em duplas.

Fizemos caminhadas frequentes até as latrinas, enquanto ajustávamos, tensos, os planos finais. Foi Smith quem aconselhou a não partirmos muito cedo. Era necessário dar um tempo a fim de que o campo sossegasse para a noite antes de nos pormos em movimento. À meia-noite, achava ele, seria uma hora razoável para fazê-lo. Enquanto isso, devíamos tentar ficar calmos. E a neve abençoada continuou a cair em flocos grandes, brancos como algodão, cobrindo tudo.

Zaro teve a ideia absurda de que assistíssemos à doutrinação noturna de quarta-feira do Politruk. Rimos a princípio, e depois Makowski disse:

— Por que não?

Assim, fomos, os sete, deixando nossas preciosas sacolas camufladas sob o musgo em nossos beliches e nos dizendo que agora, naquela última noite, nada podia dar errado. Sentamo-nos ao fundo, e o Politruk nos saudou com um breve gesto, ligeiramente surpreso. Retribuímos o sorriso e tentamos não nos impacientar.

Foi a reunião política mais excitante de que já participei, apesar do elemento de entusiasmo pouco ter a ver com o palestrante. O Politruk, oficial mais graduado do campo então, na ausência de Ushakov, estava em boa forma. Ouvimos mais uma vez sobre o milagre do Estado soviético, o valor do trabalho, da autodisciplina dentro da estrutura de ordem estatal, do glorioso ideal internacional do comunismo. E o que o camarada Stalin disse aos camaradas trabalhadores nas fazendas comunitárias em 1938? Um soldado ansioso saltou de pé e citou, palavra por palavra, duas ou três frases daquela convocação épica. O Politruk nos deu tudo isto — cultura soviética, decadência e desintegração capitalista, e todo o resto. Era, no que nos dizia respeito, seu discurso de despedida, e nós o apreciamos como merecia.

A palestra se estendeu por cerca de uma hora e meia, até o momento de nos levantarmos para ir embora.

— Boa-noite, coronel — dissemos em coro.

— Boa-noite — respondeu ele.

No Galpão Nº 1 todos começavam a se preparar para a noite. Smith e Zaro, no beliche mais próximo da porta, iriam nos dar o sinal da partida. Calamo-nos todos, subimos para os beliches e nos deitamos. Seis de nós estavam completamente acordados e aguardando, mas o grandão Kolemenos, no leito abaixo do meu, ressonava tranquilamente.

Fiquei pensando e ouvindo meu coração bater forte. Lembrei-me de que não havia dito adeus a Ushakova. Cheguei à conclusão de que ela não gostaria. As horas se arrastavam. Aos poucos, o galpão foi se aquietando. Ouvia-se o ronco alto de alguém. Um homem balbuciava coisas, sonhando. Outro, semiadormecido, levantou-se e atiçou o fogão perto de seu beliche.

Smith bateu no meu ombro.

— Agora — sussurrou ele.

Sacudi suavemente Kolemenos.

— Agora — repeti.

10

Sete cruzam o rio Lena

PUXAMOS NOSSAS SACOLAS para fora do beliche pelas alças de couro cru que havíamos colocado nelas a fim de que pudéssemos pendurá-las às costas. Juntamos a cobertura de musgo, dando-lhe a forma de travesseiro à cabeceira da cama.

— Tá todo mundo bem? — sussurrei.

De todos os lados ao meu redor veio a resposta sibilada:

— Sim.

— Alguém mudou de ideia?

Não houve réplica.

— Vamos — disse Makowski.

Perto da porta, coloquei minha sacola nas costas e saí. O campo estava silencioso. A neve caía pesadamente. Eu não conseguia ver nem a cerca de arame mais próxima. Na torre de segurança do lado sudeste, nosso perigo mais iminente, eles não conseguiriam ter mais que 20 metros de visibilidade. Era uma bênção que naquele lugar, sem água encanada ou eletricidade, não houvesse holofotes para nos ameaçar.

A cerca de arame interior ficava a 100 metros da porta do galpão, e o sucesso da primeira parte da operação dependia da observação de que os rolos, endurecidos pelo gelo, não seguiam fielmente os contornos do solo. Havia uma depressão no terreno bem à nossa frente, que contávamos que pudesse fornecer um espaço de alguns centímetros se cavássemos a neve sob a cerca.

Saímos um por um, com intervalos de um minuto. Zaro foi primeiro e rezei para que encontrasse o local certo na primeira tentativa. O lituano o seguiu. Depois *mister* Smith, Makowski e Paluchowicz. Kolemenos se virou e sussurrou para mim:

— Espero que eles tenham feito um buraco bem grande para que eu consiga passar.

Observei-o enquanto corria no meio da noite como os outros, carregando a sacola na frente, pronto para, de acordo com o plano, enfiá-la pelo buraco à sua frente. Depois foi a minha vez, e a palma das minhas mãos estava banhada em suor. Dei uma última olhada em torno. Os homens continuavam dormindo no galpão. Voltei-me e disparei.

Quando cheguei à cerca, Smith se encontrava debaixo dela, arrastando-se vagarosamente para fora. Dois já haviam passado. O restante de nós se agachou e ficou esperando a vez. Minutos angustiantes se passaram enquanto primeiro o sargento e, depois, Makowski se contorciam e grunhiam, ambos com a barriga comprimida contra o chão sob o arame. O volumoso Kolemenos pôs primeiro a cabeça na abertura. Eu prendi a respiração. Ele já tinha passado metade do corpo quando as farpas se engancharam nas costas de seu casaco, entre os ombros. Ele se sacudiu com cuidado, e pequenos pedaços de gelo tilintaram musicalmente pelos rolos do arame.

— Fique quieto, Anastazi — sussurrei. — Não faça nenhum movimento. — Alguém do outro lado havia conseguido puxar sua sacola e estava tentando soltá-lo. Os minutos passavam. Eu tinha consciência de que minhas mandíbulas estavam fortemente comprimidas e tentava contar nos dedos os segundos que corriam. Kolemenos jazia imóvel, enquanto a mão do colega trabalhava entre seus ombros. Alguém falou, do outro lado, e o homenzarrão se arrastou para a frente de novo. Soltei a respiração em um longo suspiro de alívio e o segui. O primeiro obstáculo havia ficado para trás. Levara bem uns vinte minutos.

Ajoelhamo-nos ao longo da borda do fosso seco e olhamos à frente, para o vulto da primeira cerca alta de madeira, enquanto Kolemenos resvalava para dentro e se encostava contra o declive íngreme do outro lado. Nós o usamos como uma escada humana e, enquanto subíamos, ele segurava nossos pés com as duas mãos, erguendo-nos um por um até a saliência na base da paliçada de 3,5 metros. Outros minutos vitais foram perdidos para tirar Kolemenos de dentro do fosso. Depois, de pé sobre os ombros dele e nos esticando ao máximo, conseguimos passar por sobre o alto da cerca e, apoiados na madeira que a segurava do outro lado, inclinávamo-nos, ajudando os que vinham depois.

Kolemenos, nosso homem-esteio, deu-nos mais uma vez problemas. Com as pernas abertas e firmadas uma de cada lado da paliçada, Makowski e eu inclinamos a cabeça e esticamos os braços para içá-lo, cada um lhe segurando um dos braços. Por três vezes conseguimos trazer seus dedos até poucos centímetros do topo e por três vezes tivemos de baixá-lo novamente. Fizemos uma pausa, tremendo após tanto esforço e chegando às raias do desespero, e tentamos de novo. Seus dedos procuraram um apoio no topo e o agarraram. Ao nosso esforço, ele começou a acrescentar sua força tremenda. Foi subindo aos poucos e chegou.

A fim de evitar os rolos de arame ao pé da cerca, atirávamo-nos bem para fora, aterrissando sobre uma pilha alta de neve. Um ou dois não conseguiram pular dando a distância necessária e se arranharam ao se desvencilhar. Estávamos agora na aleia de patrulha, entre as duas cercas, e o tempo estava se esgotando. Se eu tivesse ouvido o barulho dos cães de trenó anunciando o início de uma patrulha naquele momento, acho que teria passado mal.

Corremos os poucos metros que nos separavam da cerca exterior e, dessa vez, fizemos Kolemenos ir primeiro. Estávamos, com toda a probabilidade, fazendo pouco barulho, mas me parecia que a agitação era ensurdecedora. Dessa vez, fui o último a passar, e Kolemenos foi quem me puxou. Em um derradeiro esforço insano, pulamos e caímos por sobre o último rolo de arame farpado, embaixo da cerca externa, levantamo-nos e, todos juntos, começamos a correr. O velho casaco de pele de carneiro estava amarrado em volta da minha cintura. Dei um puxão para me livrar dele, deixei-o cair e ouvi-o arrastando-se atrás de mim, preso à tira enrolada no meu pulso.

Ofegávamos, sufocávamos e suspirávamos, mas não parávamos de correr para a grande floresta, por entre o vulto das árvores cobertas de branco. Íamos em direção ao sul, deixando o campo a nossas costas. Primeiro um e depois outro tropeçava, caía e era ajudado a ficar de pé. A primeira disparada precipitada cedeu lugar a um trote constante. Marchamos por horas, atravessando o amanhecer e mais outro dia coberto de neve, nossa bagagem sacudindo e batendo às costas enquanto prosseguíamos. Quando parávamos, a fim de buscar ar para nossos pulmões esgotados, eu os fazia correr de novo. Obriguei-os a dar tudo de si até umas onze horas da manhã, quando quase nenhum de nós conseguia dar mais um passo sequer. Peguei o velho casaco de pele de carneiro e o segurei debaixo do braço. Olhamos em volta, uns para os outros. Paluchowicz havia se dobrado, as mãos nos joelhos, os ombros arfando, lutando para respirar de novo. Dois outros se encontravam agachados sobre a neve. Todos nós de boca aberta e língua de fora, como animais exaustos.

O lugar onde estávamos era uma depressão rasa, em forma de tigela, onde as árvores cresciam mais espaçadas. Escorregáramos para dentro dela e não conseguiríamos, sem um pouco de descanso, fazer qualquer tentativa de sair. Ficamos ali por cerca de dez minutos, sem fôlego nem para falar, banhados de suor, apesar da temperatura abaixo de zero. A neve continuava a cair, com menos intensidade então, e um vento uivante soprava por entre as árvores, fazendo os galhos sem folhas balançarem e rangerem de maneira lúgubre. Como animais perseguidos, aguçávamos os ouvidos tentando escutar o ruído dos caçadores. Em nossa alma, a imagem dos cães estava presente. Mas só havia o vento, a neve que caía e as árvores agitadas.

Na encosta à nossa esquerda, as árvores cresciam mais próximas umas das outras.

— Vamos subir por ali — disse eu, por fim. — É mais protegido e podemos nos esconder melhor.

Escutei grunhidos de protesto. Smith se juntou a mim:

— Rawicz tem razão.

Assim, após algum esforço, conseguimos sair daquela cavidade e escolhemos a base ampla de uma árvore grande como local de abrigo. Cavamos a neve, até encontrar a raiz e abrimos uma área de alguns metros. Construímos uma parede baixa e sólida com a neve que havia em torno. Kolemenos cortou galhos com a ajuda do machado, e os colocamos por cima, bem entremeados, empilhando mais neve até completar o telhado. Foi uma lição que aprendemos na Sibéria — e da maneira mais difícil: proteja-se do vento, pois é ele que mata. O *ostyak* velho havia me dito: "Neve? Quem se preocupa com ela? Cerque-se com ela e você vai dormir quentinho, como se estivesse numa cama de pena."

Foi ali que demos a primeira olhada, de fato, no conteúdo de nossas sacolas. Cada homem recebera um pedaço achatado de pão já assado, um pouco de farinha, cerca de 2 quilos de cevada, sal, entre 100 e 150 gramas de tabaco *korizhki* e algumas folhas velhas de jornal. Tudo isso, além da ração de pão seco, eu tinha conseguido economizar. Por cima de cada fardo, havia um par sobressalente dos mocassins que havíamos confeccionado e sobras de couro. Rastejamos para dentro da pequena casa de neve, muito perto uns dos outros, e ficamos conversando em voz baixa. Surgiu um debate sobre se deveríamos fumar. Chegamos à conclusão de que o risco adicional era pequeno e que o benefício que isso traria para nossos nervos em frangalhos seria grande. Então, fumamos colados uns aos outros, envolvidos pela fumaça quente e azulada do tabaco queimando.

Não havia a menor hipótese, àquela distância relativamente curta do campo, de se acender fogo. Assim, devoramos um pouco de pão e, ao fazê-lo, descobrimos algo sobre o sargento de cavalaria Paluchovicz. Ele não tinha um só dente na boca. Comer aquele pão duro era uma agonia para ele. O único jeito de lidar com aquilo era molhando-o — nesse caso, em que não havia água, amassando-o cuidadosamente com neve.

— Eu tinha belos dentes quando eles me prenderam perto de Belystok — explicou ele. — Mas aí aqueles sacanas da NKVD os arrancaram todinhos e depois esmagaram no chão. Eles riram muito da brincadeira, mas para mim não era nenhuma piada comer aquele pão da prisão só com a gengiva, posso dizer para vocês. A primeira coisa que eu vou fazer quando a gente chegar aonde estamos indo é conseguir uma dentadura para mim.

— Então ponha uma de ouro. Você merece.

Essa observação veio de Zaro. Nós rimos, e Paluchowicz também.

Dormimos durante as poucas horas de claridade que ainda restavam. Apenas um homem permanecendo acordado de cada vez, mantendo guarda, com o ouvido próximo à pequena abertura. Kolemenos adormeceu como uma criança cansada, roncando suave e musicalmente. Ninguém teve coragem de acordá-lo para fazer a guarda. O lituano, Marchinkovas, despertou-nos quando a luz começou a diminuir. Comemos mais um pouco de pão, fumamos um cigarro cada e rastejamos para fora. A neve havia se reduzido a algumas lufadas, mas o vento começava a ganhar força. Fazia muito frio e nos sentíamos duros e doloridos.

Os sete sabiam que era imperativo que nos afastássemos da área do campo o mais rápido possível. Naquela segunda noite, alternamos corridas com caminhadas. O endurecimento começou a ceder após uma hora, mas eu sentia dores novas por causa do fardo a bater nas minhas costas, machucando-as. Eu o trocava de lugar, girando-o a intervalos, colocando-o contra o peito. Kolemenos descobriu que o machado enfiado no cós estava deixando-o em carne viva e retirou-o, colocando sob o braço enquanto andava. Nunca parecia estar completamente escuro, mas, mesmo assim, a marcha era difícil por sobre 50 centímetros, às vezes 1 metro, de neve fresca, com as ondulações do terreno mascaradas por árvores crescendo muito próximas. Perto do amanhecer, cruzamos um riacho congelado, com uma margem muito íngreme do outro lado. Após escalá-la e nos afastarmos em direção à floresta que continuava, fizemos nosso acampamento.

Nos quatro ou cinco primeiros dias, mantivemos esse ritmo de movimentação noturna e de hibernação durante o dia. Não havia qualquer sinal de perseguição. Chegamos à conclusão de que, com nossos rastros tendo sido cobertos pela neve que caíra na primeira noite, a caçada provavelmente deve ter sido direcionada para o leste, já que era a rota de fuga mais curta e executável. Congratulamo-nos com cautela pela escolha de escapar pelo sul. Começamos a nos deslocar durante o dia, avançando mais ou menos lado a lado, numa formação bem espaçada, percorrendo até 50 quilômetros diários. Observando o pálido sol ocasional, lendo os sinais do musgo que crescia no lado abrigado das árvores, conseguíamos manter um curso aproximado para o sul. Outros riachos congelados foram atravessados, e eu achava que todos corriam para o sul, a fim de desaguar no grande rio Lena. Foram momentos difíceis, uma luta constante contra o frio e a fome, mas nosso moral estava alto. Mais do que tudo, naquele estágio queríamos poder acender uma fogueira. Isso nos incitava a seguir em frente, a promessa de que faríamos uma fogueira assim que avistássemos o Lena.

Após cerca de uma semana de jornada, começamos a nos dividir. Os dois soldados de linha, Makowski e Paluchowicz, mantinham-se juntos. Marchinkovas, sério e reservado, mas capaz de tiradas sarcásticas ocasionais e inesperadas, fez amizade com Kolemenos. Smith, agora aceito completamente como uma espécie de conselheiro mais velho do grupo, tornou-se meu companheiro regular. O animado e brincalhão Zaro se mantinha imparcialmente amigo de todos e se movia com jovialidade de um grupo para outro. Uma pessoa rara, aquele Zaro. Ao final de um dia exaustivo, quando parecia ser necessário chicotear os próprios músculos doloridos, a fim de conseguir energia para construir o esconderijo noturno, vi-o zombar do seu e do nosso esgotamento, agachar-se na neve com as mãos nos quadris e nos brindar com uma versão pujante de uma dança russa, até fazer Kolemenos urrar de tantas gargalhadas, as lágrimas lhe escorrendo pela barba. Nada conseguia deter Zaro. De todos os piadistas finos que eu já tinha encontrado, ele era sem dúvida o maior. Ensinou-nos a todos que até os reveses mais severos da vida não eram desprovidos de humor.

Nessa corrida em direção ao Lena, obtivemos nosso primeiro e pequeno sucesso como caçadores. Pegamos e matamos uma marta que estava afundando na neve. Mais ou menos do tamanho de uma doninha, e de aparência semelhante, ela se esforçou muito para escapar quando a cercamos, cada um de nós munido de um porrete de galho de bétula. Podia ser que estivesse ferida. Talvez. Mas após uma bastonada de Makowski, morreu. Tiramos-lhe a pele, mas ainda não havíamos chegado ao estágio de fome necessário para conseguir comê-la.

No oitavo ou nono dia, a marcha se tornara inegavelmente mais fácil. O terreno começou a se inclinar num declive longo e gradual em direção ao sul. A terra nua entre as árvores já revelava tufos da grama siberiana típica, dura e farfalhante. Havia musgo nos troncos. No início da tarde, a floresta rareou de repente e vimos o Lena, com placas de gelo e bem mais de 500 metros de largura. Naquele ponto, já era um curso d'água poderoso, embora tivesse ainda uns 2.500 quilômetros para percorrer até sua foz, de muitas bocas, no oceano Ártico. Colocamo-nos parcialmente protegidos, em linha, ouvindo e observando. O dia estava claro e os sons eram levados bem longe, mas tudo se encontrava silencioso, nada se movia. Estávamos então a cerca de 1 quilômetro da margem mais próxima do rio, situada em um terreno baixo, que parecia poder se tornar pantanoso quando o gelo quebrasse.

O americano veio calmamente até mim.

— É melhor ficarmos deste lado essa noite — sugeriu ele — e atravessar assim que tiver luz, amanhã.

Eu concordei:

— Vamos voltar e nos esconder bem.

Fiz sinal para os outros, apontando com o braço na direção da qual viéramos. Demos meia-volta e retornamos, refazendo nossos passos por cerca de vinte minutos de caminhada rápida. Construímos um abrigo e, quando a noite chegou, fizemos nossa primeira fogueira, acendendo-a com musgo *gubka* e pequenos gravetos que havíamos carregado durante dias dentro dos casacos, contra os coletes de pele.

A distância já percorrida não era, em relação ao que ainda havia pela frente, muito grande, mas para nós representava um sucesso inicial considerável, tendo o Lena como primeiro objetivo. Tranquilamente, enquanto a fumaça que saía da madeira se elevava em espirais até os galhos mais altos das árvores e desaparecia na noite, comemoramos com um jantar quente — uma *kasha* fumegante, feita com água, cevada, farinha e temperada com sal. Nossa única panela era uma caneca de alumínio com capacidade para cerca de meio litro. Fizemos umas colheres de madeira muito toscas e a caneca circulava em volta, cada um tomando duas colheradas por vez. Quando essa primeira leva acabou — e isso se deu de forma muito rápida —, derretemos um pouco mais de neve e fizemos uma segunda caneca. O sargento teve permissão para molhar seu pão na sopa, e nós nos congratulamos todos pela refeição magnífica. Mantivemos o fogo aceso a noite inteira, ficando o vigia encarregado de atiçá-lo.

E assim, na meia-luz do dia que começava, cruzamos silenciosamente o Lena, o rio mais poderoso daquela região de grandes cursos d'água, e chegamos à margem íngreme do outro lado, onde ficamos parados por uns minutos, olhando para trás, por sobre o gelo. Um pouco da tensão dos últimos dias já estava nos abandonando. Na cabeça de todos, assombrara a ideia de que talvez nunca alcançássemos o Lena, mas ali estávamos nós, seguros e sem sermos molestados. Podíamos encarar o próximo estágio com confiança renovada.

Sem qualquer motivo, alguém começou a falar sobre peixes. Aquilo me lançou num curso de pensamentos e lembranças. Contei que no inverno, na Polônia, era possível pegar peixes fazendo um buraco no gelo.

— E tendo feito o buraco — interrompeu Zaro —, o que fazer depois? Assoviar para eles subirem?

— Não — expliquei eu. — Os peixes, tontos com as marteladas, são empurrados para cima por causa da mudança de pressão do ar quando o gelo é quebrado.

Os outros riram e fizeram brincadeiras, parabenizando-me por minha habilidade como contador de histórias não convincentes.

— Então, muito bem — disse eu. — Vamos experimentar.

Kolemenos saiu e voltou com uma tora sólida de madeira. Andamos cerca de 20 metros até o gelo sobre o rio. O gigante envolveu a viga com o braço, Zaro e eu seguramos a parte de baixo para direcionar a extremidade que iria entrar em ação e começamos a golpear como batedores de estaca. Por fim, conseguimos quebrar. A água jorrou como em um gêiser, redemoinhando gelada em torno de nossos pés. E, sim! Havia peixes — quatro, do tamanho de arenques. Jogamo-nos sobre eles e os apanhamos. Estávamos empolgados como crianças de escola. Os outros se aglomeraram ao meu redor, batendo nas minhas costas, e Zaro fez um pequeno discurso de desculpas por ter duvidado de minhas palavras. Depois, Smith, lançando um olhar ansioso em volta, disse que não devíamos abusar da sorte e sim voltar a nos mover cautelosamente. Bebemos um pouco da água fria e limpa do Lena e nos pusemos a caminho.

Voltamo-nos para o sul novamente, escalamos a margem do rio até a parte mais alta do terreno e iniciamos o próximo trecho da marcha, tendo o lago Baikal como objetivo imediato. A natureza da região à nossa frente era familiar, muito parecida com aquela que havíamos percorrido na direção oeste até o Campo 303. Ali, não havia florestas grandes como a que atravessáramos para o norte, embora as árvores crescessem de forma robusta, a intervalos, e coroassem a sucessão de morros íngremes e cadeias de colinas. Arbustos e moitas ralas desafiavam o ataque do inverno e, em todo o lugar, aquela grama característica, verde-amarronzada e farfalhante, florescia quase que exuberantemente, dançando ao sopro lúgubre do vento siberiano.

Aquela primeira noite do outro lado do rio foi passada junto a um grupo de árvores sobre um morro baixo, onde grelhamos nossos peixes, espetados pelas guelras com gravetos afiados. Comemos suntuosamente esse primeiro alimento fresco e arrematamos com mais sopa.

Pela manhã, Marchinkovas, que havia se afastado para se aliviar a uma pequena distância, voltou e fez sinal para que nos aproximássemos. Seguimos seus passos nos perguntando o que poderia ser. Ele nos levou até uma clareira pequena e não disse nada, apenas apontou. À sombra de uma árvore, erguia-se uma sólida cruz de carvalho, com cerca de 1 metro de altura. Aglomeramo-nos ao seu redor. Esfreguei o mofo e o musgo verde, e meus dedos encontraram os contornos de uma inscrição. Raspamos mais e descobrimos as letras russas para VP, abreviação costumeira da expressão *vechnaya pamyat* (em memória eterna), três iniciais de um nome e a data, 1846. Certificamo-nos de que a madeira da cruz era realmente carvalho e ficamos especulando como teria chegado ali, já que todas as árvores à nossa volta eram coníferas.

— Sabem de uma coisa? — disse Marchinkovas. — Provavelmente somos os primeiros homens a ver essa cruz desde o dia em que foi plantada aqui.

O sargento Paluchovicz ergueu a mão para o gorro de pele, retirou-o vagarosamente e encostou o queixo barbudo no peito. Olhamos para ele e uns para os outros. Todos retiraram a touca. Inclinamos a cabeça e ficamos em silêncio. Fiz uma pequena prece em silêncio por aquele que havia morrido e pela nossa libertação.

Por então, a questão de Irkutsk, de botas de borracha, fora descartada como coisa do passado. Nossos pés ainda se encontravam enrolados pelo único artigo de vestuário distribuído no campo, as longas faixas de pano grosso. Agora todos estavam calçando mocassins com perneiras de pele, amarradas com tiras de couro. O deslocamento para o sul se dava à velocidade constante de cerca de 50 quilômetros por dia, e continuávamos nos movendo dez horas por dia. Embora não houvéssemos detectado nenhuma visão ou sinal de outros homens, mantínhamos rigidamente a linha estendida de avanço, movidos pela ideia prática de que se um ou dois de nós tivesse problemas, o grupo principal ainda conseguiria ir em frente. As relações entre nós estavam, no geral, mais relaxadas. Falávamos mais livremente e, durante as paradas noturnas, Smith era cravado de perguntas sobre os Estados Unidos. Por suas respostas, deduzimos que ele havia viajado bastante por aquele país. Lembro-me de ficar impressionado com sua descrição do México e de como comprara lá uma sela magnífica, ornamentada com prata.

Ele nos contou, também, que quando trabalhava nas minas soviéticas, nos Urais, encontrara outro americano, que havia conhecido em Moscou, e ficara sabendo que não tinha sido o único da colônia americana a estar sendo observado pela NKVD.

Um feliz golpe de porrete e uma busca febril em um monte de neve pulverizada valera uma refeição de luxo: uma lebre siberiana, e ainda acrescentara uma bela pele branca a nosso estoque.

Os sucessos de caça do grupo eram acidentais. Armados apenas de uma faca, um machado e alguns porretes, estávamos mal equipados para encontrar e abater um pouco de carne. Teria sido comparativamente mais fácil colocar armadilhas simples e eficientes, como faziam os guardas do campo, mas a necessidade de movimentação constante não deixava tempo para vigiar e tomar conta desse tipo de cilada. Havia o consolo de que enquanto o pão, a farinha e a cevada durassem, a boa sorte extra de algum peixe fresco e de uma lebre que se atrasasse em seu salto para a liberdade elevavam o padrão da nossa dieta a um nível muito acima daquele de subsistência do Campo. Em algumas ocasiões vimos o *suslik*, a marmota siberiana, espichando uma cabeça curiosa na abertura de sua toca, mas nunca pegamos nenhum. Zaro fazia caretas para eles e assoviava.

Nas questões relacionadas ao uso de madeira e a truques para caçar, minha opinião era sempre consultada. Os outros seis eram todos homens urbanos. Agora muitas vezes meus dias felizes de juventude nos charcos de Pripet eram convertidos em proveitos de ordem prática. Eu tinha confiança de que, com uma olhada ocasional para o sol e os sinais das árvores, conseguiria manter uma rota razoavelmente precisa em direção ao sul. Possuía na cabeça, também, uma imagem bastante clara, sob a forma de mapa, do sudeste da Sibéria, dominado pelo Lena e o lago Baikal.

— Basta que encontremos a extremidade norte do lago — dizia aos outros —, e sua longa margem leste nos levará através do Trans-Baikal e praticamente para fora da Sibéria.

Esse pensamento do Baikal como sendo um guia natural para fora daquela região de servidão, foi o estímulo que nos manteve marchando com rapidez e determinação durante as semanas que se seguiram.

11

O Baikal e a garota fugitiva

TENHO DIFICULDADES PARA me lembrar, em sequência, das várias mudanças no aspecto da região pela qual passávamos. Na minha cabeça, existem imagens moldadas, claramente detalhadas, de trechos da paisagem siberiana, destacadas e fixadas pela memória de algum incidente extraordinário, como o pano de fundo cênico para algum momento dramático de uma peça.

De um pequeno morro coberto de árvores, olhamos para o sul e vimos se estender uns 50 quilômetros de campo aberto à nossa frente, cortados por um rio largo e terminando, ao longe, em morros cobertos por florestas. Em meio a arbustos, árvores anãs e tufos de grama, caminhamos penosamente e com cautela durante todo um dia, a fim de alcançarmos a cobertura da floresta. Nosso caminho prosseguiu então em meio às árvores por algum tempo. Lá pelo terceiro dia, vimo-nos envolvidos por uma neblina matinal ao iniciarmos nossa marcha. Abandonamos, por ora, a prática de avançar em linha e passamos a nos deslocar agrupados através da névoa. Alguém fez um sinal urgente para que não fizéssemos barulho. Ficamos imóveis, escutando.

À nossa frente e muito próximo ouvíamos um som de tosse profundo e arrepiante, uma batida violenta no chão e uma sucessão de ruídos estrepitosos, como se um corpo muito pesado estivesse se atirando em nossa direção por sobre a vegetação rasteira. Ficamos imóveis como uma coleção de estátuas.

Então, abaixei-me para pegar a faca, Kolemenos levantou o machado à altura do ombro e os outros seguraram seus porretes. A agitação cessou. Esperamos um minuto, aguçando os ouvidos. Muito fraco, veio o som de uma respiração sufocada, difícil. Mais um minuto se passou. O alvoroço irrompeu de novo e sentíamos sua vibração, como se a terra estivesse sendo socada. Kolemenos veio até o meu lado.

— O que é isso? — sussurrou ele.

— Deve ser algum animal — respondi.

— Não está se aproximando — disse o gigante. — Vamos lá dar uma olhada.

Espalhamo-nos e seguimos em frente.

Através da neblina, a alguns metros, vi o tronco de um animal se debatendo convulsivamente de um lado para o outro, a cabeça baixa e fora do meu campo de visão. Percorri a curta distância que nos separava de cócoras. Os outros vieram atrás de mim. Vimos, chutando, bufando e fazendo força, o focinho banhado de espuma, o bafo da respiração se juntando à névoa branca matinal, um veado macho adulto. Seus olhos, ao perceber assustado o cheiro de humanos, estavam abertos, cheios de um medo desesperador. As pernas dianteiras, que se debatiam, haviam cavado um pequeno buraco na terra dura. Mas ele estava preso e não podia fugir. A bela galhada se encontrava enganchada nas raízes emaranhadas de uma árvore caída. Observando-se o caos ao redor, o chão batido e o fato de que o animal estava quase exaurido pelo esforço para se soltar, parecia que ele tinha se enredado horas antes. Debatendo-se, chutando, grunhindo e babando, o terror da nossa presença injetou em seus músculos cansados um último impulso repentino de força. Depois, acalmou-se, contentando-se em mexer nervosamente a perna dianteira livre. Olhamos para Kolemenos, ele fitou o animal caído, assentiu com a cabeça e se aproximou.

O gigante andou suavemente em torno do veado. Foi até o tronco da árvore derrubada, equilibrou-se com perícia e arremessou para baixo a lâmina brilhante do machado com um golpe fatal, acertando o local onde o lombo se une ao pescoço, e o animal morreu na hora. Kolemenos pôs os ombros sob as raízes e fez força para cima, mas nem ele conseguiu soltar os chifres do veado, e acabou fazendo uso do machado novamente para separar a cabeça do corpo. Arrastamos a carcaça até uma pequena clareira, depois a abrimos e tiramos a pele com cuidado.

Foi tudo muito rápido, e, na pressa de matar e cortar, não falamos muito, até que Makowski, dirigindo-se a todos de forma geral, mas com os olhos em *mister* Smith, disse:

— O que vamos fazer com isso?

Com os braços ensanguentados quase até os cotovelos, parei de cortar um dos quartos traseiros e fiquei de pé.

— É melhor fazermos uma conferência — disse o americano.

Mister Smith abriu os trabalhos declarando que não podíamos carregar aquela carne toda e também não podíamos nos dar ao luxo de deixá-la para trás. Na cabeça de todos, havia a ideia de que tínhamos de percorrer 40 ou 50 quilômetros daquele dia. Tentamos fazer uma estimativa da quantidade máxima de carne que poderíamos carregar, mas ainda assim parecia que não conseguiríamos levar tudo.

Marchinkovas propôs a solução óbvia.

— Não podemos desperdiçar a carne — disse o lituano.

— Portanto, só tem uma solução para o nosso problema. Vamos ficar aqui por 24 horas e comer o máximo de carne que a gente aguentar. O que sobrar, a gente leva.

Zaro, lambendo os lábios, disse que tinha certeza de que poderia ajudar a aliviar a carga.

— Todos de acordo, senhores? — perguntou *mister* Smith.

Ouviu-se um coro de aprovação.

Paluchowicz tratou de juntar lenha, preparando e acendendo uma fogueira, enquanto o restante de nós construía um abrigo e completava a carnificina. Uma hora depois, cortes seletos de carne de veado grelhavam em espetos de madeira sobre as chamas, e a sopa de neve derretida e cevada fervia com um cheiro delicioso, tendo recebido pedacinhos de fígado e de carne macia. Não conseguíamos esperar que a carne cozinhasse completamente; eu ficava cortando pedaços e oferecendo-os em volta. Era preciso mastigar um pouco, mas estava excelente. Paluchowicz pediu minha faca emprestada e cortou sua parte em pedaços bem pequenos, por causa da falta de dentes, e deixamos que ele fosse o primeiro na rodada da caneca de sopa. Comemos muito. A gordura da carne escorria por nossas barbas e arrotávamos bem alto, rindo, congratulando-nos por aquela sorte milagrosa. Fumamos e cochilamos no abrigo por uma ou duas horas e depois decidimos que tínhamos de trabalhar no couro.

A preparação do couro levou algum tempo. Armamo-nos com pedaços de galhos para arrancar os pedaços de gordura que haviam restado. Descobrimos que o solo arenoso remexido pelo veado ajudava nessa parte da operação. Premidos sempre pela necessidade de marchar com pouco peso, aquele couro grande apresentava problemas para se carregar. A solução foi mais ou menos a mesma que encontramos para lidar com a carcaça. Fizemos mocassins, 14 pares deles. Calçamos um par sobre aquele que já estava em nossos pés e guardamos o sobressalente na sacola. E ainda ficou um pedaço de couro para cada um. Carreguei o meu enrolado por sobre meu fardo. Interrompemos as atividades de sapateiro para cozinhar e fazer outra ótima refeição. À noite, alimentamo-nos mais uma vez da carne, até ficarmos com o estômago abarrotado de comida. Já não com tanto apetite, mas ainda de boa vontade, ingerimos mais carne um pouco antes do amanhecer e distribuímos entre nossos fardos o melhor do que havia restado.

No caminho entre o Lena e o Baikal, fizemos uma jornada dura, de horas, subindo a encosta de uma cadeia de morros, e no meio da tarde adentramos a cobertura da floresta. O dia fora árduo e as árvores muito espaçadas nos fizeram andar, exaustos, por mais algumas horas, procurando um abrigo apropriado.

Naquela altitude, o vento era muito forte, tornando imperativo que procurássemos o máximo de proteção possível contra ele. Encontramos mais do que esperávamos — uma cabana de madeira, havia muito abandonada, usada por caçadores, com as vigas principais do telhado vergadas para dentro. Fizemos um reconhecimento cuidadoso, mas não havia necessidade para tanta cautela. O lugar estava abandonado. Musgo e fungos cobriam o chão de terra. Começamos a trabalhar, consertando superficialmente o telhado. Depois, acendemos o fogo e dormimos, cada homem ficando de guarda por uma hora.

Zaro foi o primeiro a sair pela manhã, após ter feito o último turno da guarda. Voltou correndo para a cabana:

— Tem alguém tocando violino lá fora — gritou ele.

Demos várias gargalhadas e perguntamos que tipo de brincadeira era aquela. Ele tentava ficar sério, mas pagava o preço pela reputação de humorista.

— Eu estou dizendo. Tem alguém lá fora tentando tocar um violino — insistiu ele.

Continuamos a rir. *Mr.* Smith sugeriu que Zaro fizesse uma dança russa ao som da música. O iugoslavo permanecia sério.

— Vão lá fora e ouçam — convidou ele.

O sargento, procurando nele o sinal de um sorriso, levantou-se e o acompanhou. Nós os seguimos. A cerca de 20 metros da parte de trás da cabana, Zaro ergueu o braço pedindo silêncio. Ficamos alertas.

Zaro havia de fato ouvido algo extraordinário. A descrição de alguém tentando tocar violino foi um pouco benevolente em termos musicais. Era como uma corda de contrabaixo sendo puxada. A nota era alta e sustentada, findando aos poucos. Era tocada a cada minuto e vibrava por entre as árvores. Olhamo-nos admirados e iniciamos um movimento cauteloso em direção ao som. Felizmente — e por mero acidente — chegamos à origem com o vento a nosso favor e congelamos. Estávamos na borda de uma área aberta e, do outro lado dela, estava uma árvore atingida por um raio. A parte principal do tronco caíra para fora da clareira sem ter se desvencilhado completamente da parte menor. Na rachadura, a cerca de um metro e meio do chão, havia uma lasca em posição vertical. E enquanto olhávamos, ela foi puxada para trás até formar um arco. Depois se soltou e a "música" vibrou em nossos ouvidos. E o executante? Um grande urso siberiano preto se empinou nas patas traseiras atingindo toda a sua impressionante altura.

Espiando por entre as árvores, nós o vimos puxar a lasca várias vezes, enquanto punha a cabeça de lado, ouvindo com curiosidade cômica o som que estava produzindo. A apresentação durou alguns minutos, até ele se cansar e se afastar bamboleando — para longe de nós.

O incidente provocou gargalhadas por muito tempo ainda. A apresentação de Zaro, intitulada "O violinista russo", valia a pena ser assistida. A propósito, o urso possuía uma vantagem considerável sobre nós no instrumento escolhido. Mais tarde, descobrimos que nenhum de nós conseguia envergar a lasca com força suficiente para produzir um som.

As semanas foram se passando até meados de maio, e percebemos com gratidão os primeiros sinais da primavera siberiana. O vento ficou mais fraco, viam-se alguns botões nas árvores. No alto, ouvíamos o bater de asas e levantávamos a cabeça para observar gansos e patos voando para seus locais de verão, a fim de se alimentar e procriar. Os riachos que cruzávamos ainda estavam congelados, e a cobertura de neve permanecia inalterada, mas as condições, em geral, estavam mais brandas, dando-nos o sentimento de que as piores dificuldades climáticas haviam ficado para trás.

A última coisa que desejávamos era encontrar outros homens, e nisso tivemos sorte. Cruzávamos as raras estradas só depois de um trabalho completo de reconhecimento. Havia noites em que víamos ao longe as luzes de algum vilarejo ou cidade pequena. Certos dias, observávamos o contorno distante de construções e chaminés altas, soltando fios de fumaça branca. Nessas áreas, procedíamos com o máximo de cautela.

Às vezes aconteciam algumas explosões de irritação e mau humor, quase sempre ao final de um dia de marcha particularmente difícil e por causa da distribuição de tarefas, antes de nos organizarmos para a noite. Mas elas duravam pouco. Felizmente, entre os sete, não havia nenhum choque de personalidades. Não era necessário que ninguém impusesse uma liderança única. Sugestões práticas vindas de qualquer lado eram aceitas e experimentadas. Se havia uma divisão de opiniões sobre algum assunto, o conselheiro mais velho, Smith, com o consentimento geral, dava o voto de Minerva, e qualquer ação decidida dessa forma nunca era questionada depois. As poucas altercações sobre tarefas de acampamento em geral eram resolvidas por Kolemenos, que nunca brigava com ninguém, saía e ia cuidar do que fosse preciso. Ele sempre fazia mais que a sua parte sem jamais pensar nisso, um homem incansável, generoso e admirável.

Estranhamente, soubemos que estávamos perto do lago Baikal alguns dias antes de vê-lo de fato. Começamos a sentir o cheiro peculiar da água, combinado àquela fragrância ligeiramente insípida das plantas aquáticas e a outras coisas indefiníveis que trazem lembranças às pessoas que já viveram próximo a grandes quantidades de água. Ainda não alcançáramos o lago quando demos com uma pilha de ossos de peixes. Não havia água por perto, e ficamos especulando como teriam ido parar ali. Após descermos a cordilheira de Baikal, começamos a encontrar estradas de verdade, provavelmente de importância secundária, mas muito melhores que qualquer coisa vista depois de termos deixado o Campo. Trazido pelo vento, da direção do lago, vinha o som distante de uma sirene de fábrica.

Alcançamos uma elevação de onde pudemos ver um vale embaixo, e foi com entusiasmo que chegamos à conclusão de que devia ser o início do Baikal. A quilômetros de distância, para o oeste, podia-se ver grupos de fábricas. O panorama incluía uma visão de rochas maciças cor de ocre ostentando abetos secos, como o topete escuro de um selvagem. Ao longo da água, a certa altura, via-se um aglomerado de pequenas casas de madeira sólida. Ao lado, alguns barcos virados para baixo e estacas espaçadas, como as que os pescadores usam para secar as redes. A visibilidade era excelente; o ar, parado, e a fumaça da chaminé das fábricas subia em linha reta para o céu. Nada se mexia na pequena aldeia de pescadores, e nos perguntamos se as casas só seriam usadas durante o verão. Bem lá embaixo, entre nós e a água, serpenteava uma estrada, ao longo da qual havia postes telefônicos, com grandes isoladores brancos, suportando uma quantidade de fios que indicava a importância da via. Nossa dificuldade era descobrir em que ponto do lago havíamos alcançado. Conversamos sobre o assunto e finalmente nos convencemos de que tínhamos ido muito para oeste e nos encontrávamos agora em algum lugar perto de sua extremidade nordeste. Isso significava que teríamos de seguir pela margem norte, em direção ao oeste, até que ele se voltasse para baixo, a fim de mostrar a rota que devíamos trilhar pelo sul da Sibéria.

Por mais de uma hora, os sete ficaram agachados ali, absorvidos pela vasta cena que se descortinava abaixo. Houve um momento em que pensamos ter ouvido o som da sirene de um vapor. Estávamos todos de bom humor ante a ideia de que havíamos atingido outro objetivo ao longo de nossa longa caminhada para o sul. Trocamos opiniões, encaramos o fato de que nossas reservas de comida estavam muito baixas, apesar de ainda termos alguns pedacinhos de carne de veado, que já estavam com um cheiro muito forte. Conversamos sobre o Baikal e contei aos outros que ele era considerado o lago mais profundo do mundo, com mais de 1.500 metros em algumas partes, uma grande bacia. Lembrei-me da história, contada por um tio que lutara com os russos-brancos na Sibéria, do desastre que adveio ao que sobrara de um Exército antibolchevique ao tentar cruzar o lago congelado. No centro do Baikal o gelo não estava firme, e os homens morreram às centenas ao tentar fugir. Recordava-me vagamente de ter lido notícias de que aquela vasta extensão de água, sempre inquieta por causa de fortes correntes subaquáticas provocadas pelos muitos rios turbulentos que a alimentavam, jamais conseguia ficar totalmente congelada.

Por fim Smith interrompeu a sessão:

— Vamos descer e dar uma olhada por lá — sugeriu ele.

Alcançar a estrada levou mais tempo do que esperávamos. Uma placa de sinalização, castigada pelo tempo, indicava a direção e a distância de uma cidade — ou vilarejo — chamada Chichevka, que devia ser o local com as fábricas que avistáramos do alto. Arremessamo-nos rápido para cruzar a estrada até a vegetação rasteira que crescia do outro lado. Entre nós e a margem do lago estendia-se 1 quilômetro de terreno plano, no qual se viam juníperos em profusão em meio a carvalhos, freixos, bétulas, tílias e salgueiros. Ajudadas por um solo mais úmido, havia umas plantas altas, farfalhantes como bambus. Atravessamos uma orla de árvores pequenas e nos vimos à beira de um rio. Levantei a mão e os outros se aproximaram, da esquerda e da direita.

Precisávamos decidir se o cruzaríamos ou não. Tinha apenas uns 150 metros de largura, mas o gelo havia se partido no canal central e a água barrenta fluía em uma corrente forte. Ali descobrimos que todos nós sabíamos nadar. A opinião geral era de que, já que teríamos de atravessar muitos rios, dali em diante, não havia razão para adiar nosso primeiro teste. Ofereci-me para ir primeiro, e desenrolamos da cintura nossos metros de tiras de couro cru, a fim de fazer uma espécie de corda de segurança. Cada homem tinha em si cerca de sete voltas do material, e quando juntamos tudo, a corda ficou incrivelmente longa. Os outros mantiveram guarda enquanto eu caminhava, com muito cuidado, até a borda congelada. Ela quebrou de repente, com um estalo, e me vi na água, ofegante, tentando respirar. Percorri a curta distância até o gelo do outro lado do canal, cheguei lá e tentei subir. O gelo quebrou e tive de fazer outra tentativa. Pareceu uma eternidade até conseguir me erguer. Depois, rastejei de barriga alguns metros antes de me arriscar a me pôr de pé. Tremendo de frio e completamente ensopado, fiz sinal aos outros para que também atravessassem.

Não foi tão difícil para eles, mas não menos desconfortável. Todos atravessaram guiados pela corda, um por um, e Smith, o último, foi puxado com a outra extremidade amarrada à cintura. Na vez seguinte em que tive de cruzar um desses rios semicongelados, levei comigo o machado e com ele golpeei o gelo até a lâmina ficar presa, usando-o como ferramenta para sair da água.

Corremos para alguma cobertura o mais rápido que podíamos, e depois tiramos nossas três peças de roupa — a calça e o casaco acolchoados e os coletes de pele — uma a uma e as torcemos, para tirar o máximo de água possível. Depois as vestimos de novo para secar em nossos corpos e partimos rapidamente em direção ao lago, para fazer com que o sangue circulasse novamente em nossos organismos. Quando avistamos o lago, orientamo-nos e seguimos para o leste.

À tarde, juntamo-nos a fim de fazer planos para o estágio seguinte da jornada. O bom-senso dizia que se ater muito à margem do lago significaria sermos descobertos pelos habitantes das aldeias de pescadores ou dos vilarejos semi-industriais, bem espaçados ali ao norte, mas muito mais próximos uns dos outros no lado sul, na direção das cidades maiores ao alcance da ferrovia Transiberiana.

A proposta que aprovamos foi, portanto, a de nos dirigirmos para o norte e manter nosso caminho longe de estradas e cidades, seguindo um curso paralelo ao lago, mas a uma distância segura. Partimos, assim, obliquamente, na direção nordeste, pensando em cruzar de novo a estrada mais adiante. Nossas roupas ainda estavam úmidas e nos movíamos a passos rápidos para nos secarmos. Já havíamos percorrido cerca de 8 quilômetros quando vimos à frente uma fileira de árvores, indicando a margem de outro rio.

À minha direita, Zaro fez o sinal de parada e alerta, erguendo o braço. Repeti-o, e a fila que avançava se dispersou, parando. O iugoslavo apontou preocupado na direção do rio. Via algo se movendo entre as árvores. Podia ser um animal ou um homem — àquela distância, de alguns metros, na luz que morria, era impossível dizer —, mas tínhamos de investigar. Fui até onde estava Zaro e lhe perguntei o que achava ter visto. Ele disse:

— Talvez fosse um homem. Seja o que for, age como se nos tivesse visto e estivesse tentando se esconder.

Os outros se aproximaram de nós.

— Se for um homem — disse Makowski —, a gente vai ter de dar uma pancada na cabeça dele e atirá-lo no rio. Não podemos correr o risco de ser denunciados.

Espalhamo-nos de novo, Smith e Zaro ficaram à minha esquerda, Paluchowicz, Makowski, Marchinkovas e Kolemenos, à direita. Movemo-nos para a frente agachados, indo de arbusto em arbusto, até conseguirmos ver que a fileira de árvores ficava a cerca de 50 metros do rio, cujas águas estavam perfeitamente visíveis agora. A mais ou menos 10 metros do primeiro cinturão de árvores, parei e fiquei escutando. Os outros se detiveram também e observaram com atenção o que havia à frente. De repente, uma figura que estivera imóvel atrás do tronco de uma árvore se atirou para adiante e depois para baixo, enfiando-se em uma moita de arbustos. Naquele movimento rápido, discerni calças e botas pesadas. Saí da cobertura e corri para a frente, com os outros atrás de mim.

As botas tinham sola de borracha, feltro no alto e iam até os joelhos. Estavam comicamente para fora da moita a descoberto, quando me lancei sobre elas e as puxei em minha direção, a fim de trazer o dono para meu campo de visão. No instante seguinte eu estava caído no chão com as botas na mão. Senti a respiração de Kolemenos forte na minha nuca. Com a cabeça inclinada, ele olhava para uns pés ridiculamente pequenos, enrolados em um pano, e tornozelos muito finos. Da moita, vinham soluços aterrorizados, de partir o coração. Olhamos um para o outro, ainda ofegantes por causa da corrida e subitamente embaraçados. Alguém sussurrou, em um tom de espanto:

— Deve ser uma mulher.

Kolemenos se inclinou, empurrou os arbustos para o lado e levantou gentilmente alguma coisa. Amontoamo-nos em torno. Era uma menina — um fiapo de garota, com os olhos muito abertos de medo, as lágrimas traçando caminhos nítidos por entre a sujeira do rosto. Momentos antes, éramos um grupo de homens desesperados, que cogitavam cometer um assassinato a fim de não serem descobertos. Agora estávamos ali, desajeitadamente contritos, como um bando de garotos peraltas, pegos fazendo travessuras e buscando palavras a fim de consertar algum exagero na brincadeira. Em meio às lágrimas, ela olhou para o meu rosto e se retraiu.

— Não tenha medo de nós — disse eu, em russo.

Ela olhou para mim de novo, e depois seus olhos passearam pelos outros seis rostos barbudos, solenes e ansiosos. A menina continuou a chorar, e não a culpo; devíamos parecer a pior gangue de malfeitores que ela já teria tido o azar de encontrar.

— Por favor, não chore, garotinha — disse o sargento Paluchowicz.

Ela ainda estava muito assustada e fazia força para parar de soluçar.

— A gente não vai machucar você — tentei, para consolá-la. — Temos irmãs e namoradas.

Os outros assentiram.

Tudo que vestia parecia muito grande e volumoso para ela. Os ombros se encontravam arqueados sob uma *fufaika* longa, larga e acolchoada, e os tornozelos finos emergiam, de forma incongruente, de um par de calças pesado e também acolchoado. Como o nosso, seus trajes eram de um material sóbrio, preto e pesado. Sob o casaco, aparecia a parte superior de um vestido muito usado e sujo, de veludo roxo, cuja saia estava enfiada nas pernas da calça. Das duas mangas de uma blusa ou suéter de lã verde, ela fizera um cachecol, que trazia enrolado no pescoço. Os olhos, cheios de lágrimas, eram azuis. Fios de cabelo castanho escapavam sob uma touca de pele, roída por traças. Ela parecia uma colegial disfarçada com as roupas de um homem adulto. E porque parecia tão desprotegida, ficamos ali à sua volta, calados, esperando que enxugasse as lágrimas e falasse. Não conseguíamos dizer nada.

Ela levantou as mãos para puxar as mangas do casaco, e vi que estava usando um pequeno crucifixo. Depois, deixou-as cair, olhou para os pés e virou os olhos para mim. Estava descalça na neve — e eu ainda segurava suas botas. Inclinei-me e ajudei-a a pôr novamente os pés nelas.

Ela falou então, em uma mistura estranha de polonês e russo claudicante.

— Perdi o caminho do colcoz onde trabalho. Sou polonesa e fui deportada para cá, para trabalhar.

O olhar que nos deu foi de apreensão.

Paluchovicz e Makowski deram um passo à frente. Eu falava e eles também, todos depressa e ao mesmo tempo. Naquela confusão de explicações, ela entendeu, por fim, que estávamos lhe explicando que éramos poloneses, prisioneiros em fuga, e que ela não tinha nada a temer. Em um gesto impulsivo, ela se jogou em meus braços e chorou de alívio e felicidade súbita, repetindo sem parar:

— Deus é bom pra mim.

Os outros dois poloneses lhe davam palmadinhas desajeitadas na cabeça e no ombro.

Foi uma cena emotiva e barulhenta demais para a cabeça fria do grupo. Smith se afastara um pouco e vigiava ansioso. Em russo, ele disse:

— Chega. Esqueceram onde estamos? Pelo amor de Deus, vamos nos esconder.

O grupo se desfez rapidamente. Movimentamo-nos a fim de encontrar um esconderijo.

12

Kristina se une ao grupo

Seu nome era Kristina Polanska e tinha apenas 17 anos. Não se alimentava havia dez dias e estava com muita fome. Examinamos nossas sacolas e lhe entregamos nossos restos de alimentos, que ela comeu como um animal faminto, com uma concentração absorta, vez por outra fungando e passando a manga acolchoada do casaco pelo nariz. Deixou-nos fascinados. Estávamos agachados e não conseguíamos tirar os olhos dela. Apenas *mister* Smith se sentou um pouco afastado, observando-a também, mas com uma expressão de avaliação mais distante. Depois, ela parou de comer e nos disse seu nome.

— Eu não me perdi do colcoz — arriscou ela. — Eu fugi. Estou fugindo há dias. — Fez uma pausa. — E vocês são os primeiros senhores que encontro desde que deixei minha casa.

Ela pôs bastante ênfase na palavra senhores.

— Onde era sua casa, Kristina? — perguntei.

— Meu pai tinha uma fazenda perto de Luck, na Ucrânia polonesa, que vi pela última vez em 1939. Agora eu não tenho mais casa — disse ela.

Muito calmamente, o americano interrompeu a conversa com uma pergunta sobre nossos planos imediatos. Estava escurecendo, observou, e ele achava que devíamos nos distanciar um pouco, ao longo do rio, em direção ao norte, até um ponto que parecesse favorável para uma travessia no dia seguinte. *Mister* Smith era de opinião que não havia sentido em nos ensoparmos novamente aquela noite. Ao menos, poderíamos dormir secos.

Não houve discussão. Andamos por 7 ou 8 quilômetros, seguindo o rio cercado de árvores. Vi a garota olhar para Smith algumas vezes, mas sem lhe dirigir a palavra. Acho que Kristina sentiu que, naquele homem calmo e pensativo jazia a única oposição provável à sua presença no grupo. Nós, poloneses, conversávamos com ela. Smith não dizia nada.

Já estava escuro quando encontramos um local para descansar. Construímos um esconderijo contra um galho caído. Oferecemos nossos sacos de comida para ela, que se enrolou entre nós, sentindo-se segura, e dormiu. Nosso repouso foi mais entrecortado. Durante as horas de escuridão, revezamos os turnos de sentinela, de acordo com o costume. Ela dormia como uma criança cansada, insensível ao frio da noite. Kristina ainda não havia despertado quando, ao primeiro sinal do dia, *mister* Smith tocou meu ombro e fez sinal para que nos afastássemos do grupo.

Ele foi direto ao assunto:

— O que vamos fazer com essa jovem, Slav?

Eu sabia que isso ia acontecer e não sabia o que dizer. Seria oportuno, retruquei, tentar saber quais eram os planos dela. Eu estava fugindo da pergunta e sabia muito bem disso. Pelo canto dos olhos, vi Makowski conversando com Paluchowicz. Eles se aproximaram. Atrás deles, vinha Kolemenos. Um minuto depois, os outros dois saíram do esconderijo e se juntaram ao grupo.

— Muito bem — disse o americano. — Vamos deliberar todos juntos.

Conversamos, mas não fomos direto ao assunto: íamos levar a garota conosco? Aquela era a questão. O único resultado da conversa foi que falaríamos com Kristina e chegaríamos a alguma conclusão depois.

Tratamos de acordá-la suavemente. Ela bocejou e se espreguiçou. Sentou-se e olhou para todos, sorrindo de felicidade por nos ver. Retribuímos seu sorriso atrás de nossas barbas, desfrutando ao máximo aquela sensação rara. Ocupamo-nos tentando conseguir alguma comida em nossas sacolas e fizemos uma refeição tranquilamente, enquanto o dia amanhecia. Paluchowicz, limpando a garganta, com certo embaraço, perguntou-lhe então como ela fora parar onde a encontramos e para onde estava indo.

— Eu estava tentando ir para Irkutsk — disse Kristina — porque o homem que me deu uma carona em um caminhão da fazenda e que tinha pena de mim disse-me que se eu fosse para o entroncamento principal, poderia entrar em algum trem que estivesse indo para o oeste. Ele me deixou na estrada alguns quilômetros depois, e eu estava tentando encontrar um caminho que não passasse pela cidade.

O olhar dela se deteve sobre o americano. Ele o devolveu com gravidade. Seus dedos tentaram pegar os fios de cabelo que escapavam da touca e depois os soltaram, em um gesto patético, mas sedutor e feminino.

— Eu acho que devia lhes falar sobre mim — disse a garota.

Nós concordamos com a cabeça.

Era apenas uma variação da mesma história que já conhecíamos. Os campos de prisioneiros estavam cheios de homens que podiam narrar experiências semelhantes. O local e os detalhes talvez variassem, mas o horror e a infelicidade eram ingredientes comuns e da mesma autoria.

Após a Primeira Guerra Mundial, o pai de Kristina Polanska fora recompensado por seus serviços no front com o recebimento de umas terras na Ucrânia, sob a reorganização do território Central Europeu. Ele lutara contra os bolcheviques, e o general Pilsudski pôde assim dar uma demonstração prática da gratidão polonesa. A menina era filha única. Os pais eram muito trabalhadores e desejavam que ela desfrutasse todas as vantagens que sua força de vontade pudesse angariar. Em 1939, ela estava no ginásio em Luck, e os Polanska estavam muito satisfeitos com os progressos da filha.

Chegou setembro de 1939. Os russos começaram a invadir. Antes de o Exército Vermelho "Libertador" aparecer, notícias de sua chegada alcançaram os trabalhadores rurais da Ucrânia. A bem organizada resistência comunista estava a postos. Foram necessários apenas alguns discursos inflamados sobre o tema da derrubada dos proprietários de terra estrangeiros para que os camponeses ucranianos se transformassem em um populacho assassino. Os Polanska sabiam que sua situação era desesperadora e que a plebe viria atrás deles. Assim, esconderam Kristina em um sótão e aguardaram.

— Aconteça o que acontecer, fique aí até nós voltarmos — disse a mãe.

Ela ouviu a chegada dos camponeses, gritos de homens, o barulho da destruição, enquanto martelos e machados golpeavam para todos os lados em uma orgia de devastação, arrasando os equipamentos dentro das instalações da fazenda. Achou que reconhecia as vozes de homens do vilarejo mais próximo. Lá fora, no pátio, Polanska chamava pelo nome alguns dos homens que conhecia. O apelo chegou com clareza até a criança aterrorizada no sótão:

— Levem o que vocês quiserem, mas não destruam a casa e as terras.

Fez-se um silêncio durante um minuto ou dois depois disso. Um murmúrio abafado se seguiu, que aumentou à medida que os homens se juntavam e avançavam em direção à casa e a Polanska. Kristina não ouvia nada da mãe, mas tinha certeza de que ela estava lá, ao lado do pai. Alguém começou a discursar para os homens. As palavras eram violentas e maldosas. Ela escutou mais uma vez a voz do pai, mas esta foi sufocada por um alvoroço súbito. A mãe ainda gritou. Depois a menina pôs as mãos nos ouvidos, tremendo e chorando.

Kristina permaneceu no sótão pelo que pareceram horas, mas achava que talvez não tivesse passado tanto tempo. Os homens haviam ido embora. A casa estava muito silenciosa. Todos os criados tinham fugido no dia anterior. O pai e a mãe nunca voltaram para buscá-la. Ela imaginou que os aldeões pudessem tê-los levado. A menina desceu, pé ante pé, percorrendo a casa tão quieta até o pátio. Polanska e a esposa jaziam mortos em uma das laterais. Ela avançou até eles e os viu pela última vez. Tinham sido espancados e depois estrangulados com arame farpado.

Eu observava de perto seu rosto pálido, enquanto ela narava os horrores daquela manhã de sol em setembro. Ela falava em um tom monocórdio, com poucas mudanças de expressão, como faz uma pessoa que ainda se encontra sob a influência de um choque profundo.

— Voltei para a casa, então — disse ela —, peguei um pouco de comida e embrulhei num pano. Corri muito durante muito tempo.

Ela não se lembrava em detalhes dos dias que se seguiram. Algumas pessoas bondosas, nos vilarejos por que passou, deram-lhe abrigo para a noite e um pouco de comida. A menina estava obcecada pela ideia de que tinha de se manter à frente dos russos e longe das mãos deles. Ironicamente, eles a pegaram no ato de cruzar a fronteira, quando nem mesmo sabia que estava perto dela. O Exército Vermelho entregou-a a um tribunal civil, que sentenciou Kristina com a deportação para a Rússia, a fim de trabalhar em um colcoz, na região do rio Yenisei, no oeste da Sibéria.

Ela descreveu sua vida na fazenda soviética em tons mais vivos. Era uma experiência mais nítida e recente. A maioria das trabalhadoras era composta de russas fortes, de peitos grandes e duronas, e Kristina era a única polonesa entre elas. No segundo dia após sua chegada, ela foi posta para debulhar e carregar imensos sacos de grãos. As outras mulheres escarneciam dela devido às suas maneiras refinadas e à sua fragilidade física. Riam de sua incapacidade de fazer o trabalho pesado do qual elas se desincumbiam com tanta facilidade. Com dores da cabeça aos pés, a menina chorava à noite até adormecer. A comida era escassa e o item principal era um quilo de pão por dia — tanto para ela quanto para as outras.

Mas não foram elas que fizeram Kristina fugir. A fazenda era controlada por um capataz, cujas atenções eram sempre disputadas pelas outras mulheres. A menina tinha medo dele e sempre tentava sair de seu caminho. O homem era grande (disse ela), alto, moreno e muito forte, e às vezes procurava Kristina e tentava lhe fazer galanteios mais maliciosos, dizendo-lhe o quão diferente ela era das mulheres russas e que precisava de alguém que tomasse conta dela. Depois que ele dizia essas coisas, as outras faziam piadas grosseiras, falavam da magreza de seu corpo e advertiam-na que tomasse cuidado.

Um dia ela foi informada de que não acompanharia as outras trabalhadoras na carroça puxada por cavalos e que deveria se apresentar na casa do capataz "para interrogatório". As intenções dele ficaram claras desde o início, quando prometeu que Kristina não faria mais tarefas pesadas se fosse boazinha com ele. A menina entrou em pânico, implorou-lhe que a deixasse ir atrás das outras e se juntar a elas. O que se seguiu foi uma tentativa óbvia de estupro. Ela gritou, arranhou o rosto dele e o chutou freneticamente com suas botas pesadas. Surpreso com a fúria de sua resistência, ele relaxou o suficiente para que ela escapasse e corresse às cegas até o alojamento das mulheres. O capataz a xingou e a ameaçou, dizendo que tinha meios de fazê-la mudar de ideia.

Kristina aguardou até que a luz começasse a enfraquecer, esperando o tempo todo que ele viesse atrás dela, mas o homem não apareceu. Quando sentiu que o retorno das outras mulheres estava iminente, fugiu, tentando manter as construções do colcoz entre ela e a casa dele, e correu. Naquela noite, a menina dormiu entre os juncos da margem de um rio, e após segui-lo por muitos quilômetros no dia seguinte, chegou por fim a uma estrada, pegando a primeira de duas longas caronas para o leste dadas por motoristas dos grandes caminhões de fazenda.

— Nem todos os russos são maus — disse Kristina. — Esses dois tiveram pena de mim e me deram um pouco do pão deles para comer. O segundo me disse que tentasse ir para Irkutsk, mas ele não pôde me levar mais longe.

Ela olhou para nós e seus olhos enfim pousaram sobre *mister* Smith.

— Foi assim que vim parar aqui — acrescentou ela.

O americano enfiou as mãos nos bolsos da *fufaika* e disse, em um tom frio:

— Não estamos indo para o lado de Irkutsk; vamos para o sul, pelo outro lado do lago. O que você vai fazer agora?

Kristina pareceu surpresa e embaraçada, dirigindo um olhar suplicante aos outros seis de nós. Ficamos em silêncio. Sabíamos o que queríamos, mas nos sentíamos aliviados ao ver que *mister* Smith lidava com o caso à própria maneira. Os lábios dela tremiam ligeiramente, enquanto o queixo se deslocava um pouco para a frente.

— Eu vou com vocês. Vocês não podem me deixar sozinha.

Durante alguns momentos o americano ficou olhando por sobre a cabeça dela, para o rio mais além.

— Você sabe nadar?

— Sei nadar muito bem — disse ela, sem disfarçar um quê de orgulho. — Na escola, eu era uma nadadora muito boa.

Através da barba grisalha de *mister* Smith, veio o lampejo de um sorriso. Relaxamos ao ouvi-lo dizer:

— Você me desculpe, filha, se minhas perguntas pareceram um pouco abruptas. A gente pensou que você podia ter seus próprios planos. Tudo o que temos para oferecer é um bocado de dificuldades. Nossa comida está no fim e ainda temos uma distância muito grande a percorrer. Você tem que considerar também que, se for pega conosco, não vai conseguir se livrar tão fácil como se estivesse sozinha. Mas se quiser se juntar a nós, aceitamos você sem problemas.

— Obrigada — respondeu Kristina, com simplicidade. — A única coisa que eu queria era ficar com vocês.

A garota se afastou de nós em direção a uma moita de arbustos e, em sua ausência, solicitei que conferíssemos a comida. Todas as sete sacolas foram abertas, os couros enrolados foram colocados de lado e os alimentos, retirados. Estávamos, como temíamos, em maus lençóis. Sobrara, talvez, 1 quilo de cevada juntando-se tudo, um pouco de farinha e de sal e alguns poucos quilos de carne de veado, que estava quase enegrecida. Decidimos fazer um racionamento estrito, uma pequena refeição por dia, até conseguirmos repor nossos estoques. O único item ainda em abundância era o musgo *gubka*, para acender o fogo. Ao menos, podíamos nos aquecer.

Provavelmente, cada um de nós possuía, além da comida comunitária exibida abertamente, pelo menos um pedaço de pão seco e duro, enfiado lá no fundo do bolso grande do casaco. Eu sabia que tinha um, e mais tarde surgiram evidências de que os outros também dispunham desse pequeno tesouro pessoal. Não havia nada de desonesto ou antissocial nisso. Esconder um pouco de pão era um reflexo de prisioneiro, um sintoma do cativeiro. O preso que tinha uma casca de pão sentia que ainda tinha um pé fincado na vida, assim como o homem que vive em lugares civilizados carrega consigo uma moeda da sorte, a fim de garantir que nunca fique sem um tostão. Foi um indicativo da grande afeição que tivemos por aquela garota polonesa abandonada o fato de que, mais tarde, um de nós pescasse esse último pedaço de pão do bolso a fim de aliviar a fome dela.

Comemos com pressa naquela manhã e decidimos atravessar o rio imediatamente. A primeira hora de luz nos deu a promessa de um belo dia de primavera. Sentíamos um desejo comum de nos afastar rapidamente e retornar o mais breve possível à rota que seguia direto para o sul.

Para a garota, esse primeiro rio foi uma provação. Conseguimos persuadi-la a tirar suas roupas quentes: o casaco, a calça e as botas. Por um momento, tive piedade dela, de pé, ao nosso lado, ao abrigo das árvores, com seu vestido roxo desbotado. Com muito cuidado, fui andando até a borda do gelo, arrastando a corda atrás de mim e carregando o machado enfiado no cós da calça, por trás. Cruzei o canal aberto relativamente rápido e cheguei ao outro lado. Kolemenos foi o segundo, segurando as roupas enroladas de Kristina acima da água com certa dificuldade. Paluchowicz e Makowski atravessaram juntos com a garota atrás, tendo a corda passada em volta do corpo e as extremidades seguras pelos dois poloneses. Os outros três os seguiram, um deles trazendo as botas de Kristina. Corremos em busca de um abrigo, enrolando a corda enquanto isso.

Kristina estava azul de frio e não conseguia parar de bater os dentes. Kolemenos lhe entregou as roupas.

— Não fique parada, filha — disse-lhe o americano. — Se afaste da gente e tire esse vestido. Torça-o bem rápido, seque-se o máximo que conseguir e vista suas roupas secas.

Ela assentiu e correu. Nós ficamos nus e dançamos, enquanto torcíamos as roupas. Essa operação não demorou muito e, com nossos farrapos molhados, esperamos alguns minutos pela garota. Ela veio correndo, com o vestido e as roupas íntimas debaixo do braço, em uma trouxa ensopada.

— Vocês viram? Eu *sei* nadar, não sei?

Mister Smith sorriu:

— É, eu vi. — E disse baixinho para mim: — A jovem dama não vai ser um problema muito grande, afinal de contas.

Fizemos uma marcha dura naquele dia, parando só para descansos breves, e Kristina manteve nosso ritmo sem reclamar. O sol do meio-dia de maio era deliciosamente morno e ajudava, juntamente com o calor do nosso esforço, a secar as roupas. Ao cair da noite, devíamos ter percorrido cerca de 50 quilômetros em direção nordeste para longe do lago Baikal, e dormimos com mais tranquilidade, pois estávamos de novo em meio a árvores altas.

No terceiro dia após termos deixado a margem do lago, achei que já estávamos em uma posição de nos voltarmos para o sul, percorrendo uma rota que nos levaria até a fronteira, com o Baikal a uns 80 quilômetros à nossa direita. Era apenas uma simples hipótese, mas não acho que a estimativa estivesse muito incorreta, embora fosse impossível manter um curso realmente paralelo ao lago. A região era cheia de morros e muito arborizada. Nosso percurso era uma série de escaladas íngremes e descidas abruptas até vales profundos, com rios pequenos e córregos que desaguavam no lago. Esses vales corriam quase que de maneira uniforme para sudoeste. Muitos dos córregos eram transponíveis, embora a corrente, aumentada pelo derretimento do gelo, fosse forte. Kolemenos conduzia a travessia desses riachos, sondando à frente com uma vara comprida.

Eu ficava admirado com a forma como a garota suportava aquilo tudo. Acho que todos nós ainda alimentávamos certos receios em relação à sua fragilidade, e tenho certeza de que ela tinha consciência disso. Naqueles primeiros dias, ela jamais nos atrapalhou. Mostrava-se até feliz e contente, enquanto nós estávamos de mau humor, com os pés doloridos, após um dia de marcha particularmente puxada. Ela nos tratava como se fôssemos um time de irmãos mais velhos — exceto *mister* Smith. Entre os dois, formou-se uma relação quase de pai e filha. Muitas vezes, no abrigo noturno, ela o fazia falar sobre os Estados Unidos e em mais de uma ocasião ouvi-o dizer-lhe que quando aquilo tudo acabasse, ela iria morar lá com ele. Ele a provocava gentilmente por causa das botas russas imensas e depois dizia:

— Não se preocupe, Kristina, na América vou comprar para você vestidos lindos e sapatos elegantes, de salto alto.

E a garota ria do inusitado da promessa.

Fomos nos afeiçoando a Kristina de tal modo, que já não havia qualquer um de nós que não desse de bom grado a vida para protegê-la. Ela acordava de manhã, olhava para aquele grupo tão feio de homens e dizia:

— É maravilhoso ver vocês todos. Vocês fazem com que eu me sinta muito segura.

Durante as marchas, ela gostava de levar Zaro a fazer suas graças. Mesmo quando ele se encontrava um pouco sombrio, Kristina nunca falhava em provocá-lo até que ele voltasse ao seu bom humor normal. O iugoslavo, estimulado pelo interesse dela, tornava-se impossível nas brincadeiras. Às vezes eu observava os dois juntos, e era difícil imaginar que estávamos em meio a uma missão desesperada, famintos e com o pior da jornada ainda por vir. O mais reservado do grupo era o lituano, Marchinkovas, que falava pouco e, em geral, só dava sua opinião quando solicitado. Kristina andava com ele por quilômetros, conversando com suavidade e seriedade, e então ocorria o fenômeno de se ver Marchinkovas rindo e até gargalhando alto.

Agora, também, o grupo possuía uma enfermeira. Kolemenos começou a mancar, com os dedos do pé feridos. Kristina lavou-os, arrancou pedaços da anágua e fez bandagens nos pontos em carne viva, entre os dedos. Quando a ferida na minha perna abriu, ela fez um curativo. Um corte ou uma esfoladura a preocupavam de imediato. Quando as bandagens não eram mais necessárias, ela as lavava na água dos riachos, secava e guardava para uso futuro.

Ao nos aproximarmos do que provavelmente, era o rio Bargusin, mais ou menos na metade do lago, a própria Kristina teve problemas. Começou a ficar para trás e vi que estava mancando. Parei os outros e fui até ela.

— As botas estão me machucando um pouco — disse a menina.

Tirei-as. A sola do pé e a parte de trás do calcanhar estavam feridas, cheias de bolhas estouradas. Kristina devia ter passado por horas de agonia. As botas eram muito grandes e pesadas para ela. Os sete homens rodearam-na enquanto a garota insistia que estava perfeitamente bem para continuar. Enrolei-lhe os pés com um pouco de suas ataduras e depois a convenci a nos deixar cortar o topo de feltro das botas, para ver se ela conseguia andar com mais facilidade sem aquele peso. O feltro foi arrancado e guardado para ser usado mais tarde dentro dos mocassins. No entanto, uma hora depois ela estava mancando mais ainda, e então decidimos jogar as botas fora e fazer um par de mocassins para ela.

Eu os fiz. Coloquei neles todo o cuidado e toda a arte de que era capaz com os materiais disponíveis. Os outros ficaram sentados em volta, observando cada corte da faca e cada ponto que eu dava com as tiras de couro. Dupliquei a sola, de forma que ficasse rígida e durasse mais, e forrei-a com pele de marta. Todos me parabenizaram pelo trabalho, e Kristina, em um impulso, me deu um beijo bem no meio da testa.

Começamos a sentir que a garota nos trazia sorte. Não sofremos nenhum atraso significativo até alcançarmos, à noite, apenas cinco dias depois de termos tomado a direção sul na extremidade do lago, o rio Bargusin. O problema de todos os cursos d'água maiores era que precisávamos gastar um tempo extra, fazendo o reconhecimento da melhor posição para tentar a travessia. No dia seguinte, descobrimos que havia três rios, de tamanho considerável, em nosso caminho. Tendo cruzado o primeiro, chegamos ao segundo após uma hora de marcha apenas. O terceiro, e maior, deteve-nos três horas depois e desperdiçamos um bom tempo examinando-o até por fim atravessá-lo. Chegamos à conclusão de que os três deviam se juntar a oeste e entrar no lago Baikal como o rio Bargusin principal. Subimos um morro na margem mais afastada do terceiro rio e acendemos uma fogueira para nos secar. Estávamos todos exaustos e muito famintos.

Sobre a questão da fome, descobri que seus ataques não tinham me atingido por cerca de oito dias. Os outros estavam sofrendo muito o tempo todo. Mas quando fui realmente tomado pelas agruras da fome, fiquei mais abalado que todos. Fizemos um pouco de *kasha* com a cevada naquela noite, mas a quantidade era tão pequena que foi quase pior do que nada. Só pensávamos em comida. Surgiu a ideia de nos esgueirarmos para dentro de uma fazenda ou de alguma pequena propriedade e roubarmos alguma coisa, mas mesmo em nossa situação desesperadora, tínhamos um medo muito grande de pôr em risco toda a fuga, chamando a atenção das pessoas que viviam na região. Se fôssemos perseguidos com determinação, alguns de nós, ao menos, sem dúvida seriam recapturados.

Kristina dormia a sono solto enquanto conversávamos.

O sargento olhou para ela:

— Vamos dormir. Acho que ela vai nos trazer sorte amanhã.

— Vamos torcer — disse o amigo Makowski.

13

Do outro lado da ferrovia Transiberiana

A travessia do Bargusin ocorreu em fins de maio e foi o último dos perigos importantes envolvendo água. Na margem sul, o verão siberiano parecia esperar por nós. Desde a extremidade norte do Baikal, tínhamos sido favorecidos por um clima de primavera excepcionalmente brando, seco e sem chuva. Agora, o sol brilhava sobre nós, tudo estava verde; havia flores e os pássaros estavam de volta de seus locais distantes de migração. Em seis semanas, caminháramos da parte final, e atroz, do inverno centro-siberiano para os braços cálidos do verão, no sul, onde os pomares dos vilarejos, a distância, pareciam alegres e belos, com cerejeiras e abricoteiros em flor. Dormir ao relento já não era mais um tormento, mesmo quando não se considerava prudente o risco de se acender uma fogueira. Durante o dia, sentíamo-nos forçados a descartar nossos coletes de pele, mas era preciso recolocá-los depois do pôr do sol, para nos protegermos do frio da noite. Durante dois dias inteiros, após a travessia do Bargusin, não nos alimentamos com coisa alguma, e a ideia de comer obcecava a cabeça de todos. Foi então que vimos, por entre as árvores, um cavalo trair sua presença com seus movimentos inquietos no varal de um trenó rústico. Ele havia farejado nossa aproximação e obviamente não gostara do cheiro. Zaro e eu fomos na frente, a fim de dar uma olhada de perto. O animal mostrou o branco dos olhos por sobre o ombro em nossa direção. Tinha todas as razões para suspeitar de nossas intenções. Estávamos mais prontos que nunca para comer carne de cavalo.

Zaro e eu a avistamos ao mesmo tempo — uma velha espingarda calibre 12 de um cano só, com cabo e cano amarrados com fio de cobre. Estava sobre o trenó, ao lado de uma pequena bolsa de couro, que julgamos ser para munição. A ideia não me saía da cabeça. Tínhamos de pegar aquela arma antes de o dono vir procurá-la. Corri com Zaro e peguei-a rapidamente, colocando-a sob o braço, com o cano apontando para baixo. Fiz sinal para que os outros se aproximassem. Kristina, com os braços de *mister* Smith passados sobre seus ombros em sinal de proteção, ficou bem para trás, enquanto o resto do grupo vinha até nós. Kolemenos se dirigiu ao cavalo e conversou com ele, tentando acalmar sua inquietude, mas o animal se afastou dele.

O homem devia ter estado próximo o bastante para ouvir os movimentos nervosos de seu animal. Nós o encaramos formando um círculo fechado. Ele devia ter cerca de 60 anos, um lenhador sólido e de ombros largos, com o machado pendurado no ombro direito. Tinha a barba cerrada, mas, assim como o cabelo longo, era cuidadosamente aparada. A aproximação dele me impressionou. Ele nos viu e, no entanto, seu caminhar lento, deliberado, não vacilou. Os olhos miravam com firmeza à frente e perceberam o fato de que eu segurava sua arma debaixo do braço. Ele não deu o menor sinal de medo ou espanto. Foi até a cabeça do cavalo, passou a mão pela crina, virou-se e enfiou de um golpe a lâmina do machado no tronco de uma árvore, onde a deixou.

Ele olhou para mim e depois mais à frente, onde a garota estava com o americano.

— Quem são vocês?

Smith respondeu, aproximando-se:

— Somos prisioneiros em fuga. Não vamos lhe fazer mal. Só queremos comida.

— Os tempos mudaram — disse o homem. — Algum tempo atrás, vocês encontrariam a comida esperando e nenhuma pergunta.

Havia uma dignidade simples naquele homem. Olhava-nos de cima a baixo com uma franqueza natural. Ele virou de novo a cabeça em direção a Kristina, e pensei que fosse nos perguntar sobre ela, mas não disse nada. Fez a volta em torno da cabeça do cavalo e se abaixou até o trenó, pegando um saco estreito e longo. Com os dedos, pôs-se a desfazer o nó de uma tira de couro que o fechava.

— Vocês não precisam se preocupar comigo — disse ele. — Eu moro sozinho e sou a única pessoa aqui por muitos quilômetros.

Do saco, saiu um tesouro. Um pão preto. Quatro peixes secos pequeninos. Um pedaço grosso, de dar água na boca, de carne de porco gorda e salgada. Do cinto, ele tirou uma faca comprida de caçador. Aquelas provisões eram para alguém que pretendia ficar longe de casa durante o dia todo, e era evidente que o homem ainda não tinha comido. Nós observávamos seus gestos com atenção concentrada. Cuidadosamente, o lenhador cortou uma fatia de pão e outra de carne de porco, que devolveu ao saco. Fez sinal para Kolemenos, que estava mais perto dele. O gigante deu alguns passos adiante, e o homem colocou em suas mãos grandes o pão, o pedaço de porco e o peixe seco.

Kolemenos ficou tanto tempo olhando para a comida que acabei lhe dizendo:

— Ponha na sua sacola, Anastazi, e a gente divide depois.

O som da minha voz fez o russo se virar na minha direção — e na da arma que eu segurava. Havia uma pergunta calada em seus olhos. Fui até onde estava Smith e falamos sobre a espingarda. Concordamos que nos seria inútil. Não poderíamos caçar com ela porque seu barulho chamaria atenção sobre nós, em especial nas regiões do sul, muito populosas, das quais estávamos então nos aproximando. No entanto, a segurança exigia que não a deixássemos com o lenhador.

Paluchowicz e Makowski deram sua opinião, e a decisão final foi de que não podíamos correr o menor risco de que a arma fosse usada contra nós ou como um sinal para pedir ajuda.

Encarei o russo:

— Sentimos muito, velho, mas temos que levar sua arma com a gente.

Pela primeira vez ele pareceu se perturbar. Levantou as mãos, como se desejasse fazer um apelo para nós, e depois as deixou cair de novo.

— Não é seguro para vocês usar a espingarda — disse ele. — Eu entendo como se sentem. Pendurem a arma numa árvore em algum lugar e talvez um dia eu encontre.

Viramo-nos para ir embora. Mais uma vez, ele olhou para Kristina.

— Boa sorte para vocês todos — disse ele às nossas costas. — Que encontrem o que estão procurando.

Deslocamo-nos por cerca de uma hora sem muita conversa, experimentando um incômodo sentimento de culpa por ter tomado aquela espingarda, um objeto de valor inestimável para um homem como o lenhador.

— Pelo menos — disse Zaro, por fim — o velho ficou com o cavalo.

Rimos da piada, mas continuamos a nos sentir mal.

A cerca de 8 quilômetros da cena do encontro, pendurei a arma em um galho baixo de uma árvore que se projetava sobre uma ligeira trilha, tendo enrolado primeiro um pedaço de couro de veado em torno do cabo. Foi o melhor que pude fazer.

A comida permaneceu intocada até o dia terminar, ao cair da tarde. Kolemenos dividiu-a em oito porções, tão pequenas que eu poderia ter engolido a minha em dois minutos e ainda permanecer com fome. Mas o instinto, bem desenvolvido, de armazenar comida contra a possibilidade de problemas ainda maiores prevaleceu sobre nós todos. Decidimos usar o que tínhamos como ração de reserva ao longo de três dias — um pouco para aquela noite e as duas seguintes. Kristina escutou nossa conversa e comeu como nós, um terço de sua pequena parte. Ela estava muito pálida e cansada naquela noite, lembro-me bem.

Apesar da preocupação natural com comida, o progresso que fazíamos permaneceu positivo, enquanto nos apressávamos em direção ao sul sobre uma sucessão de pequenas cordilheiras. Quanto mais longe íamos, mais abundantes eram os sinais de conglomerados humanos. O método era nos aproximarmos do topo de cada morro com desconfiança e escrutinar de lá a região à frente. Com frequência víamos pessoas se movendo a distância. Mudávamos de curso para evitar estradas que tivessem postes telefônicos — sempre indicação de uma via importante — e uma quantidade considerável de tráfego de caminhões. Em outras ocasiões, ouvíamos homens gritando uns para os outros e o ruído de tratores. Outras vezes, fazia-se presente o som, não muito distante, de sirenes de fábricas.

Andar durante o dia estava se tornando perigoso. Certa vez, depois de a comida do lenhador ter acabado, sentamo-nos para revisar nossa situação. Kristina, lembro-me, não conseguira manter o nosso passo. Várias vezes havia escorregado e nos atrasado. Houvera queixas bem-humoradas. Ela estava distante naquele momento, enquanto discutíamos os planos para percorrer o terreno perigoso que se estendia entre nós e a fronteira.

— Qual é o problema da garotinha? — perguntou o sargento de repente.

Voltei-me para ele com um pouco de rispidez:

— Ela não tem nenhum problema que um dia de repouso não cure. Não se esqueça de que é mulher. Todas as mulheres ficam indispostas. Esqueceu?

O rosto de Paluchowicz era a imagem da consternação.

— Eu não tinha pensado nisso — disse ele, devagar.

Nem os outros, aparentemente.

— Coitadinha — murmurou Makowski.

Mister Smith falou:

— Vamos ter que voltar às caminhadas noturnas muito em breve. A gente já pode começar esse novo esquema agora. Assim a garota pode descansar. Slav, você é o mais jovem de todos. Converse um pouco com ela e diga que só vamos embora quando ela estiver se sentindo bem.

Distanciei-me deles e fui encontrá-la quando saiu do meio das árvores.

— Kristina, vamos descansar por um dia e depois começar a andar à noite.

— É por minha causa?

Um círculo brilhante cor-de-rosa surgiu em cada uma das maçãs de seu rosto.

— Não, não. É porque é mais seguro à noite.

— Eu atrasei vocês hoje. Peço desculpas. Mas não pude fazer nada, Slav. Estou muito cansada hoje.

— Eu entendo. Não se preocupe, por favor.

Ela ficou de costas para mim.

— Você é muito bom, Slav. Vocês todos são muito bons. Obrigada.

Levei-a de volta até onde estavam os outros. Todos se tornaram falantes de imediato, de uma forma artificialmente casual. Ela então se sentou ao lado de *mister* Smith e disse:

— Conte-me mais sobre como as mulheres se vestem na América.

Ele sorriu e começou a falar. Kristina ouvia sem dizer palavra, o queixo apoiado nos joelhos.

O esquema novo era agradável. Dormíamos aquecidos, durante o calor do dia, e tínhamos a luz do luar para nos guiar no frescor da noite.

Foi em uma dessas noites de luar que a fome nos obrigou, pela primeira e única vez, a saquear um vilarejo. Luzes dispersas de habitações, a cerca de 2 quilômetros de distância, nos fizeram parar no alto de uma elevação. O guincho fino de um porco nos chegou com clareza aos ouvidos.

Zaro estalou os lábios.

— Minha mãe costumava fazer uma sopa de ervilha maravilhosa com rabo de porco.

Kolemenos tocou no meu ombro.

— Vamos procurar esse porco.

Pesamos os riscos. Precisávamos comer. Smith se opôs de modo ferrenho à ideia, mas depois cedeu. Escolhemos um grupo de caçadores de porcos — Kolemenos, com o machado; eu, com a faca; e o lituano, Marchinkovas. Os outros iriam contornar a vila, pela direita do local onde estávamos, e se dirigir até um grupo de árvores que se destacava contra a linha do céu a 1 quilômetro mais ou menos, para nos esperar. Ficou combinado que, se ouvissem algum tumulto no vilarejo, que pudesse indicar que estávamos com problemas, eles abandonariam a área o mais rápido possível.

Kolemenos e eu partimos. Marchinkovas nos seguia alguns metros atrás. Fomos em linha reta, na direção em que achávamos que o guincho viera. Chegamos a um pomar, na borda do vilarejo, com árvores jovens. O capim crescia alto entre uma e outra.

Deixamos Marchinkovas de sentinela na entrada e partimos, andando de quatro, em direção a uma pequena construção de madeira, que parecia um celeiro, na outra extremidade. Kolemenos sussurrou no meu ouvido:

— Estou sentindo cheiro de porco.

Ficamos de pé à sombra de uma pilha de toras de madeira.

— Não esbarra nela — advertiu o gigante —, senão essas toras vão rolar para o chão fazendo um barulho dos diabos.

Olhamos para o telhado da construção a fim de nos assegurarmos de que não se tratava de uma habitação humana. Tranquilizamo-nos ao constatar que não havia chaminé.

Rastejei em frente e colei o corpo contra a parede, o ouvido encostado à madeira. Escutei o porco se mexendo sobre a palha. Ele havia sentido o meu cheiro, também, e estava fungando a alguns centímetros de mim, do outro lado. Kolemenos correu da pilha de toras até mim. Tentamos encontrar a porta. Não tinha nenhuma.

— Deve ficar do outro lado — sussurrei para ele.

O outro lado era o da vila e das poucas janelas iluminadas.

Lá estava a porta, protegida apenas por um ferrolho simples, mas ela rangia e emperrava por falta de óleo enquanto eu suava para abri-la. Kolemenos se espremeu atrás de mim e adentramos a escuridão. Fui até o lado oposto, onde ouvira, do lado de fora, o porco se mexendo. Pelo tato, descobri um portão pequeno que dava para um cercado. Pulei sobre ele, que roncava a alguns centímetros de mim, e apertei seu focinho contra minha coxa. Kolemenos veio por trás de mim e passou seus poderosos braços em torno do animal, tentando levantá-lo, para sentir seu peso.

— É pesado demais para carregar — disse ele.

Só havia uma alternativa. Precisávamos persuadir o porco a vir conosco.

— Faça amizade com ele — murmurei. — Faça cócegas na barriga dele. Depois vai indo por trás e dando um empurrãozinho de vez em quando.

Kolemenos e eu começamos a trabalhar. O porco roncava de prazer. Puxei-o pela orelha em direção à porta. Kolemenos ajudava, empurrando-o por trás. Passaram-se segundos de tirar o fôlego até ele começar a se mexer. Saímos, fechando a porta atrás de nós. Atravessamos o pomar, agachados e murmurando agrados, a fim de manter o animal no estado de espírito certo, para que ficasse conosco de boa vontade. Um Marchinkovas pálido nos encontrou na entrada do pomar e se pôs na dianteira, dando cobertura à nossa retirada.

Com a sorte dos homens desesperados, conseguimos. A cerca de 100 metros do ponto de encontro com os outros, Kolemenos, com um golpe rápido de machado, despachou o porco, que morreu sem dar um pio. Senti uma onda forte de arrependimento. Fora um porco tão confiante. Trabalhamos rápido, desentranhando a carcaça à luz do luar e cortando-a grosseiramente em pedaços que pudessem ser carregados por sete homens. Os outros nos viram e se aproximaram. Choveram congratulações de todos os lados. Fora uma hora e tanto de nervosismo para os que haviam ficado esperando.

A matança ocorrera a apenas alguns metros do povoado e os sinais poderiam ser encontrados facilmente pela manhã. Havia uma urgência extrema de se percorrer o máximo de distância antes do amanhecer. Quando o sol apareceu vagamente a leste, nós já tínhamos caminhado durante horas. Subimos um morro pedregoso e, quando começávamos a desistir de procurar um esconderijo, encontramos uma caverna úmida, com uma abertura estreita, oculta por árvores anãs.

Quando o sol levantou, tivemos a visão clara de uma planície até uma cadeia de morros a alguns quilômetros de distância na direção da qual viéramos. Não havia sinal de vida, mas tomamos muito cuidado para não nos expormos. As pesadas sacolas com carne foram depositadas bem no fundo da caverna. Ansiosamente, deliberamos o que fazer com o porco. No calor de junho, ele não permaneceria comestível por muito tempo, e sabíamos que era preciso cozinhá-lo rápido. A solução, mais uma vez, era engolir o máximo que aguentássemos da carne assim que a cozinhássemos. Não havia solução para o risco de se fazer fogo.

A fogueira foi acesa com a lenha mais seca que conseguimos encontrar, bem no fundo da caverna. Kristina virava o longo espeto no qual os pedaços de porco estavam presos. O fogo estalava e chiava quando a gordura escorria sobre a madeira em chamas. Um cheiro delicioso de porco assado e fumaça de lenha tomou conta da caverna. Enquanto isso, Zaro e Marchinkovas tinham saído com o caneco de metal para buscar água. Eles demoraram tanto que começamos a ficar preocupados. Ao retornarem, o iugoslavo explicou que haviam caminhado cerca de meio quilômetro até encontrarem um fio d'água entre as pedras e depois tiveram de sentar e esperar pacientemente que a caneca enchesse.

O dia todo cozinhamos, comemos e dormimos, mantendo um homem de sentinela em turnos de aproximadamente duas horas. No meio da tarde, eu estava com a pior das dores de estômago. Smith, Paluchowicz e Makowski também se retorciam de agonia, segurando o estômago com as mãos. Todos nós sofremos, em grau maior ou menor, os efeitos de sobrecarregarmos nossa digestão, ociosa havia tantos dias, com a gordura da carne malcozida do porco. Ao anoitecer, as dores melhoraram e nos forçamos a comer mais.

Alguém, não me lembro quem, deu a sugestão de defumar a carne que levaríamos conosco para preservá-la. A noite estava caindo quando colocamos galhos verdes de zimbro sobre as chamas. A fumaça que levantou causou acessos de tosse e olhos lacrimejantes. Durante algumas horas, defumamos os pedaços de carne até ficarem amarronzados. Depois os guardamos em nossas sacolas e partimos para a marcha noturna. Ao sair da caverna, fui tomado por outro espasmo de dor e senti que devia provocar o vômito. O problema persistiu, a intervalos, durante muitas horas.

A essa altura da jornada, eu já sabia que devíamos estar a uma semana de marcha da fronteira. Essa certeza nos tornou impacientes, silenciosos e exageradamente vigilantes. Passávamos até uma hora vasculhando a posição à nossa frente antes de atravessarmos um trecho de terreno aberto ou algum dos muitos córregos rasos que cruzavam nosso caminho, apesar de a chance de que alguém nos visse à noite fosse remota. Eu tinha a sensação de que nos deslocávamos em meio a pessoas hostis e de que havia a possibilidade de a qualquer momento esbarrarmos com uma delas. Eu sentia mais medo de cruzar a ferrovia Transiberiana do que a própria fronteira. Estávamos perto o bastante para ouvir a passagem dos trens a distância. *Mister* Smith compartilhava meu temor.

— A ferrovia é muito patrulhada — dizia ele, ansioso.

— Vamos atravessar à noite — eu retrucava.

Era difícil dormir durante o dia. Não havia mais necessidade de se colocar sentinelas. Todos estavam alertas. Apenas Kristina parecia desfrutar de alguma paz de espírito. Sua confiança em nós era absoluta. Ela dormia enquanto nos preocupávamos e, sabendo que o trajeto iria se tornar progressivamente mais árduo, eu ficava contente em ver aquilo. Certa manhã a garota se divertiu muito bem cedo ao ver, a distância, uma caravana de camelos carregada de algodão percorrendo vagarosamente seu caminho, a menos de 2 quilômetros de nosso esconderijo, sobre uma cordilheira coberta de arbustos. Ela nunca vira camelos antes. Zaro comentou:

— De renas a camelos. Agora já vi de tudo.

De um ponto mais elevado, vimos a ferrovia Transiberiana através do ar claro de uma manhã de junho a 8 quilômetros de distância de nós. Localizados perto dos trilhos e separados por 7 ou 8 quilômetros, havia dois vilarejos pequenos, nas cercanias dos quais, junto à linha férrea, erguia-se uma casa de pedra, do sinaleiro ou do encarregado pela manutenção. Do nosso lado da ferrovia, o lado norte, havia um cinturão de proteção composto por árvores, depois do que se via uma espécie de cerca. Obviamente ambos tinham o propósito comum de impedir que a neve caísse e se acumulasse sobre os trilhos. Nós observamos o dia todo. Algumas composições, muito longas, transitaram nas duas direções. Por volta do meio-dia, um trem da Cruz Vermelha passou na direção oeste. Mais ou menos uma hora depois, um comboio de carga pesada veio do leste, e nos cutucamos uns aos outros à visão das armas pesadas que ele transportava em vagões baixos. Alguns dos homens cochilaram vez por outra durante o dia, mas o americano, como eu, estava muito inquieto e nervoso para descansar.

O percurso até a ferrovia foi feito imediatamente após escurecer, com Paluchowicz e Makowski destacados de cada lado como patrulheiros especiais de segurança. A garota ficou junto de Smith, enquanto Kolemenos, Marchinkovas, Zaro e eu abríamos caminho uns poucos metros adiante. Levamos cerca torno de uma hora e meia para alcançar o cinturão de árvores e aguardamos lá, de cócoras, até que os dois poloneses nos alcançassem. Eles não tinham visto nada de suspeito, como relataram.

— Certo — disse eu. — Marchinkovas vai na frente comigo até o trilho. O resto de vocês vai seguir a gente até a extremidade do arvoredo, de onde vão poder nos ver e esperar até eu dar o sinal.

A cerca não ofereceu dificuldades. Margeando a linha, havia um fosso, que transpusemos. Rastejamos vagarosamente para cima até o trilho e ficamos escutando. Colei o ouvido ao metal. Não havia o menor som. Fiquei de pé por um segundo, virei-me para as árvores e balancei os braços. Deitei-me de novo ao lado do lituano e passei minutos palpitantes, esperando a chegada do restante do grupo. Aguçando os ouvidos para detectar algum som de advertência ao longo da linha, ouvi todos os movimentos de aproximação dos outros. Achei, em meio ao enjoo, que eles estavam fazendo barulho suficiente para serem percebidos a um quilômetro de distância. A garota chegou e se agachou a meu lado.

— Tudo bem? — sussurrei.

— Tudo.

Olhei em volta. Todos estavam ali. Observei o outro lado dos trilhos de ferro brilhantes e escutei por mais alguns segundos.

— Vamos!

Balancei o braço, fiquei de pé e dei um pulo para a frente, levando Kristina comigo segurando-a pelo cotovelo. Houve uma escalada agitada ao longo do trilho, e logo depois corríamos como loucos em um surto. Já tínhamos percorrido cerca de 100 metros quando alguém gritou, com a voz tensa de pânico:

— Abaixem-se, abaixem-se!

Olhei por sobre o ombro e vi as luzes de um trem de passageiros. Caí, puxando a garota comigo. Ficamos todos deitados, agarrando o chão, enquanto o trem passava trovejando. Fora por um triz. Se alguém no comboio nos tivesse visto, tenho certeza de que teríamos sido perseguidos sem clemência.

A manhã nos encontrou, após horas de marcha impiedosa, aninhados sob o sol em uma margem solitária de um rio de águas límpidas repleto de peixes. Contudo, era como se fôssemos espectadores diante de um aquário, porque não tínhamos ideia de como pescá-los. Ficamos ali deitados por um tempo, até Smith dizer que achava melhor que atravessássemos para o outro lado, o mais rápido possível. Ao contrário dos rios da cordilheira do Baikal, as águas deste se moviam devagar e eram tépidas. Cruzá-lo nadando foi deliciosamente refrescante.

O terreno do lado sul do rio era bem plano e nos proporcionava uma boa cobertura. Encontrava-se cortado por córregos rasos e foi à margem de um deles que, algumas manhãs depois, Kristina disse de repente:

— Eu queria lavar minha roupa.

Concordamos todos que era uma ideia excelente. Ela caminhou pelo riacho e se distanciou, carregando os sapatos e batendo com os pés na água, até desaparecer de nossa visão. Ficamos nus e começamos a lavagem. Estávamos todos infestados de piolhos, de maneira que segurar as roupas sob as águas agitadas do córrego, na esperança de poder reduzir o Exército de parasitas que vivera em mim aqueles meses todos, deu-me um prazer quase selvagem. Batemos todas as peças com pedras e depois as pisamos para tirar a sujeira. Algumas horas se passaram enquanto o sol secava a roupa e nós nos lavávamos e nos espreguiçávamos nus sobre a grama alta. De repente, ouvimos a garota nos advertir de sua aproximação e corremos atrás de nossas calças. Mal as havíamos vestido quando ela apareceu.

Kristina parecia ter se esfregado de alto a baixo. Seu rosto reluzia e ela fizera alguma coisa no cabelo também. O tom castanho brilhava ao sol. A garota conseguira colocá-lo em ordem e trançara as extremidades longas. Exibindo uma expressão segura e se mantendo ereta como uma rainha viúva tomando chá, ela nos saudou:

— Boa-tarde, cavalheiros. Estavam me esperando?

Todos riram e terminaram de se vestir. *Mister* Smith se afastou e retornou com um pequeno buquê de flores cor-de-rosa, que entregou, muito sério, para ela.

— Você está linda, minha querida — disse-lhe.

Kristina sorriu radiante. Aquele deve ter sido um dos dias mais felizes de sua vida.

Estávamos já muito perto da fronteira quando demos com dois mongóis *buryats*. Não foi possível evitar o encontro. Vimo-nos ao mesmo tempo, a uma distância de não mais que 50 metros, e não havia nada a fazer senão prosseguir em direção à dupla. Um deles era de meia-idade, se é que é possível adivinhar a idade desse povo; o outro, definitivamente, era jovem. Podiam ser pai e filho. Eles se detiveram e esperaram até que chegássemos perto, sorriram e balançaram a cabeça. Quando paramos, inclinaram-se ao mesmo tempo.

A conversa foi elaborada e enfeitada com civilidades, e copiei o padrão deles, que falavam russo muito vagarosamente. Os dois indagaram com solicitude se nossos pés nos levavam com a devida eficiência em nossas viagens. Assegurei-lhes que sim e devolvi a pergunta. O homem mais velho demonstrava uma curiosidade ingênua sobre nós.

— De onde vocês vêm?

— Do norte, de Yakutsk.

— E para onde estão indo?

— Vamos para o sul, bem ao sul.

O velho me lançou um olhar astuto por sob as pálpebras enrugadas:

— Devem estar indo para Lhasa, para rezar.

Achei a ideia ótima.

— É — respondi.

Mas o velho ainda não terminara. Examinou-nos cuidadosamente da cabeça aos pés.

— Por que estão levando uma mulher com vocês?

Tive de pensar rápido:

— Ela tem parentes que moram no caminho e prometemos deixá-la lá.

Os dois mongóis trocaram olhares sorridentes, como se aprovassem nossa proteção à garota durante a viagem. Depois, ambos enfiaram a mão no bolso, retirando-as recheadas de amendoins, que ofereceram animadamente.

Cada um, por vez, desejou-nos que nossos pés nos carregassem bem e em segurança até nosso destino. Despediram-se e se afastaram. Esperamos até que desaparecessem de vista. Eles tinham andado apenas alguns metros quando o velho se virou e andou diretamente até Kristina, inclinou-se e deu um punhado extra de amendoins só para ela. Repetiu seus votos e nos deixou, irradiando benevolência.

Depois que eles se foram, partimos a passos rápidos. Agora estávamos muito próximos da fronteira para correr riscos.

14

Oito entram na Mongólia

A PRIMEIRA FASE da fuga terminou quando cruzamos a fronteira entre Rússia e Mongólia, ao fim da segunda semana de junho, que foi notável por duas circunstâncias — a facilidade da travessia e o fato de que saímos da República Autônoma Mongol de Buryat, da Região Leste Siberiana, na URSS, com quase 100 quilos de batatas pequenas, arrancadas de um campo a apenas algumas horas da fronteira. O timing do assalto à plantação — ao amanhecer do dia em que, mais tarde, efetuaríamos nossa saída da Sibéria — foi particularmente gratificante. Senti que, tendo ido para a prisão sem coisa alguma, estávamos deixando-a com um presente de despedida valioso, mesmo que os doadores não tivessem consciência de sua generosidade.

Chegamos ao ponto da travessia no final da tarde, quando o anoitecer dava vez a uma escuridão prematura por causa de umas nuvens negras maciças e pesadas de chuva. Trovões ribombavam ao longe, como murmúrios inquietos de um gigante incomodado. O ar estava parado; a atmosfera, quente e opressiva. Nada se movia ao alcance da vista ou impedia nossa marcha. A linha divisória era marcada por um poste vermelho de quase 3 metros, encimado por uma placa de metal que ostentava a foice e o martelo, símbolo soviético, sobre uma faixa de iniciais cirílicas. Para leste e oeste, via-se mais um poste em cada direção, tão bem espaçados, de acordo com o contorno do terreno, que um observador, de qualquer um dos marcos, podia sempre ver mais dois.

Dei a volta no poste para ver o que podia estar escrito no outro lado da placa, mas não havia nada. Houve gargalhada geral quando Zaro gritou:

— Como é a Mongólia, Slav?

Ele veio até mim em meio a pulos, saltos e cabriolas. Os outros seguiram-no correndo. Saracoteamos, dançamos, demos tapinhas nas costas uns dos outros, puxamos barbas e apertamos as mãos. Kristina corria em torno, beijando cada um de nós e gritando de felicidade e excitação. *Mister* Smith deu um basta naquela exultação barulhenta, jogando a sacola de comida, cheia de batatas, nas costas e retomando a marcha. Corremos atrás dele, ainda rindo.

— Vamos sair deste lugar — disse ele — o mais rápido possível. A gente não tem como saber o quanto se estende a influência russa abaixo dessa fronteira. Nós não sabemos onde estamos e nem para que lugar estamos indo.

Depois disso, começamos a andar mais rápido, as sacolas batendo em nossas costas. Atrás de nós, os marcadores de fronteira desapareceram na distância e na escuridão. O americano se encontrava imerso em pensamentos muito sérios. Eu imaginava que tivéssemos percorrido 2 mil quilômetros em pouco mais de 60 dias. Era uma façanha de velocidade e resistência também.

Paluchovicz interrompeu meus pensamentos:

— Que distância vamos cobrir agora?

Pensei um pouco.

— Umas duas vezes mais do que já fizemos — especulei.

O sargento resmungou de desânimo.

Foi então que discutimos seriamente aonde estávamos indo. Até então, não tínhamos pensado além da fuga da Sibéria. No campo, eu havia falado, sem muita convicção, em ir para o Afeganistão. Parecia um país seguro, fora de mão e pequeno, onde poderíamos ser recebidos sem muitas perguntas. Agora, começamos a dirigir nossos pensamentos para a Índia. E a razão disso, acho eu, estava na conversa que tivéramos no dia anterior com os dois mongóis. Lhasa. Era uma palavra que podia ser usada em um país no qual poucas pessoas conheciam nossa língua, um som que era compreendido e que evocaria sempre a resposta de uma mão estendida, indicando a direção. Conversamos principalmente sobre o Tibete naquela primeira hora. A Índia parecia muito longe para ser contemplada.

O americano falara a verdade ao dizer que não sabíamos onde estávamos. Não tínhamos mapas e não havia ninguém para nos informar. Nos últimos anos venho tentando recorrer a mapas para traçar nosso curso plausível, mas o provável pode diferir do verdadeiro em até 150 quilômetros. Vamos dizer, então, que entrei na Mongólia Exterior em um ponto que nos levou diretamente às montanhas Kentei Shan; que, ao atravessar essa cordilheira, devemos ter ido para oeste, pois passamos a oeste da única cidade grande da região, Urga, ou, como é chamada agora, Ulan Bator. Essa teoria se encaixa ao tipo de terreno que encontramos, os morros, as planícies cultivadas e os muitos rios transportando sampanas carregadas. Ela explicaria para onde os barqueiros se dirigiam: Urga se localiza na confluência de três rios, cada um dos quais possui afluentes.

Duas horas depois de ter deixado a fronteira, já estávamos subindo montanhas. O suor escorria por nós. O trovão soava cada vez mais próximo, e um vento morno e sibilante soprava de não se sabe onde, aumentando sua força com rapidez à medida que caminhávamos.

Por volta da meia-noite, a tempestade que se anunciava desabou. A primeira trovoada soou como uma bateria de artilharia de longo alcance, disparando uma salva simultânea bem ao nosso lado. Os relâmpagos cortavam e incendiavam o céu negro, enquanto o trovão reverberava, explodia e ribombava sobre nós. Gotas grandes de chuva nos instaram a procurar abrigo, mas as descargas elétricas revelavam apenas um deserto de declives rochosos. A torrente despencou enquanto tateávamos em meio ao tumulto. A chuva caía pelo próprio peso, sua queda vertical inalterada pelo vento que uivava. Minhas roupas ficaram encharcadas em questão de minutos. Jatos de água escorriam pela nuca para dentro do casaco. Foi a pior tempestade magnética que já vi.

Passamos aquela noite ao relento, os oito, em uma greta pouco profunda entre duas pedras lisas. Apenas a dupla mais ao fundo desfrutou de algum grau de conforto. A garota, na posição mais favorecida, ficou encolhida, muda em suas roupas molhadas, tremendo durante as horas sem fim de escuridão, admirada com a fúria inexorável da tempestade.

Foi um alívio nos colocarmos em movimento, à primeira luz da aurora. A chuva caiu durante o dia todo, como se jamais fosse parar, e continuou assim noite adentro, até o entardecer do segundo dia. De repente, o aguaceiro cessou, como se alguém tivesse fechado uma torneira no céu. Pela manhã, um sol quente transformou nosso mundo sombrio, e o vapor começou a subir das pedras em nuvens. Secamos as roupas e começamos a nos interessar de novo por descobrir nossa posição.

A subida constante era cansativa, mas não muito difícil. Os cerca de 8 quilos de batata que cada um carregava não tornava o esforço mais fácil, mas ninguém se queixou disso. Das alturas, no quarto dia, tivemos uma visão clara da cordilheira correndo desigualmente para leste e oeste, espalhando-se depois em direção ao sul, como uma série de dedos gigantes. Nossa rota, escolhida ao acaso, cruzava o centro de três picos mal definidos, cujo topo era um platô amplo e de superfície irregular. Como estava muito úmido para se acender uma fogueira, comemos apenas alguns amendoins e um pouco de *rizhiki*, ou agárico, parcialmente seco, do tamanho de um pires, que eu sabia, a partir de experiências quando criança na Polônia, ser comestível. Eu era o especialista do grupo em fungos comestíveis e, após uma prova, a princípio relutante, de alguns suculentos cogumelos cor-de-rosa que cresciam sobre um galho podre, os quais recomendei, os outros passaram a aceitar minha opinião sobre o que era venenoso e o que não era.

Da borda sul do platô, podíamos ver, a leste, na planície abaixo, um povoado com casas brancas de telhado plano. Movimentando-se em pastagens, onde se viam árvores de sombra, havia animais que imaginei serem cabras brancas. Um grupo de camelos, mesmo àquela distância, foi facilmente identificável. O americano resistiu muito à ideia de Marchinkovas, Paluchowicz e Makowski, de que deveríamos seguir para a esquerda e fazer amizade com os aldeões. Ele argumentava que ainda estávamos muito perto da fronteira para corrermos riscos. Falando pacientemente e com seriedade contra braços que gesticulavam e dedos em riste, ele levou a melhor.

A travessia das montanhas Kentei levou cerca de oito dias. Os últimos estágios da descida foram notáveis porque conseguimos encontrar madeira para acender uma fogueira e cozinhar a última parte da já fedorenta carne de porco. Colocamos uma pedra achatada, em uma das extremidades do fogo e assamos as batatas, o que tornou a refeição memorável. De sobremesa, ainda havia os últimos amendoins.

Descer da altitude fresca à planície foi como entrar em um forno. Tiramos as volumosas *fufaikas* e suamos de braços nus, usando apenas os coletes de pele confeccionados no campo. Kolemenos carregava o casaco acolchoado de Kristina, enquanto ela ia com o vestido roxo desbotado aberto no pescoço. O chão era duro como cimento e coberto por uma poeira fina, avermelhada. As montanhas se erguiam em uma sucessão estranha de morros baixos, ovais. Nossos braços expostos ficaram de um vermelho fulgurante, explodiram em bolhas, descascaram e por fim adquiriram uma tonalidade escura. A média de 40 quilômetros diários que nos impusemos era infinitamente cansativa. As noites traziam consigo um frio que penetrava o corpo.

Tratar pés esfolados se tornou uma preocupação. Rachaduras profundas se abriam entre os dedos e havia locais em carne viva, onde a poeira fina causava atrito dentro dos mocassins. Tivemos a oportunidade de louvar a previdência de Paluchowicz, que sofria dos pés de modo crônico; ele recolhera a gordura que tinha escorrido do porco, enquanto este cozinhava na caverna da Sibéria, e a guardara em uma cuia de madeira, toscamente escavada, que tinha a forma de um coco cortado pela metade. Aplicávamos essa gordura, com economia, sobre as áreas rachadas e esfoladas.

Descobrimos que essa região era cortada por rios, mas só nos deparamos com o primeiro depois de algum tempo. Ao meio-dia, sob um sol escaldante, através de uma cortina de ondas tremeluzentes de calor, a promessa de suas águas frescas fez com que nossos pés, que se arrastavam, se erguessem do chão. Era uma bela visão, com cerca de 100 metros de largura, as margens cobertas de grama verde e, perto delas, florescendo as mesmas plantas aquáticas, altas, cheias de nós, feito os do bambu, que havíamos encontrado por toda a Sibéria. Deitamo-nos de bruços e matamos a sede. Depois, sentamos às margens, colocamos os pés doloridos na água em estado de graça. Tomamos banho, usando a areia fina como esfregão, e lavamos a poeira da roupa. Assamos e comemos mais um pouco de batatas, e, em seguida, nos deitamos na grama com uma sensação de bem-estar e relaxamento.

Ao longo do rio, uma hora depois da nossa chegada, surgiu um barco do tipo sampana, alto na proa e na popa, com o fundo largo e uma frágil área coberta no centro. Transversalmente, à frente da cobertura, corria uma vara sólida, que se estendia alguns metros para fora de ambos os lados, em cujas extremidades estavam amarrados dois feixes grandes de galhos, que pendiam a poucos centímetros da água. A princípio, pensei que fossem algum tipo de defesa, mas depois concluí que eram estabilizadores, os quais, mergulhando na água quando a embarcação balançava, mantinham-na em posição horizontal. O barqueiro era chinês. Estava descalço, usava um chapéu de *coolie*, calças de linho que iam até abaixo dos joelhos e uma camisa solta, com as mangas cortadas à altura do cotovelo. A sampana era impelida com uma vara grossa de bambu. O espetáculo era novo para todos nós e acenamos quando o barco passou. O chinês abanou de volta e sorriu. Três ou quatro outras embarcações passaram nas poucas horas que descansamos ali. O método de propulsão era o mesmo em todas — uma vara longa de bambu —, embora um deles possuísse um mastro baixo, que poderia ser usado para prender uma vela.

Vimos vários barcos em muitos outros rios da Mongólia Exterior, mas os homens que exerciam seu ofício neles eram sempre chineses. Nas estradas, nunca encontrei um chinês. Os viajantes por terra pareciam ser sempre mongóis.

Nosso primeiro encontro cara a cara com os nativos da região ocorreu após termos cruzado o rio e andado alguns quilômetros para o sul. Não estávamos seguindo nenhuma trilha, mas planejando nosso deslocamento de acordo com o perfil do terreno a fim de evitar os pequenos morros, fixando-nos em algum marco à frente e depois marchando até ele. Por fim o caminho foi cortado por uma estrada que se estendia para leste e oeste. Vindo vagarosamente, vimos um grupo de viajantes, e era óbvio que, se mantivéssemos o passo, iríamos nos encontrar. Estávamos a menos de 50 metros da estrada quando os mongóis se puseram uns ao lado dos outros. Eles se detiveram e esperaram por nós. Estavam conversando muito entre si enquanto nos aproximávamos, mas ficaram calados quando paramos à sua frente. Sorriram e se inclinaram, sempre mantendo os olhos em nós.

Eram cerca de 12 homens ou mais, um camelo, duas mulas e dois burros. Os animais carregavam pouco peso e também traziam selas para serem cavalgados. Apenas o camelo estava servindo de montaria naquele momento. Confortavelmente cavalgando-o via-se um velho com uma barba grisalha rala. Podiam ser todos da mesma família, cujo patriarca seria ele. Usavam o gorro cônico típico dos mongóis, com as abas longas viradas para cima, por sobre a cabeça. Os materiais variavam de couro a tecidos caseiros acolchoados. Calçavam botas de excelente couro macio que iam até as panturrilhas, e as do velho, em couro verde bordado com simplicidade na parte de fora da perna com fios de seda ou lã coloridos, eram de qualidade especialmente fina. A extremidade dos casacos pesados e soltos alcançava o alto das botas. Eles usavam cintos largos, alguns de couro, o restante de um material tecido e forte. Achei estranho que vestissem roupas tão grossas em um clima quente.

Nos cintos, cada um trazia uma faca, e todas pareciam ser de modelos diferentes. Um deles tinha uma navalha longa, com cabo de chifre, pendurada numa corrente de prata. O patriarca, como convinha à sua respeitável posição, carregava uma faca com cerca de 50 centímetros de comprimento enfiada no cinto. A lâmina era larga e ligeiramente curva, e a bainha exibia tiras em metal sobre as quais se viam desenhos inscritos.

Quando terminaram as mesuras, de ambas as partes, em silêncio, o velho desceu do camelo. Inclinamo-nos novamente, e ele retribuiu. Falava na própria língua, e nós balançávamos a cabeça. *Mister* Smith me sussurrou:

— Experimente falar com ele em russo, Slav.

O velho ouviu e dirigiu a atenção para mim.

— Que seus pés o levem bem em sua viagem — disse a ele, em russo.

Uma pausa longa se seguiu.

Em um russo hesitante, como quem busca palavras em uma língua estranha, veio a resposta:

— Fale mais, por favor. Posso entender você bem, mas falo russo muito mal. Já falei essa língua, mas há muitos anos.

Falei devagar. Ele ouvia com atenção. Eu disse que estávamos indo para o sul — o que era óbvio — e que havíamos cruzado um rio algumas horas antes. Não sabia mais o que dizer. Houve um silêncio tão longo quando terminei que achei que a conversa havia acabado. No entanto, o velho queria satisfazer sua curiosidade e se esforçava, como se podia ver, com seu russo enferrujado para formular perguntas. A conversa, no todo, deu-se assim:

— Vocês não têm camelo?
— Somos muito pobres para ter camelo.
— Vocês não têm mula?
— Também não temos mula.
— Não têm burro?
— Não.

Tendo nos localizado no extrato mais baixo da sociedade, ele prosseguiu me perguntando sobre nossa viagem. A palavra Lhasa surgiu. Ele apontou para o sul e mencionou os nomes de uma série de lugares. As informações eram sem valor porque não dispúnhamos de mapas e não compreendíamos sobre o que ele estava falando.

— Fica muito longe — disse ele —, e o sol vai se erguer muitas vezes antes de vocês chegarem a esse lugar.

A pergunta que ele ansiava por fazer veio por fim quando ele olhou para Kristina, cujo cabelo, que estava vários tons mais claro por causa do sol, contrastava fortemente com o bronzeado do rosto, e cujos olhos azuis refletiam o olhar do velho. Ele perguntou quantos anos ela tinha, se era parente de algum de nós e para onde a estávamos levando. Respondi da mesma forma como fizera ao outro velho mais ao norte.

Esse interrogatório vagaroso tomou mais de meia hora, e o patriarca pareceu se divertir muito com ele. Acho que estava orgulhoso pela oportunidade de mostrar aos parentes mais jovens como sabia conversar em uma língua estrangeira. Ele se virou para os outros e falou no próprio idioma. Eles sorriram entre si e começaram a mexer nos fardos sobre os animais.

Entregaram comida a ele, que, sorridente, distribuiu-a entre nós, assegurando-se meticulosamente que cada um recebesse a mesma quantidade. A certa altura, viu que dera ao grande Kolemenos um figo a mais que entregara ao restante e, educadamente, tomou-o de volta. Ofereceu-nos nozes, peixe seco, grãos de cevada parcialmente cozidos e biscoitos, além de bolinhos de aveia. Agradecemos todos com mesuras, e eu, como porta-voz, mostrei-lhe gratidão usando as expressões mais esmeradas de que era capaz. Achei que o encontro chegara ao fim, mas os mongóis não se mexiam. Estavam aguardando um sinal do líder, que parecia não ter pressa nenhuma de se afastar de nós.

Ele informou espontaneamente que seu grupo se dirigia para uma "feira grande" não muito distante, a leste, a fim de comprar algumas mercadorias. Depois foi até o camelo, pareceu ocupado por alguns instantes, e voltou fumando uma folha de tabaco enrolada, mantida assim por uma fibra de junco amarrada no meio. Estendeu-me um maço achatado com cerca de 15 dessas folhas. Agradeci-lhe e fiz menção de pô-las no bolso do casaco que estava carregando no braço. O velho levantou a mão para me impedir:

— Por favor, fume.

Expliquei que não conseguia fumar de sua maneira, com a folha toda, e que não tínhamos papel para enrolar cigarros. Ele foi de novo até o camelo e retornou com duas folhas de jornal.

— É para você — disse ele. — Fume, por favor.

Olhei para o papel e vi que era o *Estrela Vermelha* russo da primeira semana de maio. O americano, parado perto de mim, também viu.

— Muito carinho com ele.

Nem era preciso dizer.

Arranquei com cuidado uma tira do alto do papel, de forma a não cortar a parte escrita. Esmaguei na palma da mão uma folha de tabaco até reduzi-la a frangalhos, enrolei o cigarro e procurei o pedaço de pedra, o ferro e uma porção de *gubka*, do tamanho da unha do polegar. Segurei-a firme contra a pedra, entre o polegar e o indicador da mão esquerda, e, com a direita, bati com o pedaço de ferro. O fungo se inflamou de primeira. Soprei-o até se avermelhar e encostei-o no cigarro. Os mongóis assistiam ao procedimento em franca admiração pela minha habilidade.

— Como vocês chamam esse acendedor de fogo? — perguntou o patriarca.

— Os russos chamam de *chakhalo-bakhalo* em alguns lugares — disse-lhe.

O som da palavra o divertiu. Ele a repetiu duas vezes. Eu tragava feliz meu cigarro, e o líder mongol, o dele. Quando a brasa chegou ao meio, ele puxou um pouco para trás o fio de junco amarrado. Terminamos nossos cigarros de pé no meio do grupo, parados ao lado da estrada. Era hora de nos separarmos.

Nosso anfitrião enfiou a mão direita até a altura do quadril esquerdo, retirou-a e inclinou o ouvido sobre o objeto que estava segurando. Espichei-me para a frente. Era um relógio grande de prata, preso ao cinto por uma corrente pesada, também de prata. Ele logo se deu conta do nosso interesse. Nós o cercamos, e ele permitiu que eu o segurasse e examinasse. Era um velho relógio de corda russo, de cerca de cinquenta anos. Tratava-se com certeza de um produto anterior à Revolução. Em caracteres russos floreados, sobre o mostrador, via-se o nome do fabricante e, por algum estranho capricho da memória, o nome ficou gravado na minha cabeça para sempre: Pavel Bure — algum relojoeiro czarista provavelmente morto havia muito.

— Quando os russos estavam lutando entre si — explicou o velho — alguns fugiram para o meu país, muitos anos atrás.

Ele deu explicações não só sobre a posse do relógio — um presente, o pagamento por serviços ou um artigo de troca — como também sobre sua habilidade em falar russo.

Separamo-nos com vários votos de felicitação por nossas respectivas viagens e pela continuidade da saúde de nossos pés. Esse foi talvez o encontro mais interessante que tivemos na Mongólia, mas descobriríamos que todo esse povo, qualquer que fosse sua posição na vida, possuía aquelas qualidades típicas de cortesia, confiança absoluta, generosidade e hospitalidade. O auxílio que recebíamos era dado de acordo com as posses do dono, mas era uma ajuda oferecida sempre com boa vontade. Outra de suas características admiráveis era uma curiosidade ingênua e franca. Infelizmente, a barreira da língua impediu qualquer conversação com pessoas que encontramos mais tarde, embora tenhamos adotado a prática de exprimir ideias simples por meio de gestos, falando enquanto isso em nossa própria língua, porque era mais fácil e menos embaraçoso do que usar apenas uma mímica silenciosa.

Quando a caravana desapareceu de vista, sacamos o *Estrela Vermelha*. Havia poucas notícias, mas lemos tudo, porque era o primeiro jornal que víamos desde aquelas folhas que eram distribuídas no campo para enrolar cigarros, havia mais de seis meses. O jornal não dizia o que estávamos mais ansiosos por saber: a eventualidade, prevista com certeza desde o começo por todos os prisioneiros que encontrei nas mãos dos russos, de que Rússia e Alemanha estivessem em guerra. Havia alguns artigos desinteressantes sobre política interna, sobre o dia seguinte às comemorações do 1º de Maio e as promessas costumeiras de que a indústria e a agricultura ultrapassariam suas metas de produção. Um parágrafo estranho, que parecia fazer pouco da ideia de um embate imediato entre as duas grandes potências continentais, noticiava a partida de um carregamento grande de trigo para os alemães.

Depois de ler o jornal, nós o cortamos e dividimos, usando cada parte para embrulhar os pedaços de tabaco repartido, separados em nacos com a faca. Marchamos sobre um terreno ondulado até encontrarmos um riacho, por volta das 7 horas, onde acampamos, armamos uma fogueira contra o frio da noite, fizemos uma refeição e desfrutamos o luxo de fumar e conversar.

Ao fim da primeira quinzena na Mongólia, os métodos de deslocamento foram modificados em relação àqueles empregados na Sibéria. Não era mais necessário pôr sentinelas à noite. A ânsia de se manter em movimento persistia; já se tornara um hábito em nossas existências, mas não éramos mais atormentados pelo receio de uma recaptura iminente. Podíamos entrar em contato com o povo do país, pedir comida ou trabalhar por ela. Fazíamos longas marchas diárias, desde a hora fresca que antecede o amanhecer até o pôr do sol, mas adotáramos o costume dos países quentes de buscar abrigo durante as duas horas de calor mais intenso, no meio do dia.

A região à nossa frente apresentava uma série de morros baixos de cume arredondado, dos quais desviávamos quando podíamos e que escalávamos se não houvesse outro jeito. Alguns deles eram revestidos de urzes, que sempre cresciam em maior profusão no lado norte das encostas. Havia poucas árvores, exceto próximo aos vilarejos e aos cursos d'água, mas uma vegetação rasteira e robusta — em meio à qual reconheci um tipo de bérberis com frutos vermelhos, ovais e suculentos, e a rosa-selvagem — muito comum. A população era esparsa e os povoados, localizados perto da água, muito distantes entre si. Só uma pequena parte das vastas terras através das quais viajávamos era cultivada.

O primeiro pensamento quando alcançávamos o alto de um morro era sempre o de procurar o próximo rio. Esse deslocamento pela Mongólia Exterior foi, na essência, uma sucessão de marchas forçadas, sob grande calor, de água para água. Córregos e rios significavam alívio para os pés, água para beber e tomar banho. Os cursos d'água navegáveis também nos traziam comida em algumas ocasiões, e esses incidentes, naturalmente, permanecem na minha memória.

A primeira vez que tivemos sorte foi quando demos com uma sampana carregada, encalhada em um banco de lama. O barqueiro tentou primeiro um lado e depois o outro, com a vara de bambu, mas, apesar de arfar e grunhir, a embarcação apenas balançou um pouco na corrente e permaneceu parada. Kolemenos disse:

— Vamos dar uma ajuda a ele.

Assim, fomos até o barco, que estava a cerca de 10 metros da margem. Kristina assistiu da relva quando o chinês nos passou um bambu sobressalente. Enfiamos a vara sob a proa e começamos a alavancar enquanto o barqueiro empurrava, por cima de nós, com o seu bambu. Depois de alguns minutos de trabalho árduo, mas prazeroso, desencalhamos a sampana. O chinês ficou encantado. A carga era de melões quase do tamanho de bolas de futebol. Enquanto o barco deslizava de novo, ele nos bombardeou com frutas.

Entre nós e a margem, onde Kristina aguardava enquanto patinhávamos alegremente em sua direção, havia um cinturão de alguns metros de lama espessa, que marcava o limite do rio na estação das chuvas. A parte de cima era marcada por rachaduras profundas, onde o sol formara uma casca seca, mas a de baixo se compunha de uma lama marrom-acinzentada e mole que chegava às canelas. Zaro tinha acabado de atirar um melão para Kristina e ficar parado, rindo, na lama, quando de repente ele soltou um grito. Perguntamos qual era o problema, mas antes que respondesse, senti o movimento de algo que se retorcia sob meu pé. Abaixei-me e tateei. Duas vezes a coisa me escapou, depois de eu pensar que a havia agarrado. Então, encontrei a cabeça e as guelras e suspendi-a, enquanto ela me chicoteava violentamente a mão e o pulso à luz do sol. Tinha quase 30 centímetros, era redonda e grossa, mais ou menos como uma enguia. Reconheci-a como uma espécie de carpa, que os russos chamam de *viyuni*.

— Isso se come? — perguntou o americano.

— Sim — respondi.

Foi o início de uma meia hora hilária de diversão na lama, ao fim da qual estávamos prontos para uma refeição noturna incomum e distinta. Como as enguias, elas se atinham tenazmente à vida, e tivemos de lhe cortar a cabeça antes de as preparar para cozinhar. Nós as lavamos no rio para tirar a lama e descobrimos que eram pretas como carvão e aveludadas. Sobre pedras quentes as assamos e, mesmo não conseguindo lembrar com exatidão seu sabor, recordo-me que não se podia confundi-las com peixe ou enguia. A palavra que na época usamos para descrever aquele gosto foi "doce". A carne era compacta e substancial.

A refeição rara foi arrematada com suculentas fatias de melão. Marchinkovas teve o lampejo de pegar duas metades ocas da fruta e usá-las como cabaças para beber. A ideia foi boa, mas na prática não funcionou. Quando a casca secou, quebrou-se. Ele as jogou fora no dia seguinte.

15

A vida entre os simpáticos mongóis

CUMPRIR UMA ROTINA de percorrer aproximadamente 30 quilômetros por dia, marchando arduamente por dias consecutivos, fazia-nos receber com agrado uma parada ocasional. Esses dias, quando relaxávamos, nunca eram desperdiçados. Uma das razões de nos determos era consertar e refazer os mocassins gastos e cuidar dos pés cortados e inchados. O outro motivo era a necessidade de ganhar nossa comida — não podíamos ficar sempre esperando recebê-la por caridade.

No segundo mês de nossa jornada pela Mongólia, chegamos a um vilarejo de habitações esparsas. Para olhos europeus, uma característica estranha era a ausência de cercas ou de qualquer tipo de divisa. Possivelmente, a vida naqueles povoados era em grande parte comunitária e não havia necessidade de cercas. Aproximamo-nos de uma casa que mais parecia uma choça de pedra e telhado plano, em frente à qual, em um espaço muito batido e limpo, vimos um boi girando vagarosa e pacientemente em torno de uma grossa estaca vertical enterrada no chão. Estávamos no meio da manhã e já havíamos percorrido cerca de 20 quilômetros. Ao andarmos, usávamos longos cajados. Tínhamos um pouco de fome e sede, mas não nos encontrávamos em situação desesperadora.

Paramos bem próximo para observar o boi e chegar a uma conclusão sobre que trabalho estava fazendo. Entre o animal e a casa se encontravam quatro pessoas — o fazendeiro mongol, agachado, levantando preguiçosamente o gorro para coçar a cabeça calva; um garoto de aparência vigorosa, de seus 14 ou 15 anos, segurando uma vara com que incitava o boi vez por outra, quando este passava perto dele; e duas mulheres, uma das quais podia ser a mãe do menino e a outra, sua avó. As mulheres não nos deram atenção, mas o fazendeiro se levantou e, com o garoto, veio até nós e nos cumprimentou. Retribuímos a saudação. Ele falou, nós falamos, mas isso não nos levou a lugar nenhum, e sentamos todos juntos, fazendo mesuras e sorrindo, sobre a terra dura. O boi, livre das atenções do garoto, parou de trabalhar. Àquela altura, eu já tivera a possibilidade de ver o que estava ocorrendo. O animal, amarrado à estaca central por uma corda trançada de junco ou vimeiro, estava debulhando centeio. Na extremidade externa da amarra estavam espalhados, em círculo, feixes de centeio maduro, com as espigas para fora. Quando o boi as pisava, o grão caía no chão, onde era recolhido pelas mulheres.

Virei-me para Kolemenos:

— Esse método de debulhar é muito lento. Vamos dar uma ajuda para esse cara.

O gigante assentiu com a cabeça:

— Você me mostra como.

Fomos até as espigas e lhes demos umas pancadas experimentais com nossos bordões. Os grãos, totalmente secos, caíram aos montes. Olhei para o fazendeiro, que sorria abertamente e observava tudo de perto.

— Vamos fazer o serviço. Não vai demorar muito.

Todos concordaram de boa vontade, e Kristina, munida de um cajado leve que usava para caminhar, também veio. Posicionamo-nos em volta do círculo e começamos. O garoto, rindo, desatrelou o boi e o levou embora. Quando já estava quase terminado, o fazendeiro falou com as duas mulheres, que se dirigiram para dentro da casa. Ele parou perto de mim. Passei os grãos de uma das mãos para a outra e depois lhe entreguei o sabugo. O mongol passou a mão ao longo dele, balançou-o e quando viu que estava sem os grãos, demonstrou um prazer evidente.

Gesticulei, perguntando ao homem se possuía uma peneira para separar o resíduo do cereal. Ele chamou o garoto, que foi até a casa e voltou com uma, cujas malhas eram feitas com fios de cauda de cavalo. Limpamos tudo, peneiramos os grãos dentro de cestos e depois os despejamos em sacos. O menino me conduziu até a casa, enquanto eu carregava nas costas uma das primeiras sacolas cheias.

O interior da casa era interessante. Dois terços dela constituíam o espaço em que se vivia, e o restante servia de armazém. Não havia divisórias e muito pouca coisa que pudesse ser chamada de refinamentos da civilização. Quando entrei, uma das mulheres estava operando um moinho de farinha, composto de um par de pedras circulares, bem cortadas, colocadas sobre um banco de madeira com cerca de 1 metro de altura. Servindo de pivô, encaixada em um orifício de um dos caibros que sustentava o telhado, havia uma vara de bambu, cuja outra extremidade se inseria, com folga, em um buraco próximo à borda da pedra superior. O mecanismo era abastecido com grãos por uma abertura central nessa pedra e a mulher os moía girando a vara de bambu. Sua companheira se encontrava ocupada junto a um fogão de pedra, localizado no meio do chão, cujo combustível, a se julgar pelo cheiro, era esterco seco de animais. Não existia chaminé. A fumaça escapava por um buraco no teto.

O garoto trazia um saco, que levou até um recipiente de madeira, que lembrava um barril na forma, com aros de ferro. Enquanto despejávamos nossos sacos ali, olhei em volta. Em um gancho de madeira preso à parede havia três ou quatro casacos de pele de carneiro para usar no inverno. Feixes do que pareciam ser ervas secas pendiam do telhado. Sobre o chão, havia outros recipientes e uns jarros de cerâmica marrom, não esmaltados, que se estreitavam no gargalo. Um deles trazia um pequeno pedaço de tecido sobre a boca. Mais tarde descobri que continham água e leite.

Quando a operação terminou, o fazendeiro desapareceu. O garoto permaneceu conosco. Eu disse aos outros em russo:

— As mulheres estão cozinhando alguma coisa lá dentro.

Olhares esperançosos se dirigiram para a fumaça que saía pelo buraco no telhado. Cerca de meia hora se passou e, então, ouvimos o rangido e gemido característicos de rodas em torno de eixos desengraxados. Dobrando a esquina da casa, veio o fazendeiro puxando seu boi, atrelado a uma carroça de quatro rodas carregada de feixes.

Mister Smith quebrou o silêncio consternado que havia caído sobre nós:

— Senhores, somos o alvo da piada. Temos que trabalhar mais um pouco antes de comer.

Zaro ficou de pé em um salto:

— Vamos lá, todos vocês. Vamos tentar fazer isso o mais rápido possível.

Ele puxou Kristina pelo pulso e nos liderou pelo caminho até a carroça.

Trabalhamos até um pedaço da tarde, e nos tornávamos mais eficientes como equipe à medida que prosseguíamos. Descobri que era melhor para as costas — e não menos eficiente — bater as espigas contra a vara da carroça. Como eu era o único do grupo que tinha alguma experiência com esse tipo de atividades agrícola, fiquei agradavelmente surpreso com o resultado de nosso trabalho em equipe. De forma compreensível, nosso amigo mongol também ficou, enquanto troteava alegremente atrás de cada saco que era carregado do local de debulha até o recipiente no interior da casa.

As mulheres vieram até nós com a recompensa. Uma delas trazia um cesto raso de palha cheio de bolinhos de aveia, carregado com uma das mãos apoiada contra o quadril direito. A mais velha levava uma das jarras altas vistas na casa, que continha soro de leite. O garoto vinha atrás, a passos lentos, segurando o que parecia ser três copos de vidro, mas quando chegou perto o bastante para que pudesse examiná-los, vi que se tratava de garrafas cujo gargalo e parte de cima haviam sido cuidadosamente removidos, provavelmente com a aplicação de calor seguido de água fria. Os bolos, ainda quentes, estavam deliciosos e eram substanciais, mas o primeiro gole de soro tinha gosto de parafina, que estivera armazenada dentro ou perto dos recipientes para beber. Trocamos o conteúdo para nossa caneca de metal comunitária.

Esse foi um período em que eu tinha um desejo muito grande de comer sal. Chegava a sonhar com seu gosto. Ocorreu-me então que não perderia nada pedindo ao fazendeiro um pouco. Por meio de mímica, fiz minha solicitação. Apontei para ele e para mim. Estendi a mão esquerda e fiz o movimento de quem pega uma pitada de sal com a direita. Levei-a até a boca, encolhi as bochechas para demonstrar o sabor forte do sal sobre a língua, estalei os lábios e sorri. O homem compreendeu de imediato, voltou-se em direção a casa e fez sinal para que o acompanhasse. Lá, falou com as mulheres, e foi uma conversa longa. Por fim, a mais velha levantou a tampa apertada de um pequeno recipiente de madeira e o sal apareceu. Era marrom, com cristais grandes. Ela o manuseou com um cuidado que indicava ser uma mercadoria rara e preciosa, enquanto derramava uma quantidade, que não daria para encher sequer uma caixa de fósforos, sobre um retalho de pano de saco e a embrulhava. Inclinei-me, sorri e agradeci a todos pelo presente.

Enquanto percorríamos a trilha que passava pelo povoado, intrigou-me o mecanismo primitivo do poço, de forma quadrada, do qual seções abertas de canos de madeira se estendiam para irrigação. De dois lados opostos, tábuas pesadas elevavam-se do solo a uma altura de 1,80 metro, para sustentar o carretel. A corda dava duas voltas em torno dele; uma extremidade desaparecia dentro do poço e a outra levava até um ponto a 10 metros de distância, onde era amarrada a um poste redondo e grosso, bem enterrado no chão, que se erguia verticalmente a uma altura de cerca de 2 metros.

A cerca de 1 metro do chão, e bem abaixo do ponto onde a corda do poço estava amarrada, uma barra robusta de madeira se encaixava no poste, criando um mecanismo de cabrestante, cuja força motriz era, como sempre, o boi paciente se movendo em círculos. Providências foram tomadas, também, para o emprego da outra força de trabalho disponível no país — as mulheres — por meio de quatro braços cravados no poste à altura do peito, uma espécie de motor auxiliar movido a mulheres. Parecia um arranjo muito elaborado para erguer a água, mas o poço tinha profundidade, e o balde, duas vezes o tamanho do tipo doméstico ocidental, de madeira sólida e com braçadeiras de ferro, era difícil de se levantar mesmo vazio.

Crescendo espontaneamente ao pé da cordilheira contra a qual o povoado se localizava, havia moitas de azáleas em flor, que atraíam uma variedade de borboletas de cores brilhantes. Algumas espécies entre elas eram as maiores e mais belas que eu já havia visto, e paramos para olhá-las. Zaro fez uma tentativa frouxa de pegar uma, mas a pequena Kristina implorou que ele não o fizesse. Armamos nosso acampamento à sombra de uma meia dúzia de árvores pequenas, que, a cerca de 100 metros de distância, tinham parecido carvalhos jovens, mas eram, penso eu, canforeiras.

Dali em diante, a vegetação se tornou escassa, até que se viam apenas urzes agarradas aos morros. Estávamos nos dirigindo para o deserto, de cuja extensão não tínhamos conhecimento. Se tivéssemos sido prevenidos com relação a seus formidáveis terrores, teríamos feito preparativos mais prudentes. A palavra Gobi era apenas um nome para nós. Sequer discutimos sobre isso. O sol se ergueu à esquerda de manhã e andamos sem parar até que se pusesse, à direita.

A última atividade humana de que me recordo foi a de dois pescadores chineses entre as margens sombreadas por salgueiros de um rio cuja água corria fresca e clara sobre um leito de seixos. Nós o alcançáramos ao meio-dia, o que veio muito a calhar, e vimos os dois aproximadamente uma hora depois. Um deles caminhava do lado em que estávamos; o outro, próximo da outra margem, ora com água pela cintura, ora mal conseguindo manter o queixo para dela. Os dois carregavam varas longas de bambu em uma das mãos, enquanto a outra estava ocupada em puxar duas cordas passadas sobre o ombro. Eles iam na direção da corrente. Aquela operação era algo novo para todos nós. Então, ficamos no raso, para vermos mais de perto quando se aproximassem de nós.

Os dois traziam uma rede estendida entre eles através do rio, que consistia em duas seções, cada uma com cerca de 20 metros de comprimento, unidas no centro, de modo a formar uma armadilha de boca ampla com cerca de 1,5 metro, e se afunilando na extremidade, que se arrastava atrás deles. Toda a extensão da rede estava presa a boias de madeira leve na parte de cima. O estratagema não oferecia à população de peixes muitas chances de sobrevivência. Os chineses batiam vigorosamente na água com as varas, tirando os peixes da vegetação ao longo das margens, e os únicos que sobreviviam eram os que pulavam por sobre a rede. Tivemos a sorte de eles pararem no ponto onde estávamos. O pescador que se encontrava do outro lado veio até o parceiro, usando seu pedaço de rede para fechar a boca da armadilha. Quando os dois chegaram no raso, vi que no fundo da rede havia, a intervalos, pesos de pedra, e que a extremidade afunilada ia para o fundo também com pedras. As cordas que carregavam eram amarradas em cima e embaixo da rede e se estendiam ao longo de todo o seu comprimento.

Então, um dos homens tomou as quatro extremidades da corda, enquanto o outro saía da água para segurar uma coisa grande, como um charuto flutuante, feita de pedaços de bambu, que tinha ficado rolando e se virando preguiçosamente atrás da rede. Isso, descobrimos nós, era o tanque móvel para armazenar a pesca. Possuía uma espécie de tampa, amarrada sobre a parte mais larga. Por essa abertura passavam os peixes escolhidos.

Fizemos sinais para indicar que gostaríamos de ajudar. Os chineses pareciam ter aceitado. Presos nas malhas da rede havia dezenas de peixes pequenos. Um deles agarrou um e puxou-o pela cabeça, atirando-o para a margem, onde ficou se contorcendo. Ele olhou para nós e apontou para a rede. Seguimos seu exemplo, retirando peixes, pedaços de madeira, grama e folhas.

Os pescadores puxaram a armadilha da rede, com sua colheita de peixes brilhantes que se retorciam acima da água. Com habilidade e rapidez, retiraram os maiores, um por um, e os colocaram no compartimento flutuante de bambu. Quando acabaram, havia mais de 12 quilos de peixes grandes, médios e pequenos que haviam sobrado, e eles fizeram sinal para que ficássemos com eles. Normalmente, imagino, eles teriam sido devolvidos ao rio para repopulá-lo. Alguns escaparam entre nossos dedos desajeitados, mas a maioria aterrissou ruidosa e ofegante sobre a relva acima da linha d'água. Os chineses, então, lançaram a rede de novo e continuaram a pescaria no trecho seguinte.

Aquilo era mais do que podíamos ingerir em vários dias, então decidimos comer o que precisávamos ali e secar o resto ao sol, sobre pedras planas, a fim de levarmos conosco. Enquanto Kolemenos cortava as cabeças segurando o machado próximo à lâmina, eu os limpava, e os outros os levavam até a água para lavar. Kristina e Zaro fizeram uma fogueira, e uma pedra achatada e fina foi limpa para servir de chapa. Logo, sentíamos o aroma saboroso de peixe fresco grelhado. Havia cerca de cinco variedades diferentes, entre as quais reconheci a perca, por causa do dorso cheio de espinhas.

Secar peixes era uma ocupação nova para nós, mas tínhamos visto muitas vezes o produto final e agora tentávamos obter o mesmo resultado. O peixe limpo foi aberto e a espinha, removida. Depois, em turnos, defumamos e secamos o pescado em torno do fogo. Isso levou algumas horas e ficou combinado que ficaríamos naquela função a noite toda, até completarmos o trabalho. Durante a manhã seguinte, os peixes ficaram sob o calor do sol, enquanto os abanávamos com nossas *fufaikas* a fim de manter as moscas longe. Quando achamos que o processo estava terminado, dividimos o produto e o guardamos em nossas sacolas. Mais tarde, tivemos razões para abençoar o sucesso da operação. Carregaríamos conosco a última parte dessa comida para o deserto de Gobi.

A experiência pela qual passamos um ou dois dias depois já não foi tão agradável. Era de tarde, quando o sol quente, no vasto céu azul, começava sua descida lenta para o oeste. Marchinkovas apontou para uma grande nuvem marrom alguns quilômetros à frente e perguntou o que poderia ser. Nenhum de nós pôde satisfazer sua curiosidade. Não havia dúvidas de que estava se movendo e achei que poderia ser uma tempestade de areia, apesar de o ar não se encontrar nada agitado, nem pela mais suave das brisas. A coisa se locomovia rapidamente, ficando cada vez maior enquanto olhávamos.

— É um enxame de gafanhotos — disse *mister* Smith de repente. — Não vai ser nada bom passar por eles. É melhor a gente parar por aqui.

Sentamos sobre a terra dura, colocando os casacos e cobrindo a cabeça com nossas sacolas de comida. O brilho do sol se eclipsou quando a miríade de gafanhotos nos alcançou. Viramos de costas para eles e nos encolhemos. O som que faziam ao bater em nossas roupas era audível. Estavam todos em torno e em cima de nós. O ar parecia vivo com o zumbido vibrante de suas asas a bater.

— Graças a Deus eles não podem comer a gente — disse Zaro.

— Eu não teria tanta certeza disso — respondeu o americano. — Eles comem quase qualquer coisa.

Kristina voltou o rosto preocupado em sua direção.

— Eu só estou brincando, filha — tranquilizou ele.

Levou pelo menos duas horas para o enxame passar por nós. O sol brilhou de novo e as baixas da grande migração se espalhavam pelo chão a nosso redor. Alguns se moviam, outros pareciam mortos. Sacudimos dezenas deles de nossas roupas. Eles tinham conseguido entrar em nossos bolsos, pelas mangas e dentro das pernas da calça. O único consolo foi que não haviam penetrado em nossas sacolas de comida, com seu pequeno e precioso estoque de peixe seco.

Relatar tempo e distância foi a maior de minhas dificuldades ao registrar a história dessa busca pela liberdade. Particularmente, isso se refere à passagem pela Mongólia, onde não tínhamos uma língua em comum com os habitantes e, mesmo que soubéssemos os nomes de rios, povoados ou acidentes geográficos, não havia meios de pôr os sons em palavras, a fim de ajudar a memória anos depois. Contudo, creio que nosso percurso pela Mongólia Exterior — habitada — e pelas vastidões inabitadas da Mongólia Interior levou entre seis e oito semanas.

De uma coisa me lembro: a entrada no Gobi não foi uma transição abrupta. Por duas vezes pensamos que já estávamos lá, enquanto atravessávamos longos trechos arenosos, mas nas duas ocasiões uma cadeia de morros bem altos interveio e, no sopé da segunda cordilheira, recebemos o presente de um córrego arenoso e raso, ao lado do qual acampamos para passar a noite. Foi a última vez que bebemos água fresca, por um tempo muito longo.

No começo da noite do dia seguinte encontramos uma trilha de caravana em um ângulo reto ao nosso curso ao longo da qual estavam sentados quatro mongóis, junto a um caldeirão de ferro fumegante suspenso em um tripé de metal sobre o fogo. Pareciam todos ter entre 30 e 40 anos, mas a superioridade de um deles era marcada pela posse de um rifle magnífico e antigo, de cano longo e cabo curto, cuja madeira trabalhada, quase negra, se estendia ao longo do cano, presa a ele por faixas de metal brilhante. Quando ficou de pé, juntamente com os outros, para nos saudar, a arma mostrou ser da altura do dono. As cortesias habituais foram trocadas, mas dessa vez nenhum de nossos anfitriões sabia falar russo. Eles fizeram sinal para que nos colocássemos ao lado do fogo, onde sentamos em um semicírculo amplo, enquanto eles nos fitavam por entre as chamas.

Esses viajantes eram mais pobres do que aqueles que havíamos encontrado primeiro. Notei que seus casacos haviam sido cuidadosamente remendados em certos lugares. Tinham apenas uma mula, sobre a qual as necessidades básicas para a viagem eram carregadas, inclusive duas bolsas de água feitas, acho eu, de estômago de camelos. Mais água foi acrescentada à panela, enquanto sorríamos e gesticulávamos inutilmente para o homem com a arma, a fim de demonstrar nosso prazer pelo encontro inesperado. Em deferência à barba grisalha de Smith, o mongol dirigiu suas atenções para o americano, que, por razões óbvias, considerou ser o mais velho e, portanto, o líder do nosso grupo.

Por fim, *mister* Smith usou a palavra mágica "Lhasa", e o mongol, após um minuto de reflexão, apontou naquela direção. De dentro do casaco, ele puxou um objeto que só posso descrever como um cilindro de metal sobre uma haste longa. Do interior desse cilindro ele retirou um pedaço de fita de seda, do mesmo modo que um ocidental sacaria uma fita métrica do tipo retrátil. A seda estava coberta de símbolos em uma série de quadros, como um filme de cinema. Ele passou um tempo contemplando tranquilamente a fita e, por fim, com um movimento giratório da mão, pôs o rolo de volta em seu recipiente. Interpretamos esse procedimento como uma prece para o bom termo de nossa peregrinação. *Mister* Smith se inclinou em agradecimento.

O homem responsável pelo caldeirão apareceu com um tablete prensado de chá de cor preta, quebrou um pedaço e o jogou na água. Durante alguns minutos mexeu a mistura com uma colher de pau comprida, e o aroma da panela fervente entrou por nossas narinas, produzindo uma sensação muito agradável. A seguir, apareceu um pote de madeira, cuja tampa foi removida, revelando uma substância que me pareceu ser mel, mas que depois se confirmou tratar-se de manteiga. Uma colherada foi acrescentada à infusão e, por mais algum tempo, mexeu-se a fervura.

Duas canecas foram trazidas e me pareceram tão incomuns que pedi para examinar uma antes de ser usada para o chá. Era de metal polido e já fora a parte de baixo da cápsula que continha a carga explosiva de uma pequena bomba. Uma tira do mesmo material fora dobrada e presa ao recipiente com rebites de bronze para fazer de alça. Virei a caneca de cabeça para baixo, a fim de tentar ver as marcas comuns de origem na base. Existia uma inscrição muito tênue, mas havia ficado tão apagada com o uso que não consegui ler nada. Os mongóis pareceram lisonjeados com meu interesse, e lamentei não lhes poder perguntar onde tinham pegado as canecas.

O ritual de passar o chá em volta foi bastante divertido, já que envolvia adivinhar nossas idades para que os mais velhos, de ambos os lados, fossem servidos primeiramente. Em relação a *mister* Smith, eles não enfrentaram dificuldades. As duas primeiras xícaras mergulhadas na infusão foram para ele e o mongol dono da arma. Quando devolvemos nossa própria caneca ao cozinheiro, ele a encheu e entregou, sem hesitação, a Paluchowicz. Vi o sargento ao primeiro gole fazer uma cara de quem não gostou nada, olhar para o americano e depois estalar os lábios, como Smith fizera para demonstrar sua apreciação pelo que estava tomando, saboreando a infusão com grande compostura.

Kristina e eu fomos os últimos a ser servidos. Enquanto esperávamos pela nossa vez, eu brincava com ela acerca do costume do país, que determinava "por último, as damas". Ela retrucou que relegá-la para o fim só podia significar que a reconheciam como a mais jovem entre nós. Os mongóis observavam a troca de risadas entre nós, e tenho certeza que adorariam saber sobre o que falávamos. Quando chegou nossa vez, senti que os outros nos olhavam disfarçadamente. A temperatura quente do chá trazia conforto, mas o gosto era horrível. Mantivemos um ar de normalidade no rosto e evitamos nos olhar. O sabor das folhas aromáticas era obliterado pelo gosto enjoativo da manteiga rançosa, que boiava em glóbulos de gordura brilhantes na superfície. Mas tomamos tudo, mesmo tendo de exercer um grande autocontrole para não rir alto quando Kristina estalou os lábios algumas vezes com grande decoro.

A hospitalidade dos mongóis foi arrematada com a oferta de um pouco de tabaco e algumas nozes. Ficamos todos de pé e nos despedimos. Partimos, e quando olhei para trás, a 50 metros de distância, eles tinham se agachado de novo, de costas para nós. Naquele deslocamento tão curto, havíamos saído de suas vidas e eles, das nossas.

Eu me lembraria mais tarde de que eles acharam que nosso percurso para Lhasa merecia uma prece especial. Foi quando adentramos a desolação escaldante do Gobi sem água e com pouca comida. Nenhum de nós imaginava o inferno que iríamos viver.

16

O deserto de Gobi: fome, sede e morte

Dois dias sem água na fornalha de agosto do Gobi, cheia de morros e arenosa, e comecei a sentir as palpitações do medo. Os primeiros raios do sol, iluminando a borda do mundo, dispersaram o frio cortante da noite no deserto. A luz atingia o alto das dunas tremulantes e lançava suas sombras pronunciadas sobre o solo profundo de areia dos pequenos vales que as dividiam. O medo chegou com asas pequenas, batendo muito rápido, e foi contido enquanto chupávamos seixos e arrastávamos os pés, com o objetivo de percorrer o máximo de distância possível antes do calor insuportável do meio-dia. Por vezes, um ou outro de nós subia em um dos inúmeros morros baixos, olhava para o sul e via a mesma paisagem mortal se estendendo até o horizonte. Perto do meio-dia, enfiamos nossos longos cajados na areia e estendemos os casacos sobre eles, para construir um abrigo. O nervosismo acerca da nossa situação devia ser geral, mas ninguém lhe dava voz. O meu sentimento era de que não podíamos assustar a garota, e tenho certeza que os outros se mantinham calados pela mesma razão.

O calor nos envolvia, sugando a umidade de nossos corpos, colocando amarras de ferro letárgicas em nossos tornozelos. Cada um ia com os próprios pensamentos e ninguém falava, concentrando-se monotonamente em colocar um pé na frente do outro em um esforço interminável. A maioria das vezes, eu ia na frente, Kolemenos e a garota perto de mim, enquanto os outros formavam um grupo poucos metros atrás. Era eu quem os guiava agora, fazendo com que se levantassem pela manhã, forçando-os a interromper o descanso do meio-dia. Enquanto andávamos ainda sob os raios do sol poente, o medo me assaltou de novo. Era, naturalmente, o temor mais opressivo e fundamental de todos — de que morrêssemos ali, naquele deserto escaldante. Eu lutava contra o impulso, oriundo do pânico, de persuadir todos a retornar pelo caminho pelo qual viéramos, de volta à água, às coisas verdes e à vida, mas terminava sufocando-o.

Desabamos ao pé de uma duna alta e as estrelas frias apareceram para nos olhar. O cansaço que vinha dos ossos deveria garantir o sono da exaustão, mas, torturados pela sede, todos se viravam inquietos, levantavam-se, davam voltas e retornavam. Um pouco depois da meia-noite, sugeri que partíssemos de novo a fim de tirar vantagem da fresca. Todo mundo parecia estar desperto. Pusemo-nos de pé e começamos a nos arrastar para o sul de novo. Era muito mais fácil assim. Descansamos algumas horas após o amanhecer — e a paisagem para o sul ainda permanecia inalterada.

Depois desse sofrimento, não houve mais caminhadas noturnas. Makowski pôs fim a elas:

— Você consegue se orientar pelas estrelas? — perguntou-me ele.

Os outros me olharam com o rosto inquieto. Fiz uma pausa antes de responder:

— Não com certeza absoluta — confessei.

— Alguém aqui consegue? — insistiu ele.

Ninguém respondeu.

— Então a gente pode ter andado em círculos a noite toda — disse ele com severidade.

Senti o desânimo terrível que suas palavras causaram. Protestei que tinha certeza de que não havíamos nos desviado do curso, que o sol nascente provara que ainda estávamos de frente para o sul. No entanto, dentro de mim, mesmo enquanto argumentava, tinha de admitir a possibilidade de que Makowski estivesse certo. Em todo caso, a semente da dúvida tinha sido plantada, e não podíamos acrescentar mais nada ao já pesado fardo da apreensão.

Assim, continuamos ao longo da tremeluzente vastidão. Nem o mais ligeiro movimento de ar vinha dispersar a poeira fina que pairava quase invisível sobre o deserto, o pó que nos encobria o rosto e a barba, que entrava pelos lábios rachados e avermelhava o contorno dos olhos, já castigados pela luz crua do sol.

O peixe seco, severamente racionado, acabou por volta do quinto dia, enquanto ainda encarávamos um horizonte sem qualquer sinal de vida. Em toda aquela aridez de mundo, só havia oito manchas humanas a se debater e alguma cobra ocasional. Poderíamos parar de nos mover, deitar ali e morrer com facilidade. A tentação de estender a parada do meio-dia, de continuar a cochilar pela tarde quente até o sol sair de vista, convidava nossos corpos secos e doloridos. Os pés de todos iam ficando em um estado lamentável à medida que a areia escaldante entrava pela sola fina dos mocassins. Vi-me falando asperamente com os outros para que se levantassem e continuassem a andar.

— Não tem nada aqui — dizia eu. — Não tem nada há dias atrás de nós. À frente, tem de haver *algo*. Tem de haver alguma coisa.

Kristina se ergueu então e se juntou a mim, com Kolemenos. Depois, os outros, amontoando-se. Como autômatos, colocávamo-nos a caminho de novo, a cabeça baixa, silenciosos, pensando sabe Deus em quê, mas pondo um pé à frente do outro, hora após hora de desespero.

No sexto dia, a garota tropeçou e, de joelhos, olhou para mim:

— Que besteira a minha, Slav. Caí sozinha.

Ela não esperou por ajuda. Levantou-se da areia devagar e veio se pôr ao meu lado. Aquela tarde, vi-me de repente, para ligeira surpresa e irritação minha, de joelhos. Não tivera consciência do ato de cair. Uma hora andava, na outra parava. De joelhos, imagino... como um homem que reza. Levantei-me. Ninguém diminuíra o passo por minha causa. Provavelmente, sequer notaram minha queda. Pareceu-me que levou muito tempo até recuperar de novo minha posição à frente. Outros também estavam caindo, eu percebia de vez em quando. As pernas dobravam-se e eles ficavam ali ajoelhados durante alguns segundos sem acreditar, até vir a percepção de que tinham cessado de se mover. Retornavam então. Ninguém desistia. Havia sinais crescentes de fraqueza e perda de forças, mas seria fatal reconhecê-los como tal. Tais sinais eram os dedos da morte a sondar, mas ainda não estávamos prontos para morrer.

No sétimo dia,o sol se ergueu em uma sinfonia mesclada de cor-de-rosa e dourado. Nós já estávamos caminhando havia uma hora, à luz pálida da falsa aurora, quando olhei entorpecidamente para Kristina e as outras figuras que se arrastavam atrás de mim, e fiquei impressionado com o espírito invencível de todos. O percurso agora era feito arrastando-se os pés; o esforço de levantá-los estava além de nossas forças.

Sem muita esperança, observamos Kolemenos subir com dificuldade até o alto de um morro. Um ou outro de nós fazia isso todas as manhãs, assim que a luz era suficiente para dar uma visibilidade clara do sul e do horizonte. Ele ficou lá por quase um minuto com a mão sobre os olhos, e nós continuamos a andar, esperando o dar de ombros desanimado e costumeiro. Entretanto, Kolemenos não fazia menção de descer, e, como ele estivesse olhando fixamente em uma direção, alguns graus a leste do nosso curso, parei. Senti a mão de Kristina tocar meu braço com leveza. Ela também tinha os olhos fixos no gigante. Todos pararam. Vimos que ele esfregava os olhos, balançava a cabeça devagar e continuava a olhar intensamente na mesma direção, os olhos apertados. Quis gritar para ele, mas permaneci calado. Em vez disso, comecei a subir até onde ele estava. Zaro e a garota vieram comigo. Atrás, marchavam o americano e Marchinkovas. Os dois poloneses, Paluchowicz e Makowski, permaneceram apoiados em seus bastões e nos observaram ir.

Quando alcancei Kolemenos, dizia para mim mesmo: "Não vai ser nada. Não devo me entusiasmar. É claro que não é nada." Meu coração martelava pelo esforço da ligeira escalada.

Kolemenos não emitiu qualquer som. Estendeu o braço direito e apontou. Minha visão estava embaralhada. Durante alguns segundos, não consegui focar o olhar. Imitei o que vira o gigante fazer. Esfreguei os olhos e olhei de novo. Havia *algo*, uma mancha escura contra a areia clara. Talvez estivesse a uns 8 quilômetros de nós. Na neblina dançante da manhã que se iniciava, não possuía forma e desafiava o reconhecimento. A excitação crescia enquanto olhávamos. Começamos a conversar e especular. Com o coração palpitante e ofegando, os dois poloneses vieram até nós. Eles também localizaram a coisa.

— Será um animal? — perguntou o sargento.

— Areia é que não é, seja lá o que for — respondeu *mister* Smith. — Vamos lá investigar.

Tomou-nos umas duas horas percorrer a distância que nos separava da coisa. Várias vezes perdemos de vista o que procurávamos quando mergulhávamos nas depressões arenosas. Subíamos com mais frequência do que fazíamos normalmente, pois não podíamos suportar a ideia de que a mancha na paisagem desaparecesse enquanto estivesse fora do nosso campo de visão. Ela começou a tomar forma e a se definir, e a esperança começou a brotar em nós até se tornar certeza. Havia árvores — reais, vivas, saudáveis e crescendo em grupo — destacando-se contra a areia como uma mancha de tinta sobre uma toalha de mesa recém-lavada.

— Onde há árvores há água — disse o americano.

— Um oásis — berrou alguém, e a palavra flutuou de boca em boca.

Kristina murmurou:

— É um milagre. Deus nos salvou.

Se pudéssemos correr, teríamos feito isso. Movemo-nos pelos últimos 500 metros o mais rápido que podíamos, forçando as pernas. Em alguns momentos, cheguei a me arrastar. Minha língua estava seca e inchada dentro da boca. As árvores ficaram maiores e vi que eram palmeiras. À sua sombra, havia uma cavidade de formato quase oval, e eu sabia que aquilo devia ser água. A algumas centenas de metros do oásis cruzamos uma trilha de caravanas que seguia em direção leste-oeste. Perto das árvores, passamos por uma pilha incongruente do que parecia ser latas de biscoito enferrujadas, como um depósito de lixo fantástico no meio do deserto. Nos últimos 20 metros, apressamos o passo, e acho que alcançamos uma velocidade que era quase de corrida.

As árvores, uma dezena ou mais delas, estavam agrupadas em um crescente ao sul do tanque e lançavam sombra sobre a área durante a maior parte do dia. Aquela água fresca e maravilhosa jazia parada e convidativa em uma depressão elíptica, cercada por grandes pedras toscamente trabalhadas. Àquela época do ano, a estação mais quente, a marca da água recuara do círculo de pedras, e tivemos de pular por sobre ele para poder alcançá-la. O lugar todo, verde e vivificante, cabia em um quarto de hectare.

Zaro era quem estava com a caneca, mas nós não conseguimos esperar que ele a enchesse e passasse em volta. Deitamos sobre a água, lambendo e sugando como animais. Deixamos que ela nos acariciasse o rosto febril e a passamos em volta do pescoço. Bebemos até alguém advertir sobre o perigo de enchermos a barriga vazia com líquido demais. Depois molhamos nossos sacos de comida e, sentados sobre as grandes pedras, lavamos suavemente nossos pés rachados e lacerados. Durante minutos de bem-aventurança, ficamos com as sacolas molhadas enroladas neles. Com uma caneca d'água por vez, enxaguamos da cabeça e da parte superior do tronco um pouco da areia e da poeira acumuladas por seis dias e meio de dificuldades. A própria sensação e presença da água eram como um êxtase. Nossos espíritos ascenderam. Havíamos saído de um abismo de medo para a vida e novas esperanças. Conversávamos e ríamos como se o líquido que tivéssemos bebido fosse champanhe embriagante. Perguntamo-nos que mãos tinham trazido aquelas pedras e plantado as palmeiras para transformar aquele tanque milagroso em um sinal que pudesse ser visto de longe por homens torturados pela sede.

A dimensão total da nossa sorte ainda estava para ser descoberta. Cerca de 20 metros a leste do tanque, do lado oposto àquele pelo qual chegáramos, havia os vestígios ainda quentes de uma fogueira e de marcas frescas de cascos de camelo e de cavalo, o que denunciava a parada recente de uma grande caravana, que devia ter partido ao nascer do sol. Esses homens, quem quer que fossem, tinham cozinhado e comido carne, cujos ossos, ainda mornos e não dilacerados, encontravam-se espalhados em torno das cinzas. Eram de um animal grande e de outro pequeno, e a carne fora arrancada dos ossos com facas, que haviam deixado pedaços pequenos mas suculentos. Dividimos esses ossos e arrancamos a carne com os dentes, abençoando a sorte. O desdentado Paluchovicz pegou minha faca emprestada e se saiu tão bem quanto os outros. Quando a carne acabou, partimos os ossos com o machado e chupamos o tutano.

Por duas ou três horas, durante o calor da tarde, ficamos deitados perto da água, sob a bem-aventurada sombra das palmeiras. Kolemenos, que possuía o raro dom do relaxamento completo em qualquer situação, roncava com os braços por trás da cabeça e o gorro sobre um dos olhos. Os raios do sol começavam a se inclinar e acordei de um sono povoado de luz abrasante e desertos intermináveis. Peguei a caneca, pulei por sobre as pedras, mergulhei-a e bebi mais água. O americano se levantou, espreguiçou-se e se juntou a mim. Logo estávamos todos de pé e ocupados em tarefas.

Zaro se afastou.

— Vou dar uma olhada naquela pilha de latas — disse. — Talvez tenha alguma em que a gente possa carregar água.

O enigma daquele depósito de lixo da civilização no coração do Gobi do Sul vai permanecer sem solução. Havia cerca de uma centena daquelas caixas de metal, e elas estavam ali havia tanto tempo que, mesmo no ar seco do lugar, encontravam enferrujadas demais para serem usadas. Nós as reviramos uma a uma, mas não conseguimos encontrar nada que indicasse o que haviam contido ou de onde tinham vindo. Enquanto as examinávamos, íamos empilhando-as ao lado. De sob esse monte, meio enterrado na areia, Zaro puxou um rolo inteiro de arame de 6 milímetros de espessura coberto de ferrugem, preso por aros de outro arame, mais fino, que quebravam a um simples toque. Coloquei um punhado de areia em uma dobra da minha sacola e esfreguei o arame pesado até tirar a ferrugem. O revestimento era fino; o arame, forte e bom.

Naquela noite, fizemos um quadrado com as latas, pegamos pedaços pequenos de madeira que havia em volta e acendemos um fogo. Fiquei acordado durante um longo tempo, tentando decidir quanto tempo deveríamos ficar naquele lugar, mas a resposta não vinha. O sono, quando chegou, foi pesado e sem sonhos. Abri os olhos, de acordo com o hábito do deserto, cerca de uma hora antes do amanhecer, e Zaro já se encontrava ativo, puxando a extremidade livre do rolo de arame.

Um debate de opiniões, contra e a favor, surgiu a respeito do comprimento daquele arame. Nós o arrastamos até o tanque e começamos a puxar e esfregar com areia. Ninguém tinha uma ideia precisa do que fazer com aquilo, mas havia uma unanimidade em relação à sua possível utilidade para nós no futuro. Todo objeto de metal era precioso. Não conseguíamos nos convencer a deixar aquele tesouro para trás. Já que tínhamos de levá-lo conosco, a discussão se resumiu a como lhe dar uma forma fácil de carregar. Foi assim que terminamos passando horas daquele dia cortando extensões de cerca de 1,20 metro, entortando as extremidades para que formassem ganchos e transformando-as em aros que pudessem ser passados em volta do pescoço. O metal era duro, e para dobrá-lo era preciso utilizar a parte de trás da lâmina do machado, enquanto as extremidades do arame eram comprimidas e presas nos vãos entre as pedras que cercavam o tanque. Depois de cada um de nós receber seu aro, Zaro e alguns outros fizeram uns espetos de metal com cerca de 50 centímetros, com uma das extremidades pontuda e a outra dobrada, para pendurar no cinto. Ainda sobrou muito arame quando terminamos, mas achamos que íamos levar tudo o que podíamos carregar de modo conveniente. A operação nos deu uma sensação de missão cumprida. Usar as mãos e nossas habilidades de novo foi estimulante, e também havia o orgulho acentuado da posse que os prisioneiros têm, ainda que o objeto seja apenas um aro de arame descartado.

A questão sobre quando partir veio inevitavelmente à baila. Dois de nossos problemas não tinham solução. Não possuíamos nada em que pudéssemos carregar água, a não ser nossa caneca de metal. Makowski argumentou que, se esperássemos ali mais uns dias, teríamos a chance de encontrar uma caravana e garantir um estoque de comida para o próximo estágio. Mas eu queria ir embora e disse que, como havíamos acabado de perder uma caravana, talvez não passasse outra durante semanas. Esperaríamos dias e ficaríamos enfraquecidos demais, por falta de comida, para nos movermos, e os próximos viajantes nos encontrariam mortos por inanição. Diante do que veio a acontecer, espero poder ser perdoado por minha insistência. No entanto, acho que talvez eu estivesse certo. Mas não há como se julgar a questão agora, e nem havia então. Não foi um debate amargo. Estávamos em situação desesperadora e precisávamos decidir imediatamente uma coisa ou outra. Tudo se resolveu mais tarde, naquela noite. Partiríamos antes do amanhecer.

Já estávamos a caminho quando o sol apareceu, e durante a metade do dia olhávamos para trás e podíamos ver as árvores do oásis. Fiquei feliz no momento em que não consegui mais distinguir sua forma contra a linha do horizonte. Por horas

Zaro carregou a caneca, uma das mãos embaixo, a outra em cima, tapando-a. Ele a enchera de água após todos termos tomado um último gole, e, enquanto andava, ela respingava, morna, contra a palma da sua mão, espalhando pequenos filetes que escorriam pelos lados. Quando fizemos a parada do meio-dia, metade do conteúdo já havia se perdido com os vazamentos e a evaporação, e o iugoslavo se queixava de cãibras nos braços, por ter segurado a caneca com tanta força. Então, com todo o cuidado possível, sentados sob a pequena sombra de nossos casacos estendidos sobre os cajados, passamos a água de um em um e a bebemos de um gole por vez.

Foi como se estivéssemos fazendo a mesma marcha de antes de chegarmos ao oásis, só que dessa vez sem poder contar sequer com o magro sustento de alguns peixes secos. Durante os três primeiros dias, achei que nos deslocávamos surpreendentemente bem. No quarto, o calor, do qual não se podia escapar e que sugava nossas forças, de repente começou a se fazer sentir. Tropeços e quedas se tornavam cada vez mais frequentes, o passo diminuía e a conversa se resumia a resmungos. Lembro-me de Makowski dizendo:

— O inferno não pode ser mais quente que este maldito deserto.

No quinto dia, Kristina ficou de joelhos. Virei-me vagarosamente para olhá-la, esperando que ficasse de pé como das outras vezes, mas ela permanecia ajoelhada, a cabeça loura abaixada contra o peito. Parecia muito mal. Fui até ela, enquanto Kolemenos também retornava. Antes que pudéssemos alcançá-la, Kristina se dobrou na altura dos quadris e caiu para a frente, o rosto enfiado na areia. Chegamos até a garota no mesmo instante e a viramos de costas. Estava inconsciente. Abri a gola de seu vestido e comecei a falar com ela, sacudindo-a com suavidade, enquanto *mister* Smith começava a criar-lhe um pouco de sombra com cajados e *fufaikas*.

Ela voltou a si rapidamente e olhou para aquele círculo de rostos aflitos, sentando-se e sorrindo com os lábios rachados:

— Já estou me sentindo melhor. Devo ter caído. Não sei o que aconteceu.

— Não se preocupe — consolei-a. — A gente vai descansar aqui um pouco, e você vai ficar bem de novo.

Ela se inclinou para a frente e deu um tapinha suave na minha mão:

— Eu não vou cair de novo.

Ficamos sentados ali um tempo. Kristina se esticou para coçar o tornozelo, e meus olhos seguiram distraidamente sua mão. A área estava tão inchada que a pele roçava a boca estreita de sua calça acolchoada.

— Alguma coisa mordeu você, Kristina?

— Não, Slav. Por quê?

— Sua perna parece inchada.

Ela puxou a perna da calça e olhou, mexendo o pé.

— Eu não tinha notado — disse.

Marchamos por mais algumas horas. Ela parecia refeita. Então, caiu de novo, e dessa vez os joelhos se dobraram e o rosto bateu na areia em um movimento quase simultâneo, sem que ela tivesse o reflexo de esticar os braços para amortecer a queda.

Viramos Kristina mais uma vez e limpamos a areia que havia entrado no nariz e na boca. Ela permanecia de olhos fechados, respirando em estertores, pela boca. Olhei para seus tornozelos: apresentavam um aspecto lamentável. Estavam ambos muito descoloridos e inchados a ponto de parecer que iam arrebentar a boca estreita da calça. Tirei a faca e fiz um rasgo no tecido para cima. A pele parecia estar cheia de água até o joelho. Toquei-a, e a marca dos meus dedos permaneceu por alguns segundos.

Kristina ficou inconsciente por uma hora, enquanto tentávamos afastar a ansiedade, que nos consumia, com banalidades como:

— Deve ser uma leve insolação.

Eu sentia um peso de chumbo no estômago; estava assustado.

Quando voltou a si, ela estava de ótimo humor:

— Estou me tornando um incômodo — disse ela. — O que será que está acontecendo comigo?

Nós nos desdobrávamos ao seu redor.

Kristina ficou de pé:

— Vamos, estamos perdendo tempo.

Eu andava ao seu lado. Ela parou de repente e olhou para as pernas, a atenção atraída pelo rasgão nas calças na altura do tornozelo.

— Minhas pernas estão engrossando, Slav.

— Doem?

— Não, nem um pouco. Devem estar inchadas porque estou andando muito.

Era a tarde do quinto dia. Ela caminhou durante horas sem nada mais que um pequeno tropeço ocasional, e se mantinha lado a lado com Kolemenos e comigo quando o sol já havia baixado e nos detivemos para a noite. Sentada entre nós, ela lançava olhares frequentes para a perna. Não dizia nada, e nós fingíamos não notar.

Foi uma noite agitada. Todos, exceto Kolemenos, pareciam cansados e preocupados demais para dormir. Kristina se mantinha imóvel, mas eu sentia que estava acordada. Eu chupava um seixo. Meus dentes doíam, as gengivas estavam crescidas e sensíveis. Imagens de água a correr invadiam a todo momento minha mente. Via com nitidez as sampanas que observara nos rios do norte. Tinha acessos de tremores que me faziam levantar e dar voltas. Sentia a cabeça comprimida, dores pelo corpo todo.

Durante as primeiras duas horas do sexto dia o ar esteve fresco e a caminhada foi agradável, tanto quanto é possível ser em um deserto. No entanto, o sol logo começou a queimar sobre nós em um céu desprovido de nuvens.

Peguei Kristina pelo cotovelo:

— Você consegue continuar?

— Acho que sim.

Cinco minutos depois, ela havia se dobrado e estava inconsciente, com o rosto enfiado na areia. Mais uma vez cuidamos dela e esperamos que abrisse os olhos. Ela parecia estar respirando normalmente, como uma criança cansada.

Afastei-me alguns passos e os outros vieram se juntar a mim.

— Ela está muito inchada — disse eu. — Algum de vocês sabe o que isso significa?

Ninguém conhecia os sintomas. Voltamos até ela e esperamos. Abanei meu gorro sobre seu rosto para fazer um pouco de vento.

Kristina sorriu para nós.

— Estou sendo um problema de novo.

Sacudimos a cabeça negativamente.

— Acho que desta vez é melhor vocês me deixarem.

Protestamos todos ao mesmo tempo. Kolemenos se ajoelhou ao seu lado:

— Não diga isso, sua garotinha boba. A gente nunca vai deixar você.

Ela permaneceu deitada por mais meia hora, e quando tentou se erguer, apoiando-se nos cotovelos, caiu de novo.

Eu disse a Kolemenos:

— A gente vai ter que ajudá-la.

Nós a levantamos entre os dois.

— Eu posso andar se vocês ficarem perto de mim — disse ela.

Espantosamente, Kristina andou, enquanto Kolemenos e eu segurávamos de leve seu braço. Depois de caminhar uns 500 metros, sentimos que a garota começou a cair para a frente. Nós a apoiamos, e ela continuou, empertigando-se, sem qualquer manifestação de desespero, sem nenhum gemido. Da vez seguinte que mergulhou para a frente, não conseguimos segurá-la. Estava completamente exaurida e nem mesmo a nobre força de vontade naquele corpo frágil foi capaz de fazer outro esforço torturante. Estávamos todos agrupados à sua volta quando o sol se ergueu acima de nossas cabeças. Kolemenos e eu passamos, cada um, o braço em torno dela, meio carregando e meio arrastando-a, e partimos novamente. Cerca de 1 quilômetro depois, eu não tinha mais forças para lhe emprestar. Paramos e me dobrei, esforçando-me para respirar.

— Fique ao meu lado, Slav — disse Kolemenos — Eu vou carregá-la.

Ele a levantou nos braços, balançou por um instante, enquanto se ajustava ao peso, e cambaleou adiante. O gigante a carregou por 200 metros e eu fiquei ao seu lado para ampará-la, quando ele fez uma pausa.

— Me deixe, Anastazi — implorou ela. — Você está perdendo toda a sua força.

Ele olhou para ela, mas não conseguiu dizer nada.

Construímos um abrigo e ficamos ali talvez por três horas, durante o calor mais forte do dia. Ela jazia imóvel — acho que não conseguia se mover. O inchaço disforme já ultrapassara a altura dos joelhos, carregado de líquido. Kolemenos se deitara de barriga para cima, estava recuperando as forças. Ele sabia o que teria de fazer.

O sol começou a declinar. Kolemenos se abaixou, colocou-a nos braços e se pôs em marcha. Fiquei ao seu lado, e o restante à nossa volta. Ele percorreu cerca de 500 metros antes de ter de colocá-la no chão a primeira vez. Depois, pegou-a de novo e tornou a andar, com seu largo ombro servindo de travesseiro para a garota. Eu não consigo ver nessa vida nada tão magnífico como aquele gigante de barbas louras carregando Kristina, hora após hora, até o anoitecer daquele terrível sexto dia. O esforço de superação dele durou algumas horas. Então, ela tocou-lhe a face.

— Me ponha no chão, Anastazi, me ponha no chão.

Peguei-a dos braços dele e juntos a colocamos no chão. Agrupamo-nos todos à sua volta. Um vestígio de sorriso pairava-lhe sobre os cantos da boca. Ela olhou fixamente para cada um de nós e achei que ia dizer alguma coisa. Seus olhos estavam claros e muito azuis. Havia uma sensação de tranquilidade nela ao fechá-los.

— Ela deve estar muito cansada — disse o sargento Paluchowicz. — Pobre garota. Muito cansada.

Ficamos ali de pé durante alguns minutos, desanimados e sem saber o que fazer a seguir. Os ombros de Kolemenos estavam arqueados de cansaço. Trocávamos olhares, mas não conseguíamos pensar em nada para dizer. Olhei para Kristina e para a gola aberta de seu vestido. Em um segundo, abaixei-me ao seu lado e coloquei o ouvido sobre seu coração. Não havia batida. Não pude acreditar. Virei a cabeça e encostei o outro ouvido. Peguei-lhe no pulso. Todos olhavam para mim atentamente. Deixei cair sua mão, que tombou com suavidade sobre a areia.

O americano falou algo que era quase um sussurro. Tentei responder, mas as palavras não saíam. Foram as lágrimas que vieram, amargas e salgadas. Os soluços me sacudiam. Naquele lugar esquecido por Deus, sete homens choraram livremente, porque a coisa que nos era mais preciosa neste mundo nos fora tomada. Kristina estava morta.

Acho que perdemos um pouco a razão ali, ao lado de seu corpo, no meio do deserto. Acusamo-nos de a termos levado até lá, causando sua morte. De maneira mais pessoal, Makowski, falando em polonês, culpou-me por ter insistido em deixar o abrigo do oásis.

O americano interveio com uma voz fria e uniforme:

— Senhores, não adianta a gente se culpar. Eu acho que ela foi feliz conosco. — A conversa parou. Ele continuou: — Vamos tratar de lhe dar um enterro decente.

Cavamos um buraco na areia, ao pé de uma duna. Reservamos alguns pedaços pequenos de pedra que encontramos em meio à areia enquanto cavávamos. Rasguei uma das sacolas de comida, dobrei-a e a coloquei sob seu queixo. Descemos o corpo. Sobre o peito, estava pousado seu pequeno crucifixo. Ficamos de pé, com o gorro nas mãos. Não houve cerimônia, mas cada homem disse uma prece na própria língua. *Mister* Smith falou em inglês pela primeira vez. Abri o pano da sacola e estendi-o sobre seu rosto, as lágrimas a me impedir a visão. Nós a cobrimos com areia e espalhamos as pedrinhas sobre o monte.

Kolemenos pegou o cajado comprido que pertencera a Kristina, cortou um pedaço com o machado e juntou os dois com uma tira de couro, para fazer uma cruz.

Demos adeus a ela e partimos por nosso caminho vazio.

17

Carne de cobra e lama

O PIOR DE tudo é que só havia a garota em que pensar. Caminhar era simplesmente um hábito doloroso — não havia necessidade de pensar para fazê-lo. O sol queimando hora após hora deteriorava minhas ideias e impedia a sequência lógica do pensamento. Descobri que podia imaginar que ela ainda estava ali, bem atrás de mim, e conseguia me arrastar por quilômetros vendo-a. No entanto, sempre chegava uma hora em que a ideia de sua presença era tão forte que eu tinha de virar a cabeça, e um sofrimento cruel me lancinava de novo. Naquela noite, acordei vagarosamente de um sono difícil, perpassado pela sede e mais uma vez tive a certeza de que ela permanecia conosco. E a cada nova percepção de sua morte aquela agonia muda se renovava.

Foi preciso uma nova tragédia para embotar a lembrança dolorosa de Kristina. Estranhamente, ela veio aliviar um pouco da carga de culpa que eu sentia em relação à sua morte.

No oitavo dia após a partida do oásis, Sigmund Makowski caiu de cara na areia. Seus braços ficaram imóveis ao lado do corpo quando o rosto afundou, e ele não fez nenhum esforço para usar o cajado e impedir a queda. Ficou ali por um ou dois minutos, meio inconsciente. Olhamos para ele e vimos o sinal revelador: por sobre a extremidade do mocassim, a carne estava mole e inchada. Trocamos olhares e não dissemos nada. Nós o viramos e abanamos seu rosto com nossas sacolas. Ele se recuperou logo. Ficou de pé, balançou a cabeça de um lado para o outro, agarrou o cajado e se pôs em marcha. Volta e meia tombava, mas prosseguia. E cada vez mais o inchaço gelatinoso ia subindo e tornando suas pernas mais pesadas.

Makowski durou mais tempo que Kristina depois da primeira queda. No nono dia, ele deve ter caído mais de uma dezena de vezes em poucas horas. Então, esticado no chão e arfando desesperadamente, ele gritou o nome de Kolemenos, que, junto comigo, ajoelhou-se a seu lado.

— Se você me der uma ajuda para eu conseguir me levantar, vou poder continuar.

Kolemenos o pegou por um braço e eu pelo outro. Colocamos Makowski de pé. Debilmente, ele se soltou de nossas mãos e ficou balançando. Senti-me sufocar quando ele começou a cambalear como um bêbado, sempre em frente, mas oscilando de um lado para o outro, enfiando o cajado na areia fofa enquanto prosseguia. Nós seis ficamos ali parados, sem ação, observando-o se locomover.

— A gente não pode deixar que ele caia de novo — disse-me Kolemenos.

Não foi difícil pôr-me ao lado dele. Kolemenos tirou-lhe o cajado, e cada um de nós pegou um de seus braços, que passamos em volta dos ombros, e partimos. Makowski virou a cabeça uma vez para o lado do gigante e outra para o meu, e deu um esboço de sorriso. Ele mantinha as pernas se movendo, mas de forma cada vez mais fraca, de maneira que, ao final do dia, havia se tornado um peso vergado e insuportável preso ao nosso pescoço.

Makowski dormiu pacificamente naquela noite e pela manhã do décimo dia estava não só vivo, como parecia ter recuperado um pouco de suas forças. Ele partiu junto conosco, arrastando os pés mas sem ajuda. Deslocou-se por meia hora antes da primeira queda, mas a partir dali tombou repetidas vezes, até Kolemenos e eu o socorrermos. Quando chegou a hora de fazer o descanso do meio-dia, ele estava estirado sobre nossos ombros como um saco, e suas pernas haviam parado de se mover. *Mister* Smith e Paluchowicz ajudaram a tirar o peso dele de cima de nós e colocaram-no com cuidado deitado no chão. Depois, armamos o abrigo e nos agachamos à sua volta. Ele estava completamente imóvel e apenas seus olhos pareciam ter vida.

Depois de alguns momentos, Makowski fechou os olhos e achei que havia partido, mas ainda respirava calmamente. Depois, abriu-os de novo. As pálpebras desceram, e dessa vez ele estava morto. Não houve espasmo, tremor, nenhum sinal exterior que demonstrasse que a vida deixara o corpo. Como Kristina, não nos disse qualquer palavra no fim.

O dossiê de Sigmund Makowski, 37 anos, ex-capitão das forças de fronteira polonesas, Korpus Ochrony Pogranicza, estava terminado. Em algum lugar da Polônia, ele tinha uma esposa. Eu gostaria que ela soubesse que ele fora um homem corajoso. Nós o enterramos lá, no Gobi. A primeira cova que cavamos ficou muito pequena e tivemos de levantar o corpo para aumentar o buraco. Colocamos a sacola, sem comida havia tempos, que ele carregava consigo por mais de 3 mil quilômetros, sobre seu rosto e despejamos areia sobre o corpo. Kolemenos fez outra pequena cruz de madeira, dissemos nossas preces e o deixamos.

Eu fazia força para não perder a conta dos dias e também tentava me lembrar se já havia lido sobre quanto tempo o homem consegue se manter vivo sem comida e água. Minha cabeça doía por causa do calor. Muitas vezes o mais negro dos desesperos se instalava em mim, e eu tinha a impressão de que éramos seis homens condenados, dirigindo-se inevitavelmente para a destruição. A cada amanhecer sem esperança o pensamento retornava: quem será o próximo? Éramos seis simulacros secos de homem arrastando os pés. A areia parecia ficar mais funda, relutando cada vez mais em soltar nossos pés maltratados. Quando alguém tropeçava, fingia se pôr de pé rápido. Agora, examinávamos nossos tornozelos abertamente, em busca dos primeiros sinais de inchaço, o aviso da morte.

À sombra da morte, ficamos mais unidos que nunca; nenhum dos homens admitia se desesperar. Ninguém falava sobre medo. O único pensamento expresso a todo momento era que haveria água em breve. Toda a nossa esperança jazia nisso. Sobre cada cordilheira árida de areia quente eu imaginava um pequeno córrego, e depois de cada paisagem seca tinha sempre outra, para manter a esperança viva.

Dois dias após a morte de Makowski estávamos chegando ao limite de nossa resistência. Acho que era o12º depois do oásis. Caminhamos por apenas seis horas naquele dia. Deslocávamo-nos em duplas então. Não havia esforço para escolher o parceiro. O homem ao seu lado era um amigo, um dava o braço ao outro, os dois apoiavam-se mutuamente e se mantinham em movimento. A única forma de vida que víamos à nossa volta no deserto eram cobras que ficavam imóveis, a cabeça para fora e o corpo oculto em buracos profundos na areia. Eu me perguntava como viviam. Elas não demonstravam qualquer medo de nós, e, de nosso lado, não tínhamos nenhum desejo de molestá-las. Uma vez vimos um rato, mas em geral as cobras pareciam ter o deserto todo para elas.

Ao final daquele 12º dia eu seguia de braço dado com Zaro. *Mister* Smith e Paluchowicz se ajudavam mutuamente, e Kolemenos andava com Marchinkovas. No meio da noite, senti um desejo ardente de me pôr em movimento de novo. Eu sabia que se o milagre não ocorresse dentro das próximas 24 horas, não teríamos esperanças de sobreviver. Controlei-me até algumas horas antes do alvorecer. Marchinkovas, Zaro e o americano estavam despertos, então sacudi Kolemenos e Paluchowicz. Falei-lhes com a garganta seca e dolorida e levantei-me. Ninguém discutiu. Quando me coloquei em marcha, eles vieram comigo. Paluchowicz tropeçou um pouco no início, porque ainda não estava completamente desperto e suas pernas se encontravam rígidas, mas logo estávamos em pares de novo e nos distanciando rumo ao sul.

Naquelas horas que antecediam o amanhecer, era fácil imaginar que estávamos refazendo o percurso que já realizáramos antes, mas o primeiro raio do sol nascente revelou que estávamos no rumo certo. Oscilávamos de um lado para o outro enquanto caminhávamos aos pares, mas me pareceu que havíamos percorrido um número notável de torturantes quilômetros quando o calor nos forçou a parar e descansar. Dava muito trabalho erguer nosso vacilante dossel, mas o fazíamos porque isso era então um hábito de sobrevivência.

Suávamos por cerca de três horas em um desconforto latejante, a boca aberta, arfando no ar quente do deserto com a língua coberta de poeira e inchadas. Ajeitei o seixo viscoso em torno de minhas gengivas inchadas, a fim de gerar um fio de saliva que pudesse engolir. Encontrava-me em estado de desânimo total, experimentando os últimos resíduos de resistência e determinação. Foi obra do diabo termos conseguido nos colocar de pé novamente. Estávamos todos perigosamente fracos e próximos da morte.

Todas as minhas visões de água eram de maravilhosos e pequenos lagos córregos murmurantes. A água que nos salvou a vida foi a de um regato quase seco, a umidade misturada a lama no fundo de um leito com não mais que 2 metros de largura. Passamos pela última cordilheira e não a vimos, pois procurávamos por água, e aquilo não passava de um limo pegajoso que o deserto assassino relutava em nos revelar. Já estávamos quase sobre ela quando a avistamos. Caímos de cara, sugamos a lama e umedecemos as mãos nela. Durante alguns minutos agimos como homens insanos. Mastigávamos a lama em busca da umidade que continha e cuspíamos o resíduo arenoso.

Foi o americano quem teve a ideia certa. Tirou a sacola das costas e atirou um de seus cantos na lama. Esperou uns minutos, puxou-a e chupou o canto molhado. Seguimos seu exemplo. A quantidade de água obtida dessa forma era infinitesimal, se comparada à nossa sede avassaladora de 13 dias, mas já era alguma coisa e nos dava esperança. Começamos a conversar novamente, pela primeira vez em dias, a fim de trocar sugestões. Decidimos caminhar ao longo do curso d'água, movidos pela ideia de que, se havia umidade naquele ponto, em algum lugar devia existir água de verdade.

O regato se estreitou até se tornar uma mera rachadura no solo, e ali encontramos água, reunida em pequenas poças na lama. Fazendo as mãos de concha, conseguimos beber de fato, sentir de novo a água descendo por nossas gargantas secas. Nós a bebemos com areia, lama e tudo, em êxtase. Provavelmente foi bom que nos víssemos impedidos de tomá-la em quantidades grandes. Após cada gole, havia um período de espera de alguns minutos até que as mãos se enchessem de novo com água. Meus lábios ensanguentados, inchados e rachados queimavam quando a água os tocava. Eu a mantinha na boca antes de engoli-la, banhando assim a língua, as gengivas sensíveis e os dentes doloridos.

Durante algumas horas ficamos estendidos, exaustos, junto ao regato. Depois, bebemos mais um pouco. No final da tarde, Zaro tirou o mocassim e sentou com os pés mergulhados na lama fresca, sorrindo por entre os lábios partidos àquela bênção e nos chamando para nos juntarmos a ele. Sentamos todos em uma espécie de círculo. Depois daqueles dias de calor intermináveis, com os pés rachados e cheios de bolhas tendo de nos arrastar pela areia escaldante, aquela era uma forma maravilhosa de alívio. Após um tempo, senti a água escorrendo devagar para dentro dos buracos feitos por meus pés. O bálsamo daquela sensação parecia até diminuir a dor nos ossos. Vez por outra eu os retirava só para ter a alegria de mergulhá-los de novo na lama mole.

Sentados ali, desfrutando o único conforto que tínhamos desde o distante oásis, começamos a conversar, a encarar nosso ainda triste futuro e a planejar. O primeiro fato a ser considerado era que estávamos famintos e chegando ao fim de nossas forças. O segundo era que, apesar daquele filete de umidade enviado por Deus, ainda nos encontrávamos no deserto, e as perspectivas seriam as mesmas por muitos e muitos quilômetros à frente. A primeira conclusão a que chegamos foi que ficaríamos ali por uma noite e um dia. Naquela noite dormiríamos e pela manhã faríamos uma extensa exploração ao longo do regato, esperando encontrar água corrente em algum ponto. Onde houvesse água, raciocinávamos, devia haver vida, algo que pudéssemos comer.

Logo cedo na manhã seguinte deixamos nossas *fufaikas* formando uma pilha, dividimo-nos em dois trios e partimos em direções opostas ao longo do córrego. Kolemenos, o americano e eu, no mesmo grupo, andamos mais de 1 quilômetro para leste e nada encontramos. Em alguns momentos o curso d'água desaparecia por completo, como se tivesse se tornado subterrâneo. Quando o encontrávamos de novo, continuava a ser apenas uma trilha de umidade. Com relutância, concluímos que, se houvesse água corrente, devia estar em alguma fonte abaixo do solo e inacessível para nós. Duas cobras, de aparência incrivelmente saudável, foram o único sinal de vida que encontramos. Demos meia-volta e chegamos ao ponto de encontro. Esperamos durante algum tempo por Zaro, Marchinkovas e Paluchowicz — e já começávamos a alimentar esperanças de que sua demora em voltar pudesse significar boas notícias quando os vimos se aproximando. Zaro colocou a palma das mãos para baixo, indicando que a investigação não rendera frutos.

— Nenhuma sorte — disse Marchinkovas quando eles se aproximaram.

— Também não encontramos nada — disse-lhes.

Bebemos mais um pouco da água turva, marrom. Banhamos os pés de novo e observamos o sol se elevando no céu.

Kolemenos disse:

— Todo esse maldito deserto e só a gente e algumas cobras para aproveitar. Elas não podem nos comer e nós não podemos comê-las.

— Isso é uma meia verdade — falou *mister* Smith. — Não é novidade para o homem comer cobra.

Ouviu-se imediatamente um murmúrio de interesse.

Mister Smith coçou a barba grisalha, pensativo.

— Os índios americanos comem. Vi turistas na América interessados em experimentar. Eu mesmo nunca tentei. Imagino que seja uma natural repulsa humana contra os répteis.

Ficamos sentados em silêncio durante um tempo, pensando no que ele dissera.

O americano interrompeu nossos pensamentos:

— Sabem de uma coisa, senhores? Acho que as cobras são nossa única chance. Não existe nada que um homem morto de fome não coma.

A ideia fascinava e repelia ao mesmo tempo. Conversamos um pouco sobre aquilo, mas acho que todos sabiam que iríamos fazer a experiência. Não havia escolha.

— Precisamos de um galho bifurcado para pegá-las — disse Marchinkovas. — E não temos nenhum.

— Isso não é problema — eu disse a ele. — Vamos partir a ponta de alguns dos cajados e enfiar um seixo na rachadura.

Kolemenos se levantou:

— Vamos começar isso logo.

Decidimos usar os cajados de Zaro e Paluchowicz. Kolemenos os rachou com o machado. A madeira foi amarrada com tiras acima do corte e as pedrinhas, enfiadas ali. O resultado foram dois instrumentos aparentemente eficientes.

— Como é que a gente vai saber se a cobra é venenosa? Será que se pode comer as desse tipo? — perguntou Paluchowicz.

E ele estava ecoando uma dúvida que nos ia na cabeça.

— Não há com o que se preocupar — disse o americano. — O veneno fica guardado num saco atrás da cabeça, que quando é cortada, leva junto o veneno.

Além de ter de caçar nossa refeição, ainda havia outro problema: madeira para fazer uma fogueira e cozinhar. Viramos os sacos pelo avesso em busca dos acessórios para fogo que sempre carregávamos. Tudo empilhado, era mais do que havíamos imaginado. Do fundo de sua sacola, Zaro tirou três ou quatro pedaços de esterco animal seco e colocou-os solenemente sobre a pilha. Em outra ocasião teríamos rido, mas rir de lábios rachados era doloroso.

— Peguei no oásis — disse Zaro. — Achei que a gente poderia precisar para fazer fogo uma hora qualquer.

Lamentei que todos nós não tivéssemos feito o mesmo. Aquele estrume animal era um combustível excelente, que queimava devagar e produzia um bom calor. Houvera ocasiões, também, desde o oásis, em que esbarráramos com pequenos montes de fragmentos secos, depositados pelos ventos dançantes e giratórios que víramos soprando em espirais pelo deserto. No entanto, estivéramos muito concentrados em nosso deslocamento difícil para parar e juntar essas pequenas colheitas do vento. Dali em diante, a busca por combustível seria uma preocupação quase da mesma importância que a caça às cobras.

Smith e eu começamos a tarefa de preparar o fogo, enquanto os outros partiram com as varas bifurcadas. Cavamos a areia fina do alto até a camada de grãos mais grossos embaixo e chegamos ao leito de pequenas pedras no fundo. Estávamos procurando uma pedra fina e chata, sobre a qual cozinhar nossa cobra. Demoramos quase uma hora para encontrar uma. Por entre as dunas que nos cercavam, tínhamos vislumbres dos outros se esgueirando silenciosamente à volta, em busca de um réptil distraído. Do jeito que as coisas são nesta vida, eles passaram umas duas horas sem ver qualquer sinal de um só que fosse. Quando não dávamos a mínima por eles, parecia que os encontrávamos em toda parte.

A diminuta fogueira foi armada. Ao sol escaldante, a pedra chata já parecia quente o bastante para se cozinhar (tenho certeza de que daria para fritar um ovo com facilidade). Marchinkovas voltou de ombros caídos.

— As cobras devem ter ouvido que mudamos de opinião sobre elas — disse ele, com sarcasmo.

Ficamos os três sentados em volta da fogueira apagada, em silêncio por cerca de mais meia hora. De repente, ouviu-se um grito de Zaro. Não podíamos vê-lo, mas enxergamos Kolemenos e Paluchowicz correndo na direção do som. Levantamos e corremos também.

A cerca de 50 metros de distância, Zaro havia pegado uma cobra. Seu cajado estava fincado sobre o corpo que se retorcia alguns centímetros abaixo da cabeça, e ele suava com o esforço de mantê-la ali. Não podíamos avaliar o tamanho da criatura, porque apenas uns 15 centímetros estavam para fora do buraco na areia onde estivera escondida, e a força da parte oculta estava empurrando aos poucos a forquilha em sua direção. Estávamos cansados, fracos, lentos e desajeitados, mas corríamos em volta, ficando no caminho uns dos outros no esforço de auxiliar Zaro. Então, Paluchowicz enfiou seu cajado alguns centímetros atrás do primeiro. Puxei da cintura uma tira, passei um laço pela cobra e a levantei. Mas ela estava muito mais para dentro que para fora do buraco. Era uma situação de empate.

Kolemenos decidiu o resultado. A lâmina brilhante de seu machado desceu e separou a cabeça e o corpo da cobra. O corpo ainda a se retorcer foi puxado para a luz do sol. A coisa tinha quase 1,2 metro. Era da grossura do pulso de um homem, preta em cima e com a barriga cor de creme, que ficava mais clara na altura da garganta.

Zaro fez uma pose:

— Aí está o jantar de vocês, rapazes.

A coisa ainda se retorcia enquanto a carregávamos para o fogo. Nós a colocamos sobre minha sacola e, de acordo com as orientações do americano, comecei a lhe tirar a pele. O início da operação foi um pouco complicado. Smith dizia que o couro podia ser arrancado inteiro, mas eu não conseguia encontrar um ponto no pescoço. Por fim, cortei a pele alguns centímetros abaixo e, com dificuldade, comecei a separar a cobra do couro. Eu nunca tinha visto uma delas despida antes. A carne a princípio era esbranquiçada, mas no sol se tornava um pouco mais escura, enquanto esperávamos que o fogo esquentasse a pedra chata até a temperatura certa. Cortamos o corpo no sentido do comprimento e a limpamos.

Ainda havia um pequeno reflexo vital quando dobramos a carne na pedra sobre o fogo. Ela chiava de modo apetitoso. A gordura escorria e fazia o fogo crepitar. Suávamos sentados em volta do fogo. Não conseguíamos tirar os olhos da cobra. Com nossos cajados, levantamos a pedra, viramos a carne e colocamos de volta para o estágio final do processo de grelhar. Quando achamos que estava pronta para ser comida, nós a levantamos, com pedra e tudo, e pusemos na areia, a fim de esfriar um pouco.

Finalmente, coloquei-a sobre minha sacola, a 1 metro ou 2 de distância do fogo que morria. Agachamo-nos em volta, mas ninguém parecia com pressa de começar a cortar. Olhamos uns para os outros. Kolemenos falou:

— Estou louco de fome.

Ele se esticou para a frente, e o imitamos todos ao mesmo tempo. Paluchowicz, o homem sem dentes, estendeu-me a mão pedindo a faca. Comemos. Não demorou muito para que a cobra ficasse reduzida ao esqueleto. A carne era compacta e substancial. Eu achara que o gosto seria forte, até repulsivo. Na verdade, porém, era suave, quase sem sabor e não tinha cheiro. Lembrava vagamente peixe cozido sem tempero.

— Eu devia ter pensado nas cobras antes — disse *mister* Smith.

Bebemos mais um pouco de água enlameada. Observamos o sol descer do zênite. Sabíamos que em breve teríamos de nos pôr novamente em movimento e relutávamos em ir, abandonando aquele fio precioso de umidade e nos lançando à região escaldante e desconhecida que jazia à frente. Deitado ali, com meu estômago roncando como se estivesse contente com a refeição bárbara, senti desejo de fumar. Ainda tínhamos jornal, mas o tabaco se fora havia muito.

Ninguém queria entrar no assunto de quando devíamos partir, então falamos sobre outras coisas. Pela primeira vez trocamos ideias livremente sobre Kristina e Makowski. Por que a morte os havia alcançado e deixado o restante de nós ainda com forças para prosseguir? Essa pergunta não tinha resposta, mas ficamos pensando sobre isso. Falávamos deles com tristeza e afeição. Era, imagino, um ato de recordação pelos dois amigos ausentes e tirou de nós um pouco do peso de sua grande perda.

Vi-me olhando para os cinco, estudando-os, tentando avaliar nossas chances. Éramos todos homens doentes. Kolemenos estava sem os mocassins, e eu podia ver em seus pés as partes em carne viva, inflamadas, em que bolhas haviam se formado sobre outras, já estouradas, e sabia que ele não se encontrava pior, a esse respeito, que nenhum de nós. Tínhamos o rosto tão desfigurado que até parentes muito próximos teriam dificuldade em nos reconhecer. Os lábios de todos estavam grotescamente inchados e com rachaduras profundas, as faces, chupadas. As sobrancelhas se sobrepunham a olhos de contornos avermelhados, que pareciam ter saído das órbitas. Sofríamos de escorbuto em estado avançado. Apenas o desdentado Paluchowicz escapou do desconforto de sentir os dentes moles nas gengivas feridas. Kolemenos arrancara dois dentes de Marchinkovas que lhe doíam, usando o polegar e o indicador — e no futuro ainda praticaria sua odontologia primitiva várias vezes em outros do grupo.

Piolhos, escorbuto e sol haviam causado desastres em nossa pele. Os primeiros haviam se multiplicado com a proliferação peculiar à espécie e fervilhavam em nós. Alimentavam-se e cresciam até um tamanho obscenamente grande. Coçávamos o corpo, irritado de modo intolerável, até rasgar a pele, e depois as roupas encharcadas de suor e as unhas, enormes e sujas, faziam com que os pequenos cortes se inflamassem. Essa aflição causada pela sujeira, embora superficial, era fonte constante de depressão e infelicidade. Eu matava os piolhos, quando os pegava, com alegria selvagem. Eles eram, de forma proeminente, o símbolo da nossa degradação de fugitivos.

No final, ninguém tomou a iniciativa a respeito de nossa partida. Houve um momento em que Kolemenos e Zaro se puseram de pé ao mesmo tempo. Todos levantaram, então. Ajeitamos os aros de metal em torno do pescoço e pegamos as sacolas. Na minha, ia a pedra chata para cozinhar. O americano guardou com cuidado a pequena pilha de combustível. Fazendo caretas, Kolemenos calçou os mocassins. Bebemos um pouco mais de água e, ao cair da tarde, partimos.

Andamos muitos quilômetros naquele dia, até a luz acabar e as estrelas surgirem em um céu púrpura. Dormimos enrolados, próximos uns dos outros, e estávamos despertos antes do amanhecer.

Meia hora depois, Paluchowicz parou, gemendo e segurando a barriga, o corpo curvado. Em uma hora, todos estávamos sentindo cólicas muito violentas. Tivemos ataques de diarreia de uma intensidade que nos deixou enfraquecidos, gemendo de dor. Com as paradas frequentes, não tínhamos conseguido percorrer mais que 8 quilômetros ao final da tarde, quando os acessos começaram a diminuir.

O que havia causado aquilo: a carne de cobra ou a água?, perguntamo-nos uns aos outros.

Mister Smith disse:

— Pode muito bem ter sido a água suja mas acredito que tenha sido nosso estômago vazio reagindo à quantidade de água e comida que ingerimos.

— Tem um jeito bom de se saber — disse Kolemenos. — Vamos comer outra cobra. Eu continuo com fome.

Marchinkovas encolheu os ombros:

— Ou é cobra ou é nada.

Paluchowicz gemeu com outro espasmo de dor de estômago.

— Que Deus nos ajude! — disse ele, fervorosamente.

18

A última parte do Gobi

SEM SOMBRA DE dúvida as cobras do Gobi nos salvaram da morte. Pegamos duas num intervalo de minutos no dia seguinte. Uma delas era como a cobra normal europeia encontrada nos pastos; a outra possuía um couro brilhante, cinza-prateado, marcado nas costas com uma larga listra vermelha, flanqueada bem de perto por duas linhas finas da mesma cor. Tirando proveito da experiência de minha dificuldade em arrancar a pele do primeiro espécime, matamos essas duas a cacetadas, e Zaro segurou suas cabeças com a forquilha do cajado enquanto eu tirava o couro.

Não gostamos dessas duas cobras coloridas tanto quanto da primeira. Elas tinham um corpo mais fino e achamos que o gosto não era tão bom. Acho que as cores afetaram nossa capacidade de julgamento. A preta, grande, não era muito diferente de uma enguia tanto na aparência quanto na textura da carne. A partir daí, procurávamos por essa espécie em particular e nos considerávamos com sorte quando encontrávamos uma.

Usávamos a gordura clara que escorria sobre o calor do fogo, como bálsamo para os lábios, olhos e pés, e seu efeito calmante perdurava por horas.

Dois dias depois de deixarmos o córrego, tivemos visitas. Primeiro, meia dúzia de abutres que voaram calmamente sobre nossas cabeças. Permaneceram conosco a manhã toda e depois partiram sem pressa, enquanto construíamos nosso abrigo do meio-dia. Estávamos ainda nos perguntando o que teria precipitado sua partida quando duas sombras grandes deslizaram sobre a areia. Olhamos para cima e vimos, a menos de 6 metros de altura, um par de magníficas águias de pescoço longo, a plumagem negra contra o sol. Elas passaram sobre nós algumas vezes e depois pousaram no alto de um pequeno morro de areia a cerca de 20 metros, olhando para nós. A envergadura das asas, exibida quando as aves se aproximaram do solo para aterrissar, era enorme.

— O que vocês acham que elas querem? — perguntou alguém.

O americano pensou.

— Eu acho que é bastante óbvio que elas viram os abutres e vieram investigar as perspectivas de alimento.

Zaro disse:

— Me comer é que elas não vão!

— Não se preocupe — tranquilizei-o. — Elas não vão atacar a gente.

Ele ficou de pé e gritou em direção aos dois pássaros grandes. Fez menção de arremeter. O par observou seus atos com desdém. Zaro cavou a areia e pegou umas pedrinhas. Mirou com cuidado e atirou. O projétil levantou um pouco de areia ao cair a cerca de 1 metro das águias. Uma delas não se moveu e a outra deu um pulinho desajeitado. Ele atirou a segunda pedra, que foi parar longe do alvo, e os pássaros permaneceram imóveis. Elas levantaram voo quando tiveram vontade e nos seguiram por cerca de uma hora, bem alto no céu, depois se dirigiram para o sul e desapareceram.

— As águias vivem nas montanhas — disse o americano. — Talvez a gente esteja chegando ao fim do deserto.

Nós só conseguíamos ver um longo caminho à frente e não havia nenhuma montanha.

— Elas conseguem voar distâncias muito grandes — disse eu.

Durante três ou quatro dias, fomos atormentados por dores de estômago e pela diarreia que as acompanhava; depois, quando começamos a querer água de novo, o problema estomacal passou. Enquanto marchávamos, havia dias em que não vislumbrávamos uma cobra sequer. Em outros, pegávamos um par tomando sol em uma busca matinal. Nós as comíamos assim que as encontrávamos. Houve um dia memorável, em que em meia hora pegamos duas do tipo que chamávamos de pretas grandes. O tempo se arrastava. Fomos inspecionados mais uma vez pelos abutres e pelas águias. Então conseguimos marcar um par de estrelas brilhantes como guia e às vezes caminhávamos até bem depois do escurecer. Começamos a ter de novo sonhos desejando água.

Perdi a conta dos dias novamente. Meu sono interrompido era invadido por visões de répteis tão aferrados à vida que, embora lhes batesse freneticamente com o porrete, eles ainda sibilavam e rastejavam em direção a mim. Todos os meus medos explodiam em sonhos. O pior de todos era a cena em que eu cambaleava sozinho, gritando pelos outros e sabendo que jamais os veria de novo. Eu acordava tremendo na manhã fria e ficava feliz ao ver Smith, Kolemenos, Zaro, Marchinkovas e Paluchowicz perto de mim.

Quase imperceptivelmente o terreno vinha se transformando. A areia amarela estava adquirindo um tom mais escuro, os grãos estavam ficando mais grosseiros, as dunas de topo plano, mais altas. O sol ainda queimava os caminhos através de um céu azul e sem nuvens, mas agora havia dias em que uma brisa suave soprava do sul, trazendo uma insinuação de frescura em sua carícia. As noites eram realmente frias, e eu tinha a impressão de que dia a dia estávamos saindo do grande caldeirão de calor.

Talvez tenha sido uma semana ou oito dias depois de deixar o córrego que despertamos e descobrimos, em um crescendo de excitação e esperança, um horizonte novo. O dia estava muito claro. Para o leste, distante talvez uns 80 quilômetros e envolta em uma névoa azulada feito fumaça de tabaco, erguia-se uma cadeia de montanhas. Diretamente à frente viam-se também algumas eminências, mas eram meras elevações comparadas com os picos a leste. Éramos tão desinformados sobre a geografia da Ásia Central que especulamos sobre a possibilidade de que aquela barreira elevada pudesse ser o Himalaia, de que o tivéssemos flanqueado pelo oeste e até de que nos encontrássemos então na fronteira da Índia. Em breve, ficaríamos sabendo que toda a considerável extensão norte-sul do Tibete, altamente escarpada e montanhosa, jazia entre nós e o Himalaia.

Arrastamo-nos por mais dois dias exaustivos e sacrificantes até alcançarmos terreno firme, uma imensidão de rochas ligeiramente arenosas. Chegamos lá no limite de nossas forças e olhamos para trás, para nossas pegadas sobre a areia. Não havia marcas de pés definidas, apenas um rastro como o que o esqui deixa na neve. Desprovida de vida e nua, a cordilheira rochosa se erguia suavemente sobre nós a distância. Na minha cabeça, pairava o pensamento único de que, no topo, poderia haver água. Descansamos por umas duas horas antes de iniciarmos a marcha para cima. Tiramos os mocassins e os sacudimos para tirar a areia. Limpamos a poeira fina que havia se acumulado entre nossos dedos e então começamos a escalar nosso caminho para fora do Gobi.

Além da cordilheira havia mais desolação. Ao cair da tarde havíamos parado em um vale juncado de pedras. Poderíamos ter nos deslocado mais, mas Marchinkovas caiu e bateu com o joelho. De manhã, ele nos mostrou uma contusão grande e se queixou de uma certa rigidez, mas conseguia andar. A dor ia passando à medida que exercitava a perna, e ele não sentiu mais nada em decorrência da batida. Subimos de novo. Não conversávamos, pois nenhum de nós podia desperdiçar fôlego, e mexer com os lábios era uma agonia. Escalávamos em meio a uma fina neblina do amanhecer e só alcançamos esse primeiro cume depois de algumas horas. Do alto tínhamos novamente a vista da grande cadeia a leste, parecendo ainda mais formidável que da primeira vez que a havíamos avistado. À frente parecia haver uma sucessão ininterrupta de cordilheiras menores que ondulavam a região até onde a vista alcançava. Abaixo de nós o terreno do vale parecia ser coberto de areia, e decidimos descer antes do pôr do sol, a fim de procurar cobras.

Foi por mero acidente que não passamos direto pela água em nosso caminho. Todos já a havíamos ultrapassado quando Zaro deu meia-volta e gritou essa palavra maravilhosa. Não era nada mais que um fio saindo da fenda de uma pedra, mas brilhava como prata. Descia pela curva de uma grande rocha arredondada e se espalhava, muito tênue, sobre uma pedra achatada, abaixo. Kolemenos e eu já havíamos descido o declive cerca de 20 metros à frente de Zaro quando seu grito nos fez parar. Demos meia-volta rápido e subimos de novo. Descobrimos que a pequena nascente era uma fenda com largura apenas para se pôr os dedos da mão. A água vinha espumante, limpa e gelada. Canalizamos seu esquálido fluxo para um ponto onde pudéssemos levá-la para dentro de nossa alquebrada e muito viajada caneca de metal e nos sentamos, impacientes, para esperar que enchesse. A operação levou uns dez minutos.

Eu disse a Zaro:

— Você já tinha passado por esse ponto. O que o levou a dar meia-volta e descobrir?

Ele respondeu muito seriamente:

— Acho que devo ter farejado. Foi um impulso muito forte que me fez virar a cabeça.

A água gotejou musicalmente na caneca de metal até enchê-la. Zaro levantou-a com muito cuidado e notei que sua mão tremia ligeiramente, de forma que o líquido derramou um pouco. Ele encarou Smith e, com uma mesura, imitando a etiqueta mongol de se servir os mais velhos primeiro, entregou-lhe a água. A caneca foi passada de mão, em mão, e cada homem tomou um gole. Nem o néctar dos deuses poderia ter sabor tão maravilhoso. Um sem-número de vezes enchemos e bebemos. Depois, deixamos a caneca cheia, transbordante, sob a fonte salvadora, de maneira que cada um pudesse beber toda vez que sentisse vontade.

Isso foi por volta do meio-dia. Concordamos prontamente em ficar perto da fonte por mais 24 horas, mas ali em cima não existia vida — e nos sentíamos muito famintos. Ofereci-me para descer até o vale arenoso e caçar uma cobra; Zaro disse que me acompanharia. Pegamos os dois cajados bifurcados e partimos, virando-nos a intervalos, para olhar para trás e memorizar a posição do grupo acocorado em torno da nascente.

A descida nos tomou mais de uma hora, e o calor subia em ondas do solo arenoso e salpicado de pedras do vale. Nossas esperanças aumentaram de imediato ao vermos uma cobra, de cerca de um metro de comprimento, afastar-se à nossa aproximação e desaparecer sob uma pedra, mas depois disso vasculhamos o terreno até o meio da tarde sem ver qualquer ser vivo. Então nos separamos e fomos por caminhos opostos. Eu já tinha quase decidido que era hora de desistir da busca quando ouvi Zaro soltar um grito de triunfo. Corri até ele e o encontrei prendendo uma "preta grande", que se agitava desesperada, esforçando-se para se soltar. Inverti meu cajado e bati nela até matá-la. Coloquei os braços em torno dos ombros do iugoslavo e o parabenizei. Ele era nosso caçador de cobras número um.

Zaro pôs sua presa como um troféu em torno do pescoço enquanto escalávamos de volta o morro. Estávamos banhados de suor e exaustos quando chegamos à nascente, e Kolemenos assumiu minha tarefa habitual de tirar a pele e preparar a cobra para o fogo. Paluchowicz armara uma pequena fogueira com os poucos gravetos que haviam sobrado, sobre a qual se colocou o último pedaço de esterco de camelo que Zaro coletara no oásis. Não houve calor suficiente para cozinhar completamente a carne, mas encontrávamo-nos famintos demais para melindres. Comemos e bebemos enquanto o sol descia. Apenas Kolemenos dormiu bem àquela noite; para o restante de nós, estava frio demais para nos sentirmos confortáveis.

Na manhã seguinte pusemo-nos a caminho de novo. Dessa vez não houve dores de estômago, o que nos levou a crer que devíamos pelo menos um pouco dos problemas anteriores ao córrego lamacento. Descemos a longa encosta, cruzamos o vale quente e subimos o morro à nossa frente — um total de pelo menos 25 quilômetros. Do alto da cordilheira tentamos nos localizar de novo. Diretamente à frente viam-se uns picos formidáveis. Resolvemos então estabelecer nossa rota sobre terreno mais fácil, cerca de 10 graus a leste da linha que ia para o sul. Ao anoitecer, ficamos animados com a descoberta da primeira vegetação que víamos desde o oásis. Era um capim rústico e pontudo, que se agarrava com tenacidade às raízes secas nas fissuras entre as pedras. Arrancamos um chumaço, passamos de mão em mão e o examinamos com atenção, como homens que nunca tivessem visto grama.

A jornada cansativa continuava dia após dia. Nossa dieta ainda se resumia a uma cobra ocasional — no total, as cobras foram nosso único alimento durante três semanas, a contar de nossa primeira experiência no deserto. As noites caíam trazendo um frio que depositava uma geada branca sobre as pedras dos morros mais altos. Em vão, procurávamos por sinais de vida animal, mas só havia pássaros: vez por outra um casal de falcões ou algumas pegas barulhentas nos sobrevoavam, além de nossos velhos conhecidos, os abutres. O capim fibroso das montanhas crescia mais abundantemente com o passar dos dias, e sua cor ia ficando mais verde. Depois a região nos presenteou com arbustos baixos e árvores anãs solitárias, combustível ideal para as fogueiras que começamos a acender todas as noites. O fantasma da sede desaparecia à medida que íamos encontrando regatos de águas claras pelo caminho. Era raro então que passássemos mais de um dia sem água.

Houve uma vez que subimos até o topo de uma longa elevação e vimos, sem acreditar, muito abaixo de nós, um vale amplo que ostentava o verde viçoso das pastagens. Mais excitante ainda foi a visão de um rebanho de cerca de cem ovelhas movendo-se como manchas a cerca de 8 quilômetros ou mais de nós, lá embaixo. Descemos rápido, tropeçando e escorregando em nossa pressa de chegar. Quando chegamos mais perto, ouvimos os carneiros balindo. Faltavam cerca de 500 metros para alcançar o rebanho quando vimos dois cachorros tipo *collie*, de pelo comprido malhado de branco. Eles correram para cercar as ovelhas, posicionando-se entre nós e elas.

Zaro gritou para eles:

— Não se preocupem, não vamos machucá-las. Onde está seu dono?

Os cães olharam desconfiados para ele.

Kolemenos resmungou:

— Eu só preciso chegar perto o bastante de uma ovelha para pôr meu machado em ação...

— Não se impaciente, Anastazi — disse-lhe eu. — É óbvio que o pastor mandou os cachorros para cá para nos interceptar. Vamos nos afastar do rebanho e ver se eles nos levam até o dono.

Tomamos outra direção. Os cães nos observaram de perto durante alguns minutos. Depois, aparentemente satisfeitos por terem nos afastado do rebanho, correram juntos, em grande velocidade, em direção à encosta oposta do vale. Meus olhos seguiram o percurso da corrida que se estendia diante deles, então gritei e apontei. A uns 1.500 metros ou mais erguia-se uma fina coluna de fumaça.

— Uma fogueira ao meio-dia só pode ser alguém cozinhando — disse Marchinkovas com esperança.

A fogueira ardia ao abrigo de uma projeção rochosa, contra a qual fora construída uma coberta para um homem só, feita de pedras colocadas umas sobre as outras como um marco antigo. Sentado ali, vimos um velho e os dois cachorros, de língua de fora, ao seu lado. Enquanto nos aproximávamos, ele falou com os cães, que se levantaram e atravessaram o vale, correndo, de volta para perto do rebanho. Fervendo sobre o fogo, estava um caldeirão negro, de ferro. O americano tomou a frente e se aproximou, fazendo um cumprimento com a cabeça. O velho se levantou sorrindo e retribuiu a mesura. Depois, continuou se inclinando para cada um de nós.

Ele tinha a barba branca. As maçãs salientes de seu rosto largo e quadrado revelavam uma pele que se havia desbotado até ficar cor de pau-rosa. Ele usava uma touca grossa de couro de cabra com as abas viradas para cima, como a dos mongóis que encontráramos no norte. As botas de feltro eram bem-feitas e tinham solas de couro reforçadas. O casaco de pele de carneiro, de comprimento três quartos e desabotoado, estava preso ao corpo por uma cinta de lã trançada, e as calças eram muito acolchoadas, provavelmente com lã de carneiro. Ele apoiava seu peso contra um bastão de madeira de 1,5 metro, cuja extremidade inferior trazia uma ponta de ferro e a superior terminava em uma forquilha em forma de "V" achatado, formada pela bifurcação original do galho. Numa bainha de couro, ele carregava uma faca com cabo de osso, que percebi mais tarde ser de dois gumes, de bom acabamento. Para nos saudar, o velho se levantou de um tapete de couro cru de carneiro. Não havia dúvidas acerca de sua afabilidade e do prazer pela chegada de visitantes inesperados.

Ele falou ansioso e levou um minuto ou dois até perceber que não compreendíamos uma palavra. Falei em russo, e o velho me olhou sem qualquer expressão. Foi uma grande infelicidade, pois ele devia estar impaciente para conversar e trocar novidades. Acho que tentou dizer que nos tinha visto de muito longe e preparara comida para nossa chegada. Ele fez sinal para que nos sentássemos próximo do fogo e voltou a mexer a panela. Olhei para o abrigo de pedra e vi que só tinha lugar para um homem dormir. Sobre o chão, havia uma esteira feita de fibras.

Enquanto mexia com a grande colher de pau, ele fez outra tentativa de conversar. Falou devagar, mas foi inútil. Por um momento, ficamos em silêncio. *Mister* Smith limpou a gargan ta e fez um gesto com o braço em torno do grupo:

— Nós — disse ele vagarosamente em russo — vamos para Lhasa.

Os olhos do pastor se abriram, compreendendo.

— Lhasa, Lhasa — repetiu Smith, apontando para o sul.

De dentro do casaco, o velho tirou uma roda de orações, que parecia lhe acompanhar havia muitos anos. Os sinais religiosos estavam pintados sobre um pergaminho cujas bordas se encontravam gastas pelo uso. Ele apontou para o sol e fez círculos, muitos círculos, com o braço estendido.

— Ele está tentando nos dizer quantos dias vamos levar para chegar a Lhasa — disse eu.

— O braço dele está girando que nem pá de moinho — observou Zaro. — Deve ser uma distância dos diabos daqui até lá.

Inclinamo-nos em sinal de reconhecimento pela informação. Do bolso, ele sacou um pacote de sal — de boa qualidade e quase branco — e nos convidou a olhar dentro do caldeirão, enquanto despejava umas pitadas. Juntamo-nos em volta da panela e vimos uma sopa grossa acinzentada borbulhando. O velho mexeu de novo, tirou uma colherada, soprou, estalou os lábios, provou e, por fim, pôs a língua para fora e passou-a pela boca. Riu para nós como um garoto de escola satisfeito, e seu bom humor foi tão contagiante que nos surpreendemos gargalhando alto, de puro prazer, pela primeira vez em meses.

O movimento seguinte do velho teve um ar quase ritualístico. Ele foi até o abrigo, voltou com um objeto envolto em um saco de linho, olhou para nós, os olhos brilhando, e não pude evitar de pensar em um mágico criando suspense para o truque que iria maravilhar o público. Acho que todos nós parecíamos devidamente impressionados quando ele abriu o saco e enfiou a mão dentro. À luz do sol, o velho exibiu uma tigela de madeira, com cerca de 12 centímetros de diâmetro e 7 de profundidade, lindamente torneada, brilhante pelo asseio e uso, de bela cor castanha. Ele soprou-a, esfregou-a com a manga e passou-a de mão em mão. Tratava-se realmente de algo de que um homem podia se orgulhar — um trabalho de artista. Nós a devolvemos com murmúrios de apreciação.

Ele colocou algumas conchas da sopa dentro da tigela, e em seguida a pousou sobre o tapete de pele. Depois desapareceu dentro do abrigo e voltou trazendo uma jarra de cerâmica não esmaltada, marrom-escura e de gargalo alto. Tinha capacidade para um galão de leite de ovelha, do qual ele despejou um pouco sobre a sopa, na tigela. O velho não tentou adivinhar que idade tínhamos e passou a vasilha, juntamente com uma colher, para Zaro, que estava sentado mais perto dele. O iugoslavo tomou uma colherada, estalou os lábios e fez menção de passar a tigela, mas o pastor o segurou com gentileza pelo braço, indicando que ele deveria terminar a porção.

Zaro se desincumbiu rápido da tarefa, demonstrando grande prazer.

— Meu Deus, isto está maravilhoso — exclamou ele.

O próximo fui eu. O ingrediente principal parecia ser cevada, mas misturada a algum tipo de gordura. O leite saboroso e fresco esfriara um pouco a sopa, e eu a devorei como um lobo. Senti seu calor suave alcançando meu maltratado estômago, arrotei alto, estalei os lábios e devolvi a tigela.

Ele serviu cada um de nós individualmente antes de comer. Ao que sobrou no caldeirão, ele acrescentou mais leite e começou a mexer de novo, fazendo uma quantidade extra para poder nos servir outra porção.

O velho tirou o caldeirão do fogo para esfriar, segurando-o com certa dificuldade porque não tinha alça, embora eu tivesse notado que havia os dois orifícios habituais perto da borda. Para nossa indizível alegria, ele tirou um pouco de tabaco de uma bolsa de couro e nos deu o bastante para dois ou três cigarros. Depois vieram os pedaços de jornal guardados. Acendemos os cigarros com pedaços de brasa refulgente do fogo. Sentíamo-nos felizes naquele momento e transbordantes de gratidão por nosso sumamente generoso anfitrião. E ele, que Deus o abençoe, ficou ali sentado, de pernas cruzadas, desfrutando nossos sorrisos.

Após cerca de meia hora, recusando nossas ofertas de ajuda, ele foi lavar o caldeirão e a preciosa tigela em uma nascente próxima. Voltou, pôs mais lenha no fogo e nos fez chá ao estilo tibetano, e dessa vez chegamos a aprovar ligeiramente o sabor da manteiga rançosa que pairava em glóbulos sobre a superfície.

Senti que queria fazer algo pelo velho, então disse a Kolemenos:

— Vamos fazer uma alça para o caldeirão dele com um dos aros de metal.

Todos acharam que era uma ideia excelente. Levamos apenas cerca de trinta minutos para cortar um pedaço adequado, modelar e prender. Nosso anfitrião ficou encantado.

Tentamos pensar em algum outro serviço que pudéssemos lhe prestar. Alguém sugeriu que fôssemos buscar lenha para o fogo. Ausentamo-nos por uma hora e voltamos com uma pilha de materiais, inclusive uma árvore pequena inteira, que Kolemenos derrubou com o machado. O pastor esperara por nosso retorno. Quando chegamos, ele estava terminando de afiar a faca sobre um pedaço de pedra lisa. Os dois cachorros estavam ao seu lado. Ele nos fez sentar e, com os cães a segui-lo, afastou-se.

Em breve estava de volta, arrastando pelos cifres um carneiro jovem, enquanto os cachorros o cercavam em excitação muda. Em cerca de cinco minutos o animal estava morto e aberto com absoluta maestria. Ele não quis que o ajudássemos na tarefa. Esfolou e desentranhou a carcaça com uma velocidade que fazia com que minhas habilidades nessa área parecessem desajeitadas e por fim esquartejou-a. Depois esfregou sal em um quarto dianteiro e outro traseiro, que foram pendurados dentro da coberta de pedra. A cabeça e outras sobras, ele atirou aos cães.

Metade do carneiro foi assado em espetos de madeira sobre o fogo brilhante naquela noite, e comemos de novo até a saciedade. Fizemos sinais de que gostaríamos de passar a noite ali, e ele pareceu muito contente com a ideia. Nós seis dormimos em volta do fogo, enquanto o pastor ocupava seu casebre.

Na manhã seguinte ele apareceu, não se sabe de onde, com uma pilha de bolos de cevada — três para cada um. Bebemos mais chá e, para nossa surpresa, porque pensávamos que os limites da hospitalidade já deviam ter sido ultrapassados, o resto do carneiro foi assado e repartido, e um pouco mais de tabaco foi distribuído.

Nós o deixamos no início da tarde, depois de repor primeiro seu estoque de lenha. Não sabíamos como agradecer por sua generosidade inestimável. Batemos suavemente em suas costas e sorrimos para o velho. Acho que conseguimos transmitir que ele fizera meia dúzia de amigos muito gratos.

Por fim, distanciamo-nos alguns metros dele e nos inclinamos bem baixo, mantendo os olhos, de acordo com o costume, fixos em seu rosto. Demos meia-volta e nos afastamos. Quando me virei, o velho estava sentado de costas para nós, com os cachorros ao seu lado. Ele não se voltou.

19

Seis entram no Tibete

ACHO PROVÁVEL QUE quando encontramos o velho e suas ovelhas, ainda não tivéssemos entrado no Tibete, mas saído do deserto para as terras altas no gargalo estreito da província chinesa de Kansu, que se estende ao longo da fronteira noroeste tibetana. A época era o começo de outubro de 1941, e levaríamos mais de três meses para percorrer cerca de 2.500 quilômetros de terreno cansativo até o Himalaia. Tentávamos percorrer sempre pelo menos 30 quilômetros por dia. Às vezes fazíamos mais. Havia dias, também, em que não nos deslocávamos, contentes pelo descanso e pelos agrados oferecidos por aldeões tibetanos amigáveis. A tradição de hospitalidade aos viajantes era uma parte natural e maravilhosa da vida daquelas pessoas. Sua generosidade era liberal e não esperava recompensas. Sem a ajuda deles, não teríamos conseguido seguir adiante.

Parecia-me que nossa resistência ao frio, cada vez mais intenso durante a noite, era visivelmente mais fraca do que quando fugimos, no final do inverno siberiano. A provação do Gobi deixara suas marcas em todos nós. Surpreendíamo-nos continuando a andar com dificuldade após o limite razoável de um dia de marcha ter sido alcançado, a fim de encontrar um lugar que oferecesse um bom abrigo para a noite. Por outro lado, às vezes abreviávamos o percurso programado ao descobrir uma pequena caverna ou um outro local bem protegido. Buscar lenha se transformou quase numa obsessão, e passar a noite inteira sem uma fogueira acesa se tornou algo impensável.

Pela manhã, uma camada branca e grossa de geada cobria o chão e permanecia durante um bom tempo, mesmo após o sol ter se erguido. No horizonte, a leste, via-se a silhueta de picos tingidos de neve. Como sempre, perguntávamo-nos onde exatamente estávamos.

Passamos pelo primeiro vilarejo uns cinco dias depois de deixar o pastor. Vínhamos nos deslocando mais ou menos durante uma hora após o amanhecer quando vi, à esquerda do caminho e a cerca de 15 quilômetros de distância, uma mancha de fumaça. Estávamos com fome, tensos e não muito aquecidos. Decidimos investigar. Descemos um morro cujo topo era coberto de arbustos e as encostas forradas de uma grama de boa qualidade, ideal para ovelhas. Quando chegamos mais perto, vimos que a fumaça vinha de vários fogos e percebemos que estávamos nos aproximando de algum tipo de vilarejo, oculto pelo braço arredondado do morro à nossa frente.

Já passava do meio-dia quando chegamos ao povoado. O morro apresentava um contraforte verdejante, como um braço comprido, e dez pequenas casas em formato de caixa se aninhavam ali feito um bebê no colo da mãe. Cada uma delas media cerca de 6 por 6 metros, tinha o telhado plano, com tábuas largas de madeira projetando-se para fora, presas por pedras. Esses telhados se inclinavam ligeiramente no sentido da projeção. Algumas das habitações exibiam uma espécie de cercado nos fundos, que continha um casebre de uns poucos metros quadrados. As encostas em torno se encontravam pontilhadas por dezenas de ovelhas de pelos longos, umas marrons outras acinzentadas. Chegamos devagar, por uma trilha que seguia de leste para oeste, e parando com frequência a fim de olhar em torno, de forma que os aldeões ficassem amplamente advertidos de nossa visita. Não sabíamos então que recepção esperar.

Uma visão mais de perto do povoado revelou a presença de muitas crianças, algumas galinhas, cabras e dos primeiros iaques que víamos fora de um zoológico. Em um passo lento, divididos em duplas, chegamos perto da primeira casa e paramos, interessados no espetáculo inédito de um homem atrelando um iaque a uma carroça alta de duas rodas. Ele nos vira, mas se encontrava ocupado demais com a tarefa para esboçar alguma reação. Meia dúzia de crianças tímidas mas claramente curiosas, a mais velha com cerca de 12 anos, posicionaram-se em torno da carroça e nos fitavam. O iaque, com seu longo pelo sedoso esvoaçando na brisa que soprava pelo vale, estava indócil e fazendo o possível para não ser atrelado à carroça. Possivelmente, ele nos farejara e não estava gostando daquela evidência produzida por seu olfato — não o culpo por nutrir qualquer opinião desfavorável com base no cheiro que emanávamos!

De súbito o aldeão decidiu desistir da contenda. Pôs o arreio no chão e deixou o animal livre. Permanecíamos a distância quando ele se virou para nós. Inclinamo-nos com os olhos fixos em seu rosto brilhante, achatado e jovem. Ele retribuiu a saudação meticulosamente. As crianças observavam em silêncio. Kolemenos e eu demos alguns passos à frente, sorrindo. As crianças irromperam em uma conversação animada diante da estatura impressionante daquele homem, da barba e dos cabelos longos e louros. Ficamos em frente ao homem e inclinamo-nos mais uma vez. Ele falou e eu também, mas tudo que pudemos entender foi que não nos compreendíamos. As crianças se agruparam atrás do aldeão e escutavam a troca de palavras. O tempo todo elas lançavam olhares ao gigante louro. O homem se virou, deu alguns passos, voltou-se para nós e fez sinal de que deveríamos segui-lo. As crianças correram em várias direções a fim de espalhar a notícia de nossa chegada pelo vilarejo.

Enquanto seguíamos de perto nosso guia, eu olhava em volta. Vi alguns terrenos cultivados, mas não havia nada plantado neles então. Observei uma mulher abandonar uma cabra que estava ordenhando e correr para dentro de casa. Mais crianças apareceram e examinaram timidamente os estranhos. Para além da última casa, a 20 ou 30 metros, percebi que o povoado era limitado por um riacho a leste. Pensei em como o lugar era bem situado. Notei a rapidez com que as crianças iam perdendo a timidez: logo havia uma dezena delas tagarelando ao nosso lado. Mais ou menos no meio da fileira irregular de casas, o guia parou. A habitação seguia o mesmo padrão despretensioso das outras, mas se distinguia delas por ser ligeiramente maior e possuir um alpendre, sustentado por duas vigas sólidas à porta.

— Isso parece interessante — sussurrou-me *mister* Smith quando o homem desapareceu porta adentro.

— Acho que ele entrou para chamar o prefeito — disse Zaro.

Não houve muito tempo para maiores especulações. Quase como se estivesse esperando atrás da porta, um novo personagem emergiu do alpendre. Achei que devia ter uns 50 anos. Vestia o traje comum do país, arrematado por um casaco largo de pele de carneiro. Era um pouco mais alto que a média dos mongóis e, embora moreno como qualquer um deles, seus traços não eram tão pronunciados. Trocamos os cumprimentos habituais antes de ele falar, na língua do país. Balancei a cabeça e repliquei devagar em russo preciso. Seu rosto se iluminou e ele sorriu para mim.

— Bem-vindo — disse também em russo. — Agora podemos conversar.

Ficamos bastante surpresos. Ele falava russo com facilidade e sem hesitação. Tive de dizer a mim mesmo que não podia haver perigo, estando tão ao sul da União Soviética, em um encontro casual com um russo.

Ele esperou por um momento que eu respondesse e, como não o fiz, prosseguiu ansiosamente:

— Eu sou circassiano e fazia muito tempo que não encontrava alguém que soubesse falar russo.

— Circassiano? — repeti. — Isso é muito interessante.

Não consegui pensar em nada menos banal para dizer.

As perguntas dele vinham uma atrás da outra:

— Vocês são peregrinos? Não existem muitos russos budistas. Vocês vieram pelo Gobi a pé?

— Viemos a pé.

— Deve ter sido uma experiência terrível para vocês. Eu mesmo já quase morri fazendo essa viagem.

Ele ia fazer mais perguntas, mas, de repente, lembrou-se de seus deveres de anfitrião. Desculpou-se e nos convidou a entrar. Uma parede de pedra dividia o único e vasto aposento, e vislumbrei uma mulher, que imaginei ser sua esposa, empurrando três ou quatro crianças para fora da parte da frente em direção, presumivelmente, à cozinha. Comecei a reparar em pequenos detalhes — umas canecas de metal brilhante, uma fileira de colheres de pau sobre uma prateleira, um maço de ervas secas pendurado e, o que era mais estranho, em um canto, uma litografia de 15 centímetros quadrados, emoldurada, de São Nicolau, no estilo ortodoxo russo, muito desbotada atrás da proteção de vidro. Sob a borda inferior da moldura havia um suporte de metal, sobre o qual repousava uma lamparina de óleo, em miniatura e de feitio simples, com vidro vermelho. Viam-se bancos de madeira, construídos de modo sólido, um fogão de pedra, um balde pesado de madeira com uma caneca em forma de barco, um pilão para moer farinha e uma roca primitiva de fiar lã. O pequeno espaço disponível era bem utilizado. Em torno das paredes havia beliches de madeira forrados com cobertores rústicos de lã feitos em casa.

Sentamo-nos nos bancos um pouco desajeitados, naquele ambiente tão estranho. O circassiano — deliberadamente ou porque tinha esquecido, ele não nos disse seu nome e fizemos o mesmo — dirigiu-se a mim de novo. A primeira pergunta nos sobressaltou:

— Vocês estão armados?

— Não, ninguém aqui está armado — respondi.

— Vocês não têm nada nem para cortar madeira, por exemplo?

— Ah, sim. A gente tem um machado e uma faca para os seis, sem contar os cajados.

— Só? Não é muito seguro viajar por essas partes, sabia?

Fiquei intrigado.

— Eu não estou entendendo. Nós não tivemos nenhum problema até agora.

Ele parou um instante, olhando-nos.

— Vocês viram algum chinês? Chinês armado, soldados.

— Não, nem sinal de um.

Então ele se levantou e saiu do aposento. Smith se inclinou até mim e me recomendou que descobrisse um pouco mais sobre aqueles misteriosos chineses.

Ele retornou após cinco minutos. Acho que se ausentou a fim de dar instruções sobre os preparativos para uma refeição. Nosso anfitrião escutou com ar grave minha pergunta.

— Achei que devia avisar vocês — disse ele — que as tropas chinesas vez por outra passam por esse vilarejo. Às vezes compram aves. Eles parecem que estão explorando a área, apesar de aqui ser Tibete. Já os vi ir para o sul, na direção de Lhasa. Já que vocês só falam russo, eles podem achar isso suspeito. Se vocês os virem, é melhor sair do caminho.

Era um conselho bem-intencionado e eu agradeci, mas nunca esbarramos com soldados chineses.

— Então vocês estão indo para Lhasa — disse ele, entre baforadas de seu cachimbo.

Ele disse isso educadamente, como um gancho para uma conversa. Não acho que acreditasse necessariamente na afirmação.

— Não esqueçam — advertiu-nos — que as noites são muito frias, especialmente na altitude. Nunca caiam na tentação de dormir sem estar num abrigo adequado. Por mais cansados que estejam, façam sempre um fogo. Se vocês dormirem desprotegidos na montanha vão estar mortos de manhã. É uma morte rápida, vocês não vão nem ficar sabendo o que aconteceu.

"Vocês estão indo na direção certa para Lhasa. Tem uma trilha daqui para o próximo estágio da viagem, que vocês vão achar fácil de seguir. Essa noite vocês devem ficar aqui, e de manhã mostro como ir. Essas trilhas às vezes são confusas, e vocês têm que manter o senso de direção. Há algumas que levam de vilarejo em vilarejo numa área pequena, e vocês podem perder muito tempo nelas. São trilhas quase de famílias, caminhos que as pessoas percorrem há séculos.

"Se vocês chegarem a alguma vila já de noite, fiquem lá até de manhã. Sempre vai ter um telhado e uma refeição. Ninguém vai pedir pagamento."

— Nosso problema — interrompeu *mister* Smith — é não saber a língua.

O homem sorriu.

— Isso não é uma desvantagem tão grande. Se você cumprimenta um tibetano e ele retribui, não precisa de nenhuma apresentação mais. Eles o aceitam como amigo.

No começo da noite, nos serviram uma refeição com carneiro assado, que um dos filhos mais velhos do circassiano havia matado pouco depois da nossa chegada. Enquanto comíamos, o pai cortava fatias de carne para as crianças menores, e elas corriam para a porta com a carne nas mãos. O sal foi oferecido numa tigela para ajudar nossa degustação, e eu temo que tenha comido mais dele do que um convidado atencioso o faria. Era uma satisfação experimentar de novo seu sabor picante.

Após a refeição noturna, uma meia dúzia de vizinhos homens se juntou ao grupo, enchendo o aposento até o limite. A esposa tibetana, dedicada, fez mais chá. Cada um dos visitantes tirou com orgulho uma bela tigela de madeira do tipo daquela que o pastor solitário nos havia mostrado cinco dias antes. Mais uma vez ficou evidente que aqueles eram pertences preciosos.

— Por que estas tigelas são tão preciosas? — perguntei a nosso anfitrião.

— Sabe — replicou ele — que um homem às vezes troca dois iaques por uma delas?

— Mas por quê?

— Porque elas não são feitas nesses distritos da montanha. São produzidas com muita habilidade a partir de um tipo especial de madeira dura, que não racha. Com o tempo, elas aumentam de brilho e de valor. Uma das razões por que são guardadas em sacos de linho é que ele atrita na madeira e aumenta o brilho.

Os homens beberam o chá em suas tigelas e, quando terminaram, elas foram recolhidas e lavadas. Apesar de todas me parecerem semelhantes, cada homem sabia qual era a sua, e todas foram carinhosamente guardadas nos sacos de linho antes de os cachimbos aparecerem e de os tabaco ser distribuído. A fumaça era exalada em grandes nuvens e o circassiano se viu ocupado, traduzindo a conversa animada entre nós e os vizinhos. Naquela comunidade, ele obviamente era uma pessoa de grande importância, muito respeitada por sua capacidade de falar línguas e pelo conhecimento que tinha sobre os assuntos do vasto mundo fora do vale. Era humano o suficiente para gostar de seu papel, mas desempenhava-o com dignidade e modéstia.

À medida que o lugar esquentava, os piolhos começavam a sair dos esconderijos em nossas roupas. Meu corpo começou a coçar e minha consciência também. Com o canto dos olhos, eu via os outros enfiando as mãos dentro das *fufaikas* para se coçar furtivamente. Aproximei-me do circassiano e falei calmamente:

— Acho que meus amigos e eu devíamos dormir do lado de fora esta noite. Nós pegamos um bocado de piolho na viagem e não conseguimos nos livrar deles.

Ele pôs a mão de leve sobre meu ombro:

— Por favor, fique tranquilo. Os piolhos são nossos conhecidos também. Esta noite vocês vão dormir todos sob meu telhado.

Os outros perguntaram sobre o que estivéramos conversando. Contei-lhes. Todos sorriram de alívio. Parecia que eu não fora o único a me preocupar com nossos companheiros indesejáveis.

Os vizinhos nos desejaram boa-noite e foram embora. Partiram como homens que tivessem desfrutado uma noite rara e aprazível. Eu podia imaginar que lhes havíamos fornecido material para várias conversas futuras, que abrilhantariam suas vidas monótonas. Tínhamos lhes contado apenas uma fração do que deviam querer saber, mas se divertiriam preenchendo as lacunas. Muitas de suas perguntas tinham sido sobre Kolemenos. Aquele gigante louro de outro mundo os deixara profundamente intrigados. Dissemos-lhes que ele vinha de um país ocidental próximo ao mar. Kolemenos acrescentou o nome Letônia, que não significava nada para eles.

Dormimos em beliches — nossa primeira noite sob um teto desde a fuga. Como a família se distribuiu para dormir, não sei. Havia uma cama improvisada atrás da parede de pedra para o circassiano e a esposa, mas acho que as crianças devem ter sido acolhidas por outros aldeões. Pela primeira vez consegui relaxar. Senti uma sensação gloriosa de aconchego e segurança total. Dormi um sono repousante, profundo e revigorante e só despertei induzido pelo sol nascente. Eles nos deixaram continuar deitados algumas horas a mais. A casa já se encontrava em movimento, e duas das crianças menores nos observavam atentamente, quando nos sentamos na cama. Elas correram e as escutei falando com o pai.

Nosso benfeitor entrou com retângulos de um grosso tecido caseiro sobre o braço.

— Talvez os senhores queiram se lavar, não? — perguntou ele com um sorriso.

— Mas isso é serviço de hotel — brincou Zaro. — Leve-nos até o banheiro.

O circassiano também riu.

— Fica no final da vila, com água corrente boa e limpa.

Fomos até o riacho. O ar matinal estava fresco, mas ficamos de peito nu, enfiamos a cabeça na água, ofegamos, esguichamos e nos esfregamos com força. Ficamos tentados a lavar os casacos e coletes de pele, mas chegamos à conclusão de que teríamos de esperar muito tempo para que secassem. Sentíamo-nos bem e rimos de algumas das palhaçadas improvisadas de Zaro no caminho de volta. O cortejo inevitável de crianças curiosas apreciou mais ainda suas brincadeiras.

Foi-nos oferecido mais carne, bolos de aveia e chá. Depois, era hora de partir.

— Quando vocês voltarem por esse caminho — disse o circassiano com franqueza —, não esqueçam essa casa. Ela vai estar sempre pronta a acolher vocês.

O americano respondeu:

— Obrigado. Você foi muito bom e generoso conosco.

Eu disse:

— Agradeça, por favor, à sua esposa por tudo que fez por nós.

Ele se virou para mim:

— Eu não vou fazer isso. Ela não iria entender o seu agradecimento. Mas vou pensar em alguma coisa para dizer que vá deixá-la contente.

O circassiano disse à esposa algo que fez com que seu rosto se abrisse em um sorriso. A esposa saiu e voltou com uma travessa de madeira cheia de bolos de aveia achatados, entregou-a ao marido e falou algo para ele.

— Ela quer que vocês levem isso — disse-nos.

Nós os dividimos agradecidos.

Houve ainda outro presente de despedida — uma bela pele de carneiro do homem, entregue com o desejo de que pudesse ser usada para fazer calçados novos ou consertar nossos mocassins tão gastos. Nunca a utilizamos com esse propósito. Entretanto, mais tarde, ela nos rendeu meia dúzia de excelentes pares de luvas, que protegeram nossas mãos do frio das montanhas.

Ele andou conosco até o limite do vilarejo e indicou o caminho. Foi a única vez em toda a nossa viagem que recebemos instruções detalhadas e específicas sobre nossa rota.

— Algumas das trilhas que vocês vão seguir não vão ser fáceis de encontrar — advertiu ele. — Não procurem por elas a seus pés; olhem para a frente, ao longe. Aí elas vão aparecer.

O circassiano descreveu marcos que deveríamos procurar. O primeiro seria uma montanha em forma de coroa, a cerca de quatro dias de distância, e precisaríamos pegar um caminho que nos levasse pela depressão entre os dois pontos, voltados para o norte, da "coroa". Do cume, nosso curso devia seguir para um pico em forma de pão de açúcar, que pensaríamos estar impossivelmente distante. Poderíamos levar duas semanas para alcançá-lo, achava ele. Mais do que isso, ele não tinha como nos dizer com precisão daquela distância, mas por fim alcançaríamos uma estrada que levava a Lhasa, que a certa altura se bifurcava para leste em direção à cidade e, para sudoeste, rumo aos povoados no sopé do Himalaia.

Nós o deixamos ali com um pequeno aglomerado de crianças à sua volta. Quando nos voltamos, ele fez um gesto muito antimongol — balançou o braço em nossa direção. A última imagem que guardamos dele foi a de uma figura ainda nos dando adeus.

Marchinkovas falou por todos nós quando disse:

— Essas pessoas me fazem sentir muito humilde. Elas fazem muito para apagar as lembranças de outras pessoas que perderam o respeito pela humanidade.

Durante alguns dias ficamos à espreita de tropas chinesas, mas não encontramos nem vimos nenhuma. Determinamo-nos a não tocar nos bolos de aveia até o terceiro dia — tínhamos três cada um — e depois esticamos ao máximo o consumo deles, seguindo uma disciplina férrea. A trilha era bem definida e o caminho não era difícil. Havia muitas árvores do tipo arbusto, algo como os juníperos anões da Sibéria, que queimavam brilhantes e forneciam um calor bom. Ao final do quarto dia acampamos no sopé da montanha em forma de coroa e começamos nossa escalada à primeira luz do dia seguinte. A subida era longa sem ser difícil, e a travessia nos tomou dois dias.

Já fazia uma semana desde nossa última refeição de verdade quando demos com um rebanho misto de ovelhas e cabras e encontramos duas casas dos tibetanos seus donos. O dia estava quente e ensolarado após as temperaturas congelantes dos picos. Havia arbustos esparsos de uma espécie de rosa-selvagem que atraía o olhar com seus botões alegres, amarelos, vermelhos e brancos.

A casa a que fomos levados pelo pastor tibetano era do mesmo estilo que a do circassiano, porém menor e não tão bem equipada. No entanto, a cortesia e a hospitalidade eram do mesmo padrão, impecáveis. A família consistia em um homem e sua esposa, de 30 e poucos anos, uma mulher de cerca de 25, que poderia ser a cunhada, e quatro filhos cujas idades variavam de 5 a 16 anos. Eles nos ofereceram leite para beber à nossa chegada e, mais tarde, duas refeições fartas de carne de bode. Por meio de sinais, fomos incitados a passar a noite lá, o que aceitamos de bom grado. A família toda se inclinou em mesuras na manhã seguinte ao nos dar adeus.

Depois de mais ou menos uma hora de caminhada, Marchinkovas parou para examinar o mocassim e viu que o terreno pedregoso fizera um buraco em uma das solas. Sentamos com ele e realizamos uma sessão de consertos. Os calçados de todos estavam em péssimas condições. Alguns dos reparos envolveram refazer praticamente tudo.

As orientações explícitas do circassiano nos levaram sem erro até a magnitude da montanha em forma de pão de açúcar e além dela. A travessia teria sido mais fácil se meu antigo ferimento na perna, logo acima do tornozelo, não tivesse começado a se abrir. Fiz uma bandagem cortando um pedaço de tecido grosseiro da parte de cima da minha sacola, mas a ferida continuou inflamada e dolorida ao toque.

Para um turista ou explorador bem equipado, a região apresentaria um quadro de grandeza inspiradora, cadeia após cadeia emergindo da crosta terrestre após uma convulsão primária. Para nós, era apenas uma área que impunha obstáculos à rota de fuga. Nossos pés sofredores foram os árbitros da decisão e o Tibete foi cruel com eles. Havia noites em que, à luz bruxuleante de uma boa fogueira, eu poderia ter dormido profundamente, mas meus pés, punidos por uma subida pedregosa, mantinham-me acordado, tremendo, doendo e protestando contra a carga imposta a eles. Palpitações de dor me faziam lembrar, também, de um fragmento de granada alemã que não senti na hora em que me acertara.

Do outro lado da montanha em forma de pão de açúcar, encontramos uma extensão de terreno que apresentava, comparativamente, uma perspectiva de deslocamento fácil. A distância, refletindo os raios do sol, vimos um lago com uns 6 quilômetros de circunferência. Com a intenção de nos banharmos e refrescarmos em suas águas convidativas, apressamo-nos em sua direção. Arranquei os mocassins e mergulhei os dois pés. A água fria doía. Zaro pegou um pouco dela com as mãos e levou aos lábios. Um segundo depois, cuspiu-a ruidosamente. A água era mais salgada que a do mar. Deixei meus pés mergulhados, mas não tentei beber. Seguimos em frente, em busca de água potável, mas depois de algumas horas meu tornozelo doía tanto que tive de parar para examiná-lo. A ferida estava infeccionada, e a preocupação de que isso pudesse me deter por completo começou a me atormentar.

Antes de terminar o dia, chegamos a um rio de correnteza rápida, que sibilava sobre o leito pedregoso. A água deixou nossa pele arrepiada, mas o sol nos secou e nos sentimos melhor. Paluchowicz me aconselhou a molhar e esfregar minha bandagem antes de recolocá-la no calcanhar. Fiz como ele disse e esperei que o melhor acontecesse.

Havíamo-nos desviado uns poucos quilômetros de nosso curso para chegar a esse rio, que corria, segundo calculamos, diretamente de norte a sul. Durante alguns dias nós o seguimos. Ele passava por um terreno plano, de locomoção mais fácil, e assim evitávamos o frio penetrante das grandes altitudes. No final, fazia uma curva fechada para oeste, e tivemos de atravessá-lo para não nos desviarmos da rota para o sul. Meu tornozelo estava dando menos preocupação, a pele mostrava sinais de cicatrização e a secreção da ferida tinha quase cessado.

Estávamos desesperadamente necessitados de comida mais uma vez, e fazíamos desvios se achávamos que um vale verdejante poderia abrigar rebanhos e gente. Marchinkovas pisara em uma pedra pontuda e estava mancando. Sabíamos que era preciso encontrar um lugar para comer e descansar por um dia.

20

Cinco passam ao largo de Lhasa

As semanas se arrastavam. Outubro deu lugar a novembro; os dias eram frios e as noites, congelantes. Ao longo de vastas extensões de terreno, estéreis demais para alimentar até mesmo ovelhas e cabras, às vezes passávamos quatro ou cinco dias sem comida. Havia manhãs sombrias, envoltas em névoa, em que eu me sentia terrivelmente desanimado, sem energia, e relutava em pôr meu combalido corpo em movimento. Todos tínhamos nossos dias maus. As refeições que nos eram oferecidas com tanta generosidade eram substanciais, mas sentíamos falta de verduras frescas. O resultado era que continuávamos sendo assolados pelo escorbuto. No entanto, considerávamo-nos com sorte, já que ninguém no grupo sofrera algum problema de saúde sério e a marcha continuava. Atravessávamos a nado rios turbulentos quando era preciso. Escalávamos picos de aparência formidável que, ao conhecê-los melhor, acabavam por não proporcionar, surpreendentemente, muitas dificuldades; avançávamos sobre morros de aspecto inocente que ofereciam, de forma perversa, uma resistência escarpada ao nosso deslocamento.

Certa noite, Marchinkovas iniciou uma discussão sobre a conveniência de prosseguir atravessando o Himalaia. Ele achava que devíamos considerar a possibilidade de ir para Lhasa ou para qualquer outra cidade onde pudéssemos viver por um tempo e recuperar as forças para o último estágio. Paluchowicz o apoiou ligeiramente. O restante de nós era contra perder tempo. Eu tinha receio deque esse adiamento pudesse corroer nossa força de vontade. Aqueles meses haviam criado em nós uma força de migração compulsiva, um hábito severo, propulsor, de movimento, e eu não queria interferir nisso até que alcançássemos a segurança final e completa da Índia.

O americano levantou a possibilidade, de ordem prática, de que poderíamos não ser muito bem recebidos pelas autoridades de uma grande cidade como havíamos sido pelas pessoas do campo. Talvez houvesse perguntas inconvenientes, exigências para que apresentássemos documentos.

Marchinkovas não insistiu em sua ideia. Ele a havia apresentado para sondar as opiniões e ficou satisfeito com o resultado. Não fora uma sugestão nascida de um derrotismo. O lituano estava convencido do sucesso final como qualquer um de nós. Não podíamos nos dar ao luxo de pensar em fracasso.

Foi mais ou menos nessa época que descobrimos uma utilidade para os aros de arame forte que trouxéramos do deserto. Certa vez encontramos o caminho bloqueado, onde um pedaço da trilha sobre um morro fora arrancado pela queda de uma pedra. Para contorná-lo, tínhamos de enfrentar um risco de alpinista, transpondo uma saliência na rocha encimada por um espigão pontudo. Fizemos uma corda de 3 metros com tiras de couro trançadas, e a amarramos ao aro de Kolemenos, que, com sua altura privilegiada, tentou laçar a ponta do espigão rochoso. Foram necessárias umas dez tentativas até que o arame se encaixasse no local. Depois, gradualmente, ele foi pondo a pressão de seu peso, ainda considerável, na corda. Ela aguentou. Zaro, por ser um dos mais leves, ofereceu-se para ir primeiro. Ele escalou com muito cuidado, sem confiar totalmente na corda, mas utilizando calços onde pudesse se agarrar e firmar os pés. Com Zaro cuidando da extremidade fixa, conseguimos todos subir com facilidade. Kolemenos foi o último a passar.

Seguiu-se uma sucessão bem espaçada de vilarejos e povoados sem nada de especial, semelhantes em sua arquitetura simples e na extensão da hospitalidade que nos ofereciam. Não apresentavam qualquer característica pela qual eu possa me lembrar deles individualmente. No entanto, a essa altura, encontramos um que se destaca com nitidez em minha memória, por causa de um encontro muito improvável.

O lugar era tão pequeno e camuflado, apenas seis casas agrupadas muito próximas umas das outras, que poderíamos perfeitamente ter passado sem vê-lo se nossa rota não nos tivesse levado para dentro de seu campo de visão. Entramos acompanhados por um tibetano jovem e sorridente que parecia estar indevidamente empolgado com a descoberta de que falávamos uma língua ininteligível. Guiou-nos, com uma demonstração incomum de urgência, até um grupo de homens parado em frente a uma das casas. Um deles era tão mais alto que os tibetanos com quem conversava que de imediato nos chamou a atenção. Ele se virou juntamente com os outros quando nos aproximamos, e vimos com surpresa que se tratava de um europeu. Nosso guia fez as apresentações e saudamos os aldeões com mesuras, que foram retribuídas. O europeu inclinou ligeiramente a cabeça e nos examinou por tanto tempo que comecei a me sentir um pouco desconfortável.

Era um homem de cerca de 70 anos, cujo cabelo grisalho ainda retinha traços da cor amarelada de sua juventude. Tinha seu 1,80 metro de altura e era ligeiramente encurvado. Parecia, apesar da idade, ser de constituição forte e musculoso. Havia nele o aspecto de alguém que vivera ao ar livre durante muitos anos; as mãos fortes e o rosto longo, inteligente, eram muito bronzeados. Sobre as roupas, em estilo tibetano, usava um grosso sobretudo de pele de carneiro, que lhe ia até o joelho, e um cinto fino de couro preto. Era difícil ver a cor de seus olhos porque o sol refletia sobre os óculos com aro de metal, o que já era uma novidade naquele cenário. Os tibetanos ficaram ali, olhando com expectativa ora ele para ora para nós e de novo para ele. Achei que era hora de alguém quebrar o gelo. Dirigi-me ao homem em russo e pude sentir o interesse crescente da plateia local.

Ele balançou a cabeça, parou e falou — em alemão. Marchinkovas, Kolemenos e Zaro eram tão fluentes em alemão quanto eu em russo e ficaram encantados com a chance de exercitar suas habilidades. Paluchowicz e eu sabíamos o suficiente para acompanhar a conversa, mas não sei se o americano conseguia entender. Impressionou-me a reserva do estranho. Ele falava pouco e de modo resoluto, respondendo às perguntas com precisão e sem dizer nada voluntariamente. Contou-nos que era missionário não conformista, que chegara ali juntamente com um grupo de europeus da mesma crença. Viajara pela China e pelo Tibete durante quase cinquenta anos. Acho que era alemão ou austríaco.

Sem nenhuma razão aparente, ele passou para o francês. Zaro falava a língua extremamente bem e levou a conversa com ele até voltarem para o alemão. Os tibetanos escutavam de boca aberta, fascinados pelo fluxo de sons estranhos. Fiquei com uma forte impressão de que o novo conhecido não gostou de nós. Acho que a causa disso, provavelmente, tinha a ver com nossa aparência — os cabelos sujos e desgrenhados, as roupas rasgadas e nossa pobreza total. Pareceu-me que, nesse e em outros vilarejos, ele desfrutava o prestígio construído e consolidado ao longo de muitos anos de ser ocidental. O missionário pode muito bem ter pensado que a aparição de seus compatriotas europeus errantes e combalidos poderia abalar sua reputação com os nativos.

Zaro, que estava mantendo a maior parte da conversação, logo sentiu que nossa chegada ali não era inteiramente um prazer para o estranho. Isso trouxe à tona o moleque nele, que passou a responder às perguntas do missionário com uma audácia impertinente. Descreveu-nos como "um grupo de turistas cosmopolitas" e omitiu airosamente a resposta à pergunta de onde vínhamos.

Ele pareceu francamente descrente quando Zaro disse que estávamos viajando para Lhasa como peregrinos, e em poucos minutos estabeleceu-se uma atmosfera de desconfiança mútua. Apenas os tibetanos estavam apreciando a conversa — sem entender uma palavra.

— Vocês não levam nada. Como vivem?

Zaro respondeu:

— Da hospitalidade do país. O povo é muito bom, como você já deve ter descoberto.

— Mas vocês não conseguem comer todo dia desse jeito.

— Comemos menos do que precisamos — disse Zaro. — Há dias em que apertamos o cinto. Já estamos acostumados.

Marchinkovas interrompeu perguntando ao missionário onde ele morava. O homem apontou para uma mula pastando a uns poucos metros de distância.

— Aquela é minha mula. Onde ela para, é minha casa.

Nossa entrada no povoado foi por volta das 10 horas da manhã. O missionário se sentou conosco enquanto comíamos — lembro-me em particular, acerca daquele lugar, de que nos ofereceram arroz e me perguntei onde fora plantado. Ele conversou um pouco, mas foi uma refeição tensa. O homem estava intrigado conosco e não sabia como nos tratar. Cerca de 15 horas, anunciou que estava de partida. Fomos com ele, que se dirigiu até cada uma das casas, antes de selar a mula e nos olhar, enquanto se preparava para partir.

Ele disse em alemão:

— Desejo sorte para vocês, aonde quer que vão.

Agradecemos. Ele não se ofereceu para apertar nossas mãos. Disse adeus aos tibetanos e se afastou puxando a mula.

O tibetano que se fizera de nosso anfitrião observou-o partir e depois nos fez sinais, esticando-se, batendo no peito estufado e flexionando os músculos. Estava tentando nos dizer, acho eu, que o convidado que partia era, ou havia sido, um homem de grande força física. Senti uma ponta de arrependimento de que o encontro não tivesse sido mais amigável. Se tivéssemos conseguido baixar a guarda entre nós, ele poderia nos ter dito muita coisa que desejávamos saber.

O inevitável grupo de crianças de olhos vivos e inquisitivos nos cercou enquanto seguíamos nosso anfitrião de volta à pequena casa. Um menino de cerca de 8 anos puxou a calça de

Zaro, que lhe fez caretas. Os garotos, cerca de uma dezena deles, aglomeraram-se à sua volta, gargalhando. O iugoslavo fez mais algumas palhaçadas e eles adoraram.

— Mostre para eles a sua dança cossaca, Eugene — gritei-lhe.

E ele se agachou, chutando poeira e batendo os pés enquanto marcávamos o ritmo. As crianças gritavam de prazer e os adultos saíram de casa para rir e se admirar de seus saltos.

A performance desinibida de Zaro foi como um gesto de zombaria em relação ao distanciamento e à dignidade do homem que acabara de partir. E acho que o iugoslavo tinha consciência disso.

No tempo certo, chegamos à bifurcação da trilha que aceitamos de modo confiante como sendo aquela mencionada pelo circassiano — o caminho a leste levando para Lhasa e o outro, a sudoeste, para a Índia. Algumas horas depois vimos, a distância, uma caravana de aproximadamente cinquenta homens e animais se deslocando aos poucos para longe de nós, na direção que imaginávamos ser a de Lhasa. Foi o único grupo grande de viajantes que vimos no país.

Descobrimos que aquela região não continha apenas cadeias escarpadas, mas também lagos grandes. Em fins de novembro, nosso caminho levou a um volumoso espelho d'água, que mais parecia um mar interior.

Do alto, enquanto descíamos até ele, tentávamos lhe adivinhar o tamanho. Achei que devíamos estar olhando para o lago pelo lado da largura, e como não podíamos ter certeza de que a linha tênue, no horizonte era realmente a outra margem, as estimativas de distância variaram entre 16 e 40 quilômetros. Não havia jeito de calcular o comprimento — não conseguíamos ver nenhum dos dois limites. Banhamo-nos em suas águas frias e refrescantes e acampamos para passar a noite em torno de uma fogueira que não emitia calor suficiente para afastar o ar úmido do lago.

Depois se seguiu um período de avanço comparativamente fácil. A margem do lago foi nossa guia por muitos quilômetros. Alguns dias depois vimo-nos de novo em terreno irregular. Passamos por um agrupamento de umas poucas casas onde ficamos por apenas uma refeição e, diante de nossa recusa de pernoitar lá, recebemos comida para levar conosco. Estávamos nos deslocando bem e o moral estava alto. A ferida na minha perna fechara e descartei a bandagem.

Três ou quatro dias após ter deixado o grande lago, acampamos em um vale pontilhado de rochas sombrias, onde uma vegetação escassa lutava para sobreviver. Chovera e o chão se encontrava molhado. Mesmo com os gravetos que carregávamos, demorou até conseguirmos fazer fogo. Em uma caverna rasa, paramos para comer o que restara dos nossos bolos achatados e da farinha grossa. A brisa da noite fazia a fumaça do fogo se mover em círculos ao nosso redor, e nos sentamos juntos para obter mais calor. Havia pouco que fizesse essa noite se distinguir de dezenas de outras que tinham ficado para trás. Não houve nada que nos advertisse que aquele seria o cenário de uma tragédia.

Dormimos mal, com exceção de Kolemenos, como sempre. Um ou outro acordava de um estado de sonolência murmurando algo, levantava e atiçava o fogo. Foi Zaro quem se pôs de pé quando o dia seguinte começou palidamente a iluminar a desolação imóvel do vale. Eu estava apoiado em um dos cotovelos quando ele voltou.

— Tem um pouco de neblina em volta e está frio — disse-me ele. — Vamos começar a nos mexer.

Paluchowicz estava deitado perto de mim, Marchinkovas se encolhia entre Smith e Kolemenos. Levantei-me e me espreguicei, esfregando as pernas enrijecidas e balançando os braços. Todos começaram a se mover. Kolemenos me empurrou com força, de brincadeira, enquanto eu me esticava.

A voz de Zaro chegou até nós:

— Anda, Zacharius. Levanta!

Ele estava inclinado sobre Marchinkovas, sacudindo-lhe gentilmente o ombro. Senti a nota de pânico quando ele gritou de novo:

— Acorda, acorda!

Zaro olhou para nós, o rosto tenso de preocupação.

— Acho que ele está doente. Eu não consigo acordá-lo.

Fiquei de joelhos ao lado de Marchinkovas. Ele se encontrava em uma atitude de relaxamento total, com um dos braços estendido por sobre a cabeça. Peguei o braço e sacudi. Ele permaneceu imóvel, de olhos fechados. Senti-lhe o pulso, coloquei o ouvido sobre seu peito, levantei as pálpebras. Fiz todos os testes de novo, com medo de acreditar em seu resultado chocante. O corpo ainda estava quente.

Levantei-me e me surpreendi de como a voz saiu pequena e calma.

— Marchinkovas está morto — disse eu.

A declaração me soou estranha e sem entonação. Então, repeti:

— Marchinkovas está morto.

Alguém explodiu:

— Mas não pode ser. Não tinha nada de errado com ele. Nos falamos há algumas horas. Ele estava bem. Não se queixou de nada...

— Ele morreu — disse eu.

Mister Smith se abaixou ao lado do corpo. Ficou ali apenas um minuto ou dois. Depois cruzou as mãos de Marchinkovas sobre o peito, levantou e disse:

— É, senhores. Slav tem razão.

Paluchowicz tirou o velho gorro de peles e se persignou.

Zacharius Marchinkovas, 28 ou 29 anos, que poderia ter sido um arquiteto bem-sucedido na sua Lituânia se os russos não tivessem vindo e levado-o, desistira da luta. Estávamos estarrecidos, não conseguíamos entender o fato, não sabíamos como a morte chegara até ele. Talvez se encontrasse mais exausto do que imaginávamos e seu coração prestativo não conseguiu mais suportar o esforço. Não sei. Nenhum de nós sabia. Marchinkovas, o que estava sempre calado, com amostras ocasionais de um humor cínico, que vivia tanto com os próprios pensamentos; o homem com uma carga de amargura com quem Kristina simpatizava e que o fazia rir — Marchinkovas se fora.

No chão pedregoso não conseguíamos encontrar um lugar para lhe cavar uma sepultura. Seu local de repouso acabou sendo uma fenda profunda entre duas rochas, cujo espaço acima preenchemos com seixos e pedrinhas. Kolemenos desempenhou sua última tarefa de fazer uma pequena cruz, que fincou no cascalho. Demos-lhe nosso adeus, cada um a seu modo. Em silêncio, encomendei sua alma a Deus. Partimos, os cinco, com passos pesados. Conosco, ia a *fufaika* de Marchinkovas e seu colete de pele. Achamos que nos poderiam ser úteis.

A região se transformou de novo, desafiando nosso espírito e nossa resistência com uma inclinação inflexível de morros escarpados. Aprendemos a usar os anéis de arame como auxiliares na subida nos locais mais difíceis. Sempre tentávamos encontrar algum povoado para passar a noite protegidos, mas com muita frequência o final do dia nos pegava a céu aberto, sem qualquer sinal de habitação humana.

Certa vez, vimos do alto, a muitos quilômetros de distância, o reflexo fugidio do sol nos telhados brilhantes de uma cidade distante construída na altitude e quisemos acreditar que havíamos visto, por fim, a cidade sagrada de Lhasa. O que vimos pode ter sido um dos grandes monastérios do Tibete, mas a direção era a da capital, e a ideia de tê-la visto, após usar seu nome como talismã o tempo todo desde a fronteira da Sibéria, agradava-nos.

Lá pelo fim de dezembro demos com o maior vilarejo de nossa jornada tibetana, quase uma pequena cidade, algo em torno de quarenta casas, erguidas com regularidade incomum dos dois lados da rua. Também possuía o refinamento raro de uma construção maior, que na Europa seria com certeza a prefeitura. Fomos levados até esse prédio por um habitante que se encontrava muito bem acolchoado e vestido contra o frio e, no caminho, observamos a ausência de crianças. A razão apareceu quando nosso acompanhante trouxe dessa construção um asiático de olhos penetrantes, rosto fino e esbelto, que podia ter entre 30 e 40 anos. Ele nos examinou, cumprimentou, sorriu e voltou para o interior do prédio. Um minuto depois, umas duas dezenas de crianças saíram correndo e se espalharam pela rua, atirando-nos olhares enquanto passavam. O local era uma escola, e o homem magro, aparentemente, o professor.

Seria ele um chinês tibetano? Eu não tinha certeza. Três ou quatro moradores tibetanos do vilarejo se encontravam do nosso lado quando ele saiu uma segunda vez, e houve uma troca de palavras entre todos, cujo assunto era o fato de que éramos estrangeiros que não compreendíamos sua língua. Isso parecia óbvio. O professor falou conosco em duas línguas, que podiam ser tibetano e chinês, enunciando as palavras devagar e com cuidado. Eu disse alguma coisa em russo, e Zaro falou em alemão. Não chegávamos a lugar algum.

Ficamos ali, sem jeito, durante um minuto, com os tibetanos nos olhando ansiosamente. O professor falou de novo, bem devagar, dessa vez em francês. Zaro se pôs em ação. As palavras saltaram de seus lábios, fazendo seu interlocutor levantar a mão, indicando ao iugoslavo que falasse mais devagar. Zaro entendeu o sinal. Eles conversavam com prazer visível, com muitos gestos por parte de nosso companheiro e muita reformulação de frases e simplificações. Os tibetanos ficaram felizes com o rumo que as coisas estavam tomando e sorriam para todos nós.

Então, o homem, com sua voz lenta e gentil, disse a Zaro:

— Vão com o homem que os trouxe até mim. Ele vai levá-los para a casa dele e analisar o que estão precisando. Eu vou mais tarde e a gente conversa de novo.

Ele se virou para o tibetano e lhe disse umas poucas palavras. Fomos guiados até sua casa e regalados com chá, enquanto uma refeição era preparada.

Mais tarde, o professor entrou silenciosamente, sem bater — parece que ninguém bate à porta no Tibete —, e cumprimentou a todos com mesuras. Sentou-se conosco e, quando a refeição chegou, comeu também. Ele tirou um canivete preso a uma tira de couro trançada que trazia em volta da cintura e, notando meu interesse, passou-o para mim. Era de lâmina única, com cabo de osso, e a inscrição revelava que tinha sido feito na Alemanha. Ele não me disse onde o havia obtido.

Zaro tentou saber dele onde fora educado e, em particular, onde aprendera suas noções de francês, mas ele permitiu habilmente que sua atenção fosse distraída pelo anfitrião, deixando a pergunta no ar. Na verdade, as indagações de Zaro sobre o assunto nunca foram respondidas. O homem me interessava muito, e eu tinha certeza de que não passara toda a sua vida no Tibete. Ocorreu-me que ele poderia ter vivido um tempo na Indochina francesa.

Com nossa prudência habitual, não contamos a ele a origem da nossa viagem, mas Zaro satisfez sua curiosidade sobre como entramos no Tibete. Ele ficou genuinamente impressionado ao ser informado de que tínhamos cruzado o Gobi. Disse que não sabia de ninguém que tivesse feito a travessia sem animais e estoques de comida.

— E para onde vocês estão indo agora? — perguntou ele.

— Estamos tentando chegar à Índia — disse Zaro.

Não fazia mais sentido falar em peregrinação até Lhasa. Estávamos fora da rota.

O anfitrião tibetano interrompeu educadamente para pedir uma tradução. O professor traduziu o que Zaro dissera, e os dois demonstraram preocupação.

— Vocês deveriam mudar de rota — aconselhou ele. — O tempo está ruim nas montanhas, e vocês vão sofrer muito. A melhor coisa a fazer é ir para Lhasa e se juntar a uma caravana. Vocês podem ter de esperar muito tempo, mas vão ver que vale a pena.

Zaro disse que pensaríamos em seu conselho, mas sabíamos que iríamos continuar e que jamais entraríamos em Lhasa.

Pedimos ao professor que agradecesse ao tibetano pela refeição e generosidade para conosco. A mensagem foi transmitida. Nosso anfitrião falou, e o professor nos disse:

— O homem ficou satisfeito. Ele deseja que seus pés os preservem e que vocês não encontrem nenhuma desgraça pelo caminho. Ele está dizendo que vocês vão ficar com ele essa noite e que vai lhes dar comida para levarem na viagem amanhã.

Ficamos sentados ali, conversando, até bem depois do escurecer. Por meio de Zaro, fiz uma pergunta sobre um assunto que vinha me consumindo desde que entrara na casa — era o cheiro peculiar, acre, que lembrava um pouco o de uma casa de fazenda, do lugar.

O professor sorriu e apontou para o chão de pedra, que parecia ter recebido uma camada grossa, dura, de tinta cor de tijolo. O efeito liso da pintura era obtido pelos tibetanos que se orgulhavam de suas casas, naquela região, com o uso de um fino pó vermelho misturado à urina de animais.

Zaro pediu-lhe que nos informasse sobre em que data estávamos. Era 23 de dezembro de 1941.

Dormimos profundamente em peles de carneiro dispostas sobre o chão de pedra e na manhã seguinte recebemos comida, como fora prometido. Seguimos caminho com votos de boa sorte pelo sucesso de nossa jornada.

Na véspera de Natal, sentamo-nos em torno de uma fogueira brilhante. A noite estava gelada e ninguém queria cair em um estado de semiadormecimento congelante. Falamos sobre os Natais que havíamos passado, do último, um ano antes, terrível, quando nos arrastávamos para o norte, até o campo de trabalhos forçados. Paluchowicz, aquele católico romano convicto e devoto, surpreendeu-nos a todos ao começar de súbito a cantar uma canção de Natal polonesa, com uma voz enferrujada e desafinada. Ele continuou por dois versos; depois, vendo que não nos juntávamos a ele, ficou em silêncio.

Após um silêncio, ele disse:

— Todo Natal, desde que me lembro, eu canto na véspera. Por isso, cantei esta noite. Vai ser bom para nós, eu sei.

Os dias eram frios então, e as noites mais geladas ainda. Nuvens carregadas de neve pairavam ameaçadoras sobre os contrafortes distantes e sombrios do Himalaia. Em uma aldeia pobre, de apenas quatro choupanas de pedra, ficamos por uma noite e na manhã seguinte passamos algumas horas fazendo luvas com a pele de carneiro que nos fora presenteada pelo circassiano.

Houve um dia claro em que vimos a silhueta elevada, coberta de neve e envolta em nuvens, do Himalaia, enganosamente próxima. Estávamos, na verdade, muito distantes e descobriríamos que o percurso até lá se encontrava repleto de privações e riscos.

Tentamos desesperadamente não ser pegos nos cumes após o entardecer, mas não houve nada que pudéssemos fazer em relação a isso quando, no começo de uma tarde, vimo-nos no centro de uma violenta tempestade de neve. Seria loucura continuar naquelas condições. A neve açoitava nossos olhos e era difícil ver mais que alguns metros à frente. Enquanto nos arrastávamos procurando abrigo, a neve se amontoava sobre nossos mocassins. Estávamos em uma descida de inclinação normal, mas as solas escorregadias nos ameaçavam com um desastre a cada passo para baixo.

A sorte ou a Providência nos ofereceu um quebra-vento natural, uma espécie de caverna entre duas pedras grandes, dispostas em ângulo agudo. Levávamos conosco um saco de lenha e algumas sobras de esterco seco de animais, que carregávamos em turnos, e começamos a fazer um fogo. Quase desistimos da tarefa quando, por várias vezes, a *gubka* em brasa não conseguia acender os pequenos gravetos secos com aquele vento forte carregado de neve. Zaro e eu insistimos por mais de uma hora, até obtermos sucesso. Estendemos as sacolas sobre a abertura estreita da junção entre as duas rochas, prendendo-as com as pedras mais pesadas que conseguimos encontrar, mas logo já estavam cedendo ao peso da neve. Então, dispusemos os cajados lado a lado sob os sacos para conter a pressão.

De manhã havia neve no interior da fenda, mas, surpreendentemente, pairava um ar de aconchego no diminuto e enfumaçado abrigo. O pior da tempestade passara, e apenas pequenas lufadas de neve, sob um sol esmaecido, nos saudaram quando cavamos uma saída para o exterior. A descida era perigosa, mas a percorremos incólumes. Foi preciso um dia todo de marcha para ver pelas costas aquele ninho nas alturas.

21

Os contrafortes do Himalaia

ACHO QUE FOI em fins de janeiro que chegamos a um rio grande, congelado de uma margem à outra. Devia ser o amplo curso d'água tibetano que corre de oeste para leste na parte sul do país até encontrar seu caminho, através da barreira de montanhas, para a Índia, como o poderoso Brahmaputra. O inverno havia nos surpreendido e as temperaturas à noite estavam bem abaixo de zero. Havia tempestades ocasionais, com queda de neve pesada, chuvas de granizo e ventos que se precipitavam do topo das montanhas trazendo o frio das alturas. Apesar de as condições serem difíceis, elas não apresentavam a mesma severidade do inverno siberiano. No entanto, eram suficientemente terríveis para nós, mal alimentados e enfraquecidos por nove longos meses de caminhada contínua. Atravessamos o rio com cautela; Zaro, o mais leve, na frente, testando a força do gelo no centro, onde temíamos que não suportasse nosso peso. Não houve dificuldades, entretanto, até alcançarmos a margem sul, que era alta, íngreme e se encontrava coberta de gelo. Kolemenos cavou degraus com o machado e subimos. Seguimos o curso do rio para oeste por mais ou menos 1 quilômetro, até alcançarmos um ponto onde a margem diminuía, oferecendo acesso fácil à água. Viam-se agrupados ali três casebres de pedra baixos e, em frente a eles, sobre uma diminuta praia inclinada e bem afastada da margem, meia dúzia de barcos pequenos com o casco para cima. Por causa da proa e popa altas, encontravam-se um pouco inclinados, deixando espaço suficiente entre a amurada e o chão para a passagem de um homem que se esgueirasse. Enfiei a cabeça por baixo e senti o cheiro de peixes mortos havia muito. Nas tábuas do barco, vi suas escamas.

Em grupo, aproximamo-nos dos casebres. Eles eram tão baixos no interior que Kolemenos teve de abaixar a cabeça para não bater no teto. A construção do telhado era interessante: varas de bambu suportavam uma cobertura de hastes estreitamente entrelaçadas, em que se viam barbantes torcidos, feitos de pelo de animais, provavelmente iaques. O chão estava seco o bastante para sugerir que o telhado era mais ou menos à prova d'água. A construção era das mais rústicas — três caixas de pedra com esteiras colocadas em cima e aberturas sem porta como entrada. Eles continham umas redes velhas, umas varas de bambu de vários tamanhos e uns cilindros de madeira curtos e de diâmetro largo, muito gastos e cheios de marcas, que obviamente eram usados para rolar os barcos até a água e lançá-los.

Escolhemos o melhor dos casebres e decidimos dormir ali aquela noite. No chão de terra, havia um círculo endurecido pelo calor com alguns pedaços de madeira carbonizada, e no alto via-se um pequeno buraco. Ali fizemos nosso fogo, cortando algumas das varas de bambu para usar como lenha, e, a fim de garanti-lo para a noite, misturamos com um pouco do esterco animal que Zaro carregava com ele.

Em fevereiro encontramos nosso último vilarejo, apenas oito ou nove casas acomodadas sobre um desfiladeiro cerca de 60 metros acima de um vale estreito. Atrás dele elevava-se a medonha plataforma de montanhas altas ao longo da qual penáramos por dois dias. Através do vale, nebuloso à luz do sol de uma tarde de inverno, outra cadeia se erguia em direção às nuvens. As casas possuíam, em termos de Tibete, uma distinção rara. Foram as únicas construções de dois andares que vimos em todo o país, ou, na verdade, desde que havíamos deixado a Sibéria. Descêramos até um ponto a oeste abaixo da pequena povoação e tínhamos de subir até ela por uma trilha íngreme. Sentíamo-nos profundamente cansados, infelizes e famintos. Paluchowicz mancava do pé direito por causa de um machucado na sola, que fizera pisando em uma pedra pontiaguda.

Os tibetanos, quando entenderam, por meio de sinais, de onde viéramos e para onde pretendíamos ir, demonstraram espanto com nossa resistência — ou imprudência. Fomos gentilmente conduzidos até uma das casas, fizeram-nos sentar em uns bancos baixos, lustrosos por anos de uso, examinaram-nos com excitação e nos ofereceram chá fumegante com carne de carneiro e os bolos de aveia habituais. Paluchowicz recebeu um pouco de graxa, possivelmente gordura de ovelha, para esfregar no pé machucado. De todas as casas vieram homens e crianças nos olhar. Havia muitos sorrisos, mesuras e cabeças balançando devagar. Sem dúvida nenhuma, nossa chegada foi um acontecimento extraordinário e seria, por muito tempo ainda, um assunto maravilhoso para conversas.

Naquela casa havia um exemplo excelente de um costume de construção que eu havia notado em todo o Tibete — uma pedra achatada sobre a qual três ou quatro linhas tinham sido inscritas. Essa fora colocada próximo à porta e cerca de 60 centímetros acima do nível do chão. O circassiano dissera que aquelas placas só podiam ser feitas por certos lamas, e que os tibetanos as apreciavam muito, pois as palavras escritas nelas eram uma recomendação sagrada para que os espíritos do mal e do infortúnio se mantivessem a distância. Nosso anfitrião, mais alto que a maioria dos tibetanos e com cerca, calculei eu, de 30 anos, pareceu satisfeito com meu interesse pela sua pedra da sorte. Aproximou-se, apontou para ela e depois para seu pulso esquerdo, sobre o qual vi uma pulseira larga de latão em que se via presa uma pequena caixa de metal. Pareceu-me uma variação nova da roda de orações, e acho que óbvio, o homem estava tentando mostrar a conexão religiosa entre ela e a inscrição na pedra.

Aquelas pessoas eram tecelãs hábeis. No aposento principal do andar de baixo havia uma roca e um tear, e os artigos de lã que produziam eram grossos, quentes e de boa qualidade. Os melhores exemplos de seu trabalho, reparei, eram cobertores e colchas em tons vivos e alegres de vermelho e amarelo. As ovelhas que forneciam a lã estavam, nessa época, em seu alojamento de inverno, um curral grande e seco de pedra, em que ao longo de um dos lados se viam cobertas baixas, também de pedra, para protegê-las das agruras do tempo.

A ligação entre os andares de cima e de baixo era um lance de escada, com degraus de pedra toscamente escavados, que ficava em um canto do grande aposento térreo. Não havia corrimão e se entrava no cômodo superior por uma abertura quadrada, como um alçapão de navio. Lá em cima ficava o quarto de dormir da família e um depósito com fardos de lã amarrados de forma bem comprimida. Dormimos com o cheiro morno e abafado das ovelhas, sentindo um conforto aconchegante enquanto o vento uivava e soprava em torno das paredes grossas lá fora. A luz do dia nos despertou gradualmente, à medida que entrava pela única e pequena janela, feita de mica grossa.

Enquanto comíamos uma substancial refeição matinal, divertíamo-nos assistindo ao anfitrião tibetano examinar nossas velhas e gastas sacolas, levantando-as e apalpando seu conteúdo.

Zaro disse:

— Talvez ele esteja se certificando de que não subtraímos a prataria da família.

O tibetano não sabia o que estava sendo dito, mas ficou satisfeito de nos ver rir e se juntou a nós, terminando assim a inspeção de nossos pertences e descobrindo, no decorrer do processo, que tudo o que carregávamos era um sortimento de pedaços de couro e peles, gravetos e esterco animal para fazer fogo. Quando a investigação acabou, ele olhou para nós com alguma preocupação, apontou para os sacos e indicou a comida que estávamos ingerindo.

O americano disse:

— Ele está preocupado porque a gente está viajando sem estoque de comida.

O homem foi até um aposento pequeno nos fundos, e nós o ouvimos conversando com as mulheres. Depois cruzou a porta para o lado de fora, seguido por um jovem de 15 ou 16 anos. Eles se ausentaram por cerca de meia hora e, quando retornaram, carregavam uma ovelha nova recém-abatida e esfolada. A carcaça foi cortada ao longo das costas do animal, e por algumas horas as duas mulheres da casa se encarregaram da tarefa de assar a carne em espetos sobre o fogo.

Enquanto isso, o homem andava à nossa volta e examinava nossos pés cortados e machucados. Ele subiu os degraus de pedra e trouxe consigo um rolo de lã crua. Fazendo uma demonstração com um dos mocassins de Paluchowicz, o tibetano mostrou como o material podia ser usado para isolar os pés do frio. Depois, puxou alguns punhados de lã e nos passou. A ideia era excelente, e acho que conseguimos expressar a ele nossos agradecimentos.

Quando partimos daquela pequena aldeia de montanha, estávamos carregados de comida, que incluía uma metade inteira da ovelha assada. Até então mantivéramos todos os comestíveis que recebíamos em uma sacola, que era transportada em turnos. Decidimos, naquele estágio, dividir igualmente a carne e os bolos achatados entre nós, por causa do perigo de perder tudo se o único e precioso saco desaparecesse com o carregador em alguma das escaladas cada vez mais difíceis que vínhamos enfrentando.

O tibetano nos acompanhou por cerca de 800 metros do caminho, ao longo de uma trilha estreita sobre o vale. Se estivéssemos sozinhos, teríamos descido até o ponto mais baixo e começado pela vertente íngreme do outro lado, a fim de nos mantermos na direção sul. Ele, entretanto, fez gestos insistentes na direção sudoeste da trilha e, para cada um de nós, individualmente, indicou na distância o marco de dois picos gêmeos, que entendemos que deveríamos cruzar. O tibetano se despediu nos desejando boa viagem e voltou pelo caminho que viera.

— Que Deus lhe proteja! — disse Paluchowicz com fervor, em polonês.

Era o começo da tarde e, com o que restava do dia, percorremos talvez 15 quilômetros de terreno relativamente fácil. Naquela noite, em torno de uma pequena fogueira, ficamos conversando durante horas, tentando calcular nossa posição e a distância que ainda tínhamos de percorrer. Quando a conversa começou a morrer, a imobilidade e o silêncio extraordinários das montanhas, que levam à meditação, subjugaram-nos. Experimentei um sentimento de imensa piedade por mim e por todos. Lutei contra um medo desesperador de que naquele momento, com milhares de quilômetros de sofrimento atrás de nós, os riscos pudessem ser grandes demais. Muitas vezes, à noite, eu tinha esses acessos de desânimo e dúvida. Os outros também, tenho certeza, lutavam contra isso, mas nunca demos voz a essas hesitações. Com a chegada da manhã, as perspectivas eram sempre mais esperançosas. O medo continuava sempre à espreita, mas o movimento, a ação e a aplicação da mente sobre os problemas diários de sobrevivência empurravam-no para segundo plano. Encontrávamo-nos, então, com mais força que nunca, sob o poder do anseio compulsivo de nos mantermos em movimento. Havia se tornado uma obsessão, uma espécie de mania. Como autômatos, partíamos todas as manhãs, acionados por um simples "Vamos" que vinha de algum de nós. Ninguém pedia nem meia hora de descanso. Simplesmente íamos, espantando de nossos corpos a rigidez das juntas e o frio da noite com a própria caminhada.

Racionamos a comida com parcimônia, e ela durou, fazendo-se uma refeição ao dia, mais de duas semanas. Era insuficiente para as escaladas pesadas e as descidas perigosas que se impunham agora, mas ao menos sentíamos o conforto de saber que não morreríamos de fome enquanto durasse. Algumas vezes ficamos presos nas alturas e tivemos de recorrer às lições de nossa experiência siberiana, cavando buracos na neve e hibernando, sem dormir, até o nascer do dia seguinte.

Sobre o esporte do montanhismo, aprendemos muito à medida que as semanas se arrastavam. Eu havia praticado um pouco de escalada na Polônia antes da guerra, mas tinha muito pouca semelhança com aquela atividade severa no Himalaia. Antes, eu possuía sólidas botas com travas e toda a parafernália da civilização, além dos serviços de um guia especialista. E escalávamos no verão, por esporte. Ali, subíamos nos agarrando às montanhas com as mãos durante horas, com as sacolas amarradas às costas, para encontrar o caminho bloqueado por uma pedra lisa, perpendicular, que se projetava. Sustentávamo-nos então só com as mãos para poder descansar os pés, cheios de cãibras e doloridos de tanto ficarem curvos apoiados nos calços dentro de mocassins moles. Depois, dávamos meia-volta e descíamos até encontrar algum lugar do qual pudéssemos tentar uma aproximação diferente até o topo. Nessas condições, o deslocamento era muito lento. Todo o nosso equipamento era composto de uma corda forte de couro cru, de uso limitado por causa do comprimento insuficiente, um machado — o maior dos tesouros, sem dúvida —, uma faca de lâmina larga e os aros e ganchos que confeccionáramos no calor do Gobi.

Subíamos individualmente, mas em uma ordem preestabelecida. Zaro, o mais leve, guiava o caminho para cima, testando os apoios com o machado, quebrando as crostas de gelo sobre a neve e abrindo uma trilha para o restante de nós. Depois vinha eu, às vezes trocando a liderança com Zaro, para que descansasse; e, por fim, Kolemenos, *mister* Smith e Paluchowicz. Tentávamos tornar tudo o mais fácil possível para os dois mais velhos, mas eles sempre insistiam em ir na frente nas descidas. Ainda carregávamos nossos fiéis gravetos, e nas inclinações mais suaves nós os usávamos para procurar fendas escondidas na neve. Outras vezes, eles eram carregados enfiados no cinto, às nossas costas.

Zaro seria um alpinista habilidoso e intrépido na companhia de qualquer um. Inventamos e criamos um dispositivo canhestro para nos ajudar a passar por grandes saliências na rocha: um pedaço pesado de uma pedra preta, dura e lisa, fina no meio, como um número 8, ao qual amarrávamos nossa corda. Nós a atirávamos para cima incontáveis vezes, até que por fim, sem que a víssemos, se encaixasse em algum lugar e ficasse firme. Depois, Zaro, heroicamente, começava a escalar, enquanto o observávamos com o coração na mão, sabendo que a penalidade para uma simples escorregadela era a morte. Em uma ou duas ocasiões, quando vi, por alguma casualidade, que a pedra tinha se fixado de primeira, senti um frio na espinha.

Os ocasionais dias bons traziam consigo a aflição extra do reflexo do sol na neve. Víamo-nos atormentados, também, por uma experiência nova de intenso desconforto físico: a maneira pela qual o frio atingia nossa testa, até que parecesse estar enrolada por faixas de gelo glaciais. Esse problema nós resolvemos confeccionando máscaras de pele de carneiro com aberturas para os olhos; a parte superior enfiada na borda da touca e a de baixo solta, na altura do nariz. Elas foram eficientes ao propósito para o qual foram criadas e também pareciam ser de auxílio no problema do reflexo da neve, mas percebemos que juntavam umidade no interior, que escorria e congelava em volta do nariz e da boca. Havia momentos em que eu precisava parar e derreter esse gelo, tapando a parte inferior do rosto com as mãos enluvadas. Mantínhamos o máximo possível as mãos cobertas, mas quando a subida exigia o uso dos dedos, amarrávamos as luvas no pulso com tiras de couro. Com a máscara em torno do rosto, atada atrás da cabeça, e as abas de orelha dos gorros em estilo russo, na posição, era difícil ouvirmos uns aos outros. Era uma irritação em cima da outra. Sentíamo-nos mortalmente cansados, taciturnos e sempre famintos. Meus nervos pareciam tensos como as cordas de um piano. Estava frio demais para dormir.

Por volta do começo de março, saímos os cinco de uma tempestade de neve ao longo de um trecho em declive em direção leste-oeste para um súbito bom tempo em um vale coberto de branco entre as montanhas. Foi no meio da manhã, e o sol nos convidou a tirar as máscaras e os gorros. Sentamo-nos e descansamos, envolvidos pelo silêncio. Não comíamos já fazia alguns dias, e nosso moral estava baixo. Ficamos ali aco corados, sem falar. Então, ouvi um som e agucei o ouvido para escutá-lo de novo e identificá-lo.

— Ouvi um cachorro latir — disse Paluchowicz.

— Também escutei alguma coisa — acrescentei.

Paluchowicz apontou, empolgado:

— Veio daquela direção. Vamos até lá investigar.

Andamos por cerca de 500 metros com os ouvidos alerta. O som do cachorro latindo foi tão alto e próximo quando veio de novo que paramos. Olhamos em volta e não conseguimos enxergar nada. Estávamos esperando ver uma casa ou um abrigo, mas não havia nenhum tipo de construção por perto. O cão devia ter nos farejado, porque se pôs a ganir de modo prolongado até identificarmos a fonte, na boca de uma caverna sombria em meio à brancura circundante. Estávamos a apenas 100 metros de distância, e quando fomos em sua direção, a figura de um homem saiu à luz e olhou para nós. Ele falou com o cachorro, que agora tinha a companhia de outro, e fez com que parasse o barulho.

Era um homem já de idade, com fios de cabelo em torno do queixo e um rosto bronzeado, castigado pelo tempo, marcado e enrugado. Seu sorriso revelava lacunas, onde os anos haviam roubado alguns de seus dentes da frente. Estava bem agasalhado contra o frio, vestindo o sobretudo tibetano típico de pele de carneiro sobre casaco e calças acolchoadas. Calçava um belo par de botas de couro, cuja parte de cima, em volta da panturrilha inferior, era ornada com pequenas aberturas que revelavam um forro interno de feltro verde. Não sei qual dos dois lados ficou mais satisfeito com o encontro. O velho balançava a cabeça, inclinava-se, falava e exibia seu grande sorriso, em que faltavam dentes. Nós fazíamos mesuras, ríamos e nos sentíamos felizes a ponto de querer dançar em círculos à sua volta. Até os cachorros, marrom-avermelhados e parecendo samoiedas em versões menores, foram contagiados pelo entusiasmo e corriam em torno de nós, balançando freneticamente o rabo peludo e ganindo de excitação.

Fora da caverna, havia um muro baixo com cerca de um 1,20 metro de altura, feito de pedras soltas empilhadas que servia de quebra-vento. Ele nos fez contorná-lo e nos levou para a semiobscuridade, e de imediato, antes que nossos olhos se habituassem à mudança de luz, sentimos o cheiro forte, pegajoso e abafado das ovelhas.

O tamanho pequeno da abertura me deixou despreparado para a vastidão imponente do interior. A caverna era curva, de maneira que a forma do chão era a de um bumerangue. O homem e os cachorros viviam em um espaço com cerca de 5 metros, que ia da abertura até um ponto onde a caverna era dividida por um muro de entulho. Atrás, nos recessos mais recuados, havia ovelhas, aproximadamente cem delas, imaginei. Aquilo era o alojamento de inverno de um pastor, aguardando a chegada da primavera e o derretimento da neve, de forma que as ovelhas pudessem sair para pastar na grama verde e nova do vale. Em ganchos, viam-se pendurados quatro ou cinco fardos de feno, envolvidos em redes de malhas largas. Uma pilha de redes vazias revelava que o rebanho estava confinado ali havia muitas semanas.

Uma fogueira ardia no meio do chão e perto dela havia uma pilha de galhos e esterco. Um caldeirão grande e outro pequeno repousavam contra as pedras do local do fogo. O maior, percebi, era usado para derreter neve, a fim de abastecer o rebanho de água. O outro era a panela de cozinhar, de utilidade geral, do pastor, na qual ele logo começou a preparar chá, e pela única vez na Mongólia ou no Tibete vi-o sendo preparado com folhas secas, soltas. Elas saíram de uma caixa de madeira encerada e sua cor era verde-oliva. Aquilo deve ter sido um regalo especial de boas-vindas, porque as infusões seguintes foram feitas com as habituais barras pretas de chá.

O velho puxou um canivete da cintura e o abriu. Ajoelhou-se e começou com lentidão deliberada a afiar a lâmina sobre uma pedra achatada. Os cachorros levantaram-se e começaram a dançar à sua volta enquanto ele trabalhava. Eles sabiam que em breve haveria carne fresca. O pastor experimentou o fio da lâmina sobre a ponta do polegar, sorriu para nós e se meteu entre as ovelhas, com os cães saltando atrás dele. Depois, saiu da caverna com uma ovelha jovem, balindo e escoiceando sob um de seus braços, e em um tempo incrivelmente curto estava de volta com a carcaça recém-esfolada. Os cachorros foram alimentados à entrada da caverna com a cabeça e pedaços de entranhas. A seguir, ele cortou os quartos para assá-los. Enquanto a carne chiava em um espeto de madeira sobre o fogo, o velho nos distraía colocando as belas botas sob o assado e deixando a gordura escorrer em cima delas, antes de esfregá-la sobre o couro, provavelmente para amaciar e preservar. Com uma farinha grosseira e um pouco de água do fundo do caldeirão grande, ele moldou uns bolos e assou-os sobre uma pedra chata, que estava ao lado do fogo. Comemos como mortos de fome e não houve dificuldade em relação a demonstrar nosso apreço sob a forma de arrotos ao final da refeição.

Quando o velho fez menção de arrastar o caldeirão pesado para fora da caverna, Kolemenos e eu o tomamos dele e o carregamos. Todos ajudaram na tarefa de enchê-lo de neve. Fizemos um movimento para trazê-lo de volta quando já se encontrava repleto, mas ele nos deteve. Com agilidade surpreendente, pulou em cima do caldeirão e começou a pisar a neve. Depois ele desceu e nós enchemos o recipiente de novo. Dessa vez Zaro subiu e dançou, soltando gritos de alegria ao prensar a neve, enquanto o velho gargalhava de prazer com a diversão. A massa de neve prensada foi derretida no fogo, e mais tarde, o pastor alimentou o rebanho com feno e lhes deu água para beber.

Foi mais a presença do rebanho que o braseiro da fogueira o que esquentou a caverna aquela noite, e dormi exausto. Umas duas vezes aquele fedor pavoroso de animais confinados me acordou, e me perguntei onde estava, mas logo adormeci de novo, sentindo-me aquecido e a salvo. Nosso homem das cavernas tibetano se encontrava ativo antes de nós pela manhã, e quando despertamos por completo, já tinha preparado uma sopa grossa, que estava mexendo vagarosamente sobre o fogo. Seu presente de despedida para nós foi o último quarto da ovelha que matara no dia anterior.

Fora da caverna, ele obviamente perguntou para onde estávamos indo. Olhamos para o sol e apontamos na direção do sul. Ele segurou o braço estendido de Zaro e desviou-o até que apontasse para alguns graus a oeste do sul. E foi esse o caminho que tomamos.

Os acontecimentos dos dias seguintes mostraram que o pastor conhecia bem aquela parte do país. Estávamos cobrindo a distância para o sul, fazendo um grande zigue-zague que evitava qualquer escalada exaustiva. Em termos de distância, devia ser um caminho mais longo, mas atirarmonos às montanhas diretamente à frente nos faria perder mais tempo.

Um incidente àquela altura ficou na minha memória. Ao descer um declive longo e coberto de neve, Paluchowicz perdeu um dos sapatos. Ficamos observando enquanto ele rolava pela encosta até parar. O sargento ficou em uma perna só para não encostar o pé descalço na neve congelante, xingando e praguejando ao modo da caserna.

— Eu vou pegar para você — gritou Zaro, correndo até o mocassim.

Nós o vimos se abaixar e pegar o calçado antes de diminuir a corrida para a frente. Onde a encosta terminava, tanto quanto podíamos ver de cima, Zaro pôs o traseiro no chão para poder frear. No instante seguinte, ele havia desaparecido do nosso campo de visão, deslizando sobre as nádegas.

Correndo com mais cuidado do que Zaro fizera, fui o primeiro a chegar ao local onde ele sumira. O terreno ali se inclinava em uma longa curva para baixo, ao fim da qual estava o iugoslavo, vítima de um acesso de riso e limpando a neve das calças. Paluchowicz desceu por último para se juntar a nós, pulando em um pé só, a fim de abanar e gritar para Zaro, a 300 ou mais metros de distância.

— Experimentem — berrou o iugoslavo. — É o modo mais fácil de descer.

Sentei-me na trilha deixada por Zaro e deixei-me escorregar. Foi uma descida divertida, com o vento soprando nos meus ouvidos. Terminei como ele, tendo um acesso de riso. Um atrás do outro, Kolemenos, *mister* Smith e Paluchowicz, todos desceram deslizando.

Sempre me lembro do incidente porque foi a única parte de toda a longa jornada em que não usamos os pés para nos deslocarmos.

22

O Abominável Homem das Neves

Em fins de março de 1942 estávamos convencidos de que, ao menos, nos encontrávamos muito próximos do refúgio da Índia. Barrando nosso caminho à frente, erguia-se o pico mais alto e ameaçador que já havíamos visto. Dissemos uns aos outros que aquele esforço final nos levaria até o país onde tínhamos certeza de que liberdade, civilização, descanso e paz de espírito por fim nos aguardavam. Individualmente, precisávamos de todas as garantias e estímulos que pudéssemos reunir. Torturava-me o medo de que o esforço de mais uma grande escalada fosse acabar comigo. Eu receava ser vítima do sono insidioso das alturas, do qual não havia despertar. Todos os meus temores se tornavam ainda maiores por causa daquela convicção compartilhada de que, depois de 6.500 quilômetros, estávamos próximos do sucesso. Eu não conseguia afastar, então, o fantasma amargo do fracasso. Os recursos do corpo e da mente estavam chegando ao limite em todos nós. Só um bem incalculável e maravilhoso permanecia — a amizade estreita e sincera de homens reunidos pelo infortúnio. Enquanto estivéssemos juntos, a esperança não poderia ser sufocada. O todo, em termos de espírito e resolução, era maior que a soma das partes.

Sentamo-nos em volta de um fogo feito com os últimos restos de graveto que trazíamos e comemos as derradeiras migalhas de nossa ração. Pegamos a corda de couro cru, o machado, a faca, os aros de metal, os ganchos finos e os examinamos, testando-os. Demo-nos umas duas horas antes do escurecer para consertar nossos calçados. Quando terminamos, estávamos tão bem preparados para a última rodada quanto era possível. O fogo começou a morrer e se transformou em cinzas antes da meia-noite, e passamos uma madrugada de inquietude, andando de um lado para o outro até o primeiro vislumbre da aurora. Zaro amarrou a corda em volta do corpo, pegou o machado de Kolemenos e saiu na frente. Fiquei aliviado ao me ver em movimento.

Tivemos a bênção do bom tempo. O vento estava frio, mas o sol brilhava com força suficiente para atacar a camada mais alta da neve, de forma que ela derretia o bastante para se refazer, nas temperaturas congelantes da noite, como uma película de gelo quebradiça e traiçoeira. Subíamos com mais segurança e cautela do que já fizéramos antes. Zaro checava cada calço para os pés e as mãos ao nos guiar para cima, desbastando o gelo com o machado, enquanto o vapor saía em pequenas nuvens de seu nariz e de sua boca, sob a máscara.

No começo do terceiro dia chegamos ao topo, apenas para nos confrontarmos com mais outro pico. Era como a matéria de que os pesadelos são feitos. Parecia haver sempre outra montanha bloqueando o caminho. Dois dias foram gastos na descida da face sul desse pico elevado e exposto, e achei que foi mais exasperante para os nervos do que a subida. No vale, construímos um abrigo de neve para conter o açoite do vento e conseguimos tirar algumas horas desconfortáveis de sono para nos prepararmos para o sacrifício seguinte.

A montanha seguinte foi a pior de toda a nossa experiência. De vale em vale, sua travessia levou seis dias e testou nossa resistência a um grau que, pela primeira vez, conversamos abertamente sobre a perspectiva de que poderíamos todos morrer. Tenho certeza de que uma nevasca com algumas horas de duração acabaria conosco.

Dois dias de escalada e o topo ainda se encontrava oculto em nuvens circulantes. Enfiei minha faca em uma fenda para me dar um apoio extra na subida, a partir de uma saliência estreita. Com o corpo espremido contra a rocha, soltei as mãos e os pés, um de cada vez, a fim de poder flexionar meus dedos enrijecidos, cheios de cãibra. Depois, segurei o cabo da faca acima de mim e comecei a me suspender com o braço direito. De repente, a faca deu um salto, como se estivesse viva, escapou-me da mão e passou sobre minha cabeça zunindo. Agarrei-me a outro ponto e, cavando com os dedos das mãos e dos pés, arrastei-me até uma posição segura. A faca se fora. Não havia o menor sinal dela. Senti como se tivesse perdido um amigo.

Próximo ao cume, no terceiro dia, a escalada ficou mais fácil, mas começamos a duvidar seriamente se conseguiríamos empreendê-la. O frio era terrível, redemoinhos de neblina caíam sobre nós, subiam, desciam e se elevavam de novo. Os efeitos da grande altitude estavam nos tirando qualquer resquício de forças que ainda possuíssemos. Cada passo era uma luta contra uma lassidão torturante que nos fazia querer sentar e chorar de fraqueza e frustração. Eu não conseguia inspirar ar suficiente para os pulmões, que explodiam, e meu coração batia alto, martelando contra o peito. A força de vontade se tornou uma coisa flácida. Qualquer um de nós, estando sozinho, teria desistido de bom grado e deitado alegremente, fechando os olhos e flutuando para a morte. No entanto, sempre havia um se arrastando. Assim, mantínhamo-nos em movimento. Um último refinamento de tortura era a hemorragia nasal. Tentei conter a minha enfiando pedaços de saco nas narinas, mas o desconforto de respirar apenas pela boca era tão grande que os retirei. O sangue escorria, ficando congelado na barba.

Sabíamos que teríamos de passar a noite naquela atmosfera rarefeita, e essa certeza não nos fazia qualquer bem ao espírito:

— A gente deve continuar enquanto tiver luz — disse Zaro. — Tentar chegar ao alto antes de escurecer.

Assim, continuamos dolorosamente, como moscas tentando escapar de uma poça de melaço. Fizemos desvios longos para a direita e a esquerda, a fim de evitar o impossível esforço extra de uma escalada frontal. Não me lembro de chegar ao cume. Recordo-me apenas do momento em que notei, com certa surpresa, que Zaro, o primeiro da fila, estava ligeiramente abaixo de mim. Subimos mais um pouco e depois soubemos com certeza que a descida começara.

Aquela noite foi o ápice da crise de toda a aventura. Em uma saliência larga e plana, onde a neve havia caído e se acumulado, quebramos a crosta dura da superfície com o machado e cavamos com dificuldade alguns metros no gelo, a fim de criar um refúgio razoavelmente adequado contra os rigores da noite. Não tínhamos fogo. Sentíamos um cansaço tão grande nos ossos que poderíamos dormir de pé se quiséssemos, mas sabíamos que até mesmo a tentativa de um cochilo seria o mesmo que chamar a morte.

Foi a noite mais longa da minha vida. Ficamos de pé, encolhidos, os braços passados em volta uns dos outros. O sono pairava sobre nossas pálpebras como um objeto sólido, e me vi mantendo os olhos abertos com a ponta dos dedos comprimidas contra o globo ocular sob a máscara. Por três vezes Kolemenos, o arquidorminhoco, deixou o queixo cair sobre o peito e começou a roncar, e em cada uma delas nós o socamos e balançamos até que voltasse ao estado de vigília. Cada homem cuidava do outro, de olho em pálpebras que caíam e cabeças pendentes. A intervalos, batíamos vagarosamente com os pés no chão, formando um pequeno círculo. Mesmo durante essa dança grotesca, eu começava a mergulhar em um sono lindo, aveludado, mas o americano me arrastava de volta, gentilmente me cutucando, puxando minha barba e me sacudindo. Chegou então aquele período terrível, um pouco antes do amanhecer, quando o cansaço e o frio combinados me fizeram tremer, em uma convulsão incontrolável, da cabeça aos pés.

— Vamos embora — disse alguém. — Vamos descer para algum lugar onde a gente possa respirar de novo.

Paluchowicz falou:

— Eu não vou conseguir passar outra noite como essa.

Ele estava expressando o sentimento de todos.

Mal era dia, mas partimos e continuamos nosso caminho, com Paluchowicz guiando e Zaro e eu por último. Mesmo então eu ainda não podia me convencer de que conseguiríamos. Em certo momento, por volta do meio-dia, vimo-nos bloqueados por uma hora inteira, quando nossa trilha de descida terminou abruptamente em uma projeção rochosa sobre um abismo profundíssimo. Arrastamo-nos de volta, subimos para o antigo trajeto e tentamos outra direção. Dessa vez conseguimos, mas não sem grandes perigos e com o uso frequente da corda e do machado.

Em cerca de dez horas de trabalho exaustivo devemos ter descido cerca de 1.500 metros antes do anoitecer. A respiração se tornou mais fácil, o moral subiu e a esperança retornou um pouco, mais uma vez. Resistimos durante outra noite de depressão e vigília e continuamos a descida no dia seguinte, até conseguirmos ver com clareza o vale abaixo.

À tarde, Zaro me disse:

— Você está notando alguma coisa de peculiar nesse vale?

Olhei em volta.

— Não — respondi. — Por quê?

Zaro apontou para uma cordilheira longa, que se lançava do corpo principal da montanha em direção ao oeste.

— É uma formação parecida com a daquela cordilheira onde a gente encontrou a caverna do pastor.

Eu ri:

— Você não está achando que a gente vai encontrar outro pastor com rebanho está?

— Não — disse Zaro. — Mas podemos encontrar uma caverna em que a gente possa dormir.

Chamamos os outros e sugerimos descer pela cordilheira para procurar uma caverna. Todos concordaram prontamente.

A característica extraordinária dessa aventura não foi, depois de umas duas horas, ter encontrado uma caverna, mas o fato de ela ser o refúgio de inverno de outro pastor. Ao contrário da primeira, encontrava-se desocupada, mas havia uma pilha de gravetos próximo à entrada e uma grande quantidade de peles de carneiro não tratadas oculta contra a parede dos fundos, a cerca de 3,5 metros da abertura. Se precisássemos de um sinal de que a Providência ainda estava do nosso lado, seria aquele.

Pendurada em um gancho no teto, havia uma coisa embrulhada em uma macia pele de carneiro. Alguém a trouxe para baixo e abriu. Era uma perna de bode, parcialmente defumada e já quase preta. Estávamos famintos demais para melindres. Decidimos fazer uma fogueira e assá-la.

E que fogueira foi aquela! Empilhamos tanta lenha que as chamas dançantes iluminaram até os cantos mais remotos da caverna. Assistindo à carne cozinhar, aquecemo-nos pela primeira vez em semanas. Sem a faca, tivemos de cortá-la de modo bruto, com o machado, deixando um meio quarto para ser comido pela manhã e reduzindo o resto a tiras. Paluchowicz, o desdentado, sem a faca para ajudá-lo, demorou mais tempo que os outros para comer sua parte, mas conseguimos aliviar nossa fome.

Naquela caverna, pela única vez desde que deixáramos a Sibéria servimo-nos dos pertences de outro homem. Tiramos algumas peles do esconderijo e fizemos sobretudos sem manga para todos. Espero que possamos ser perdoados por isso, mas nossa necessidade de alguma coisa que nos protegesse o corpo maltratado pelo frio da montanha era imensa. Dormimos a noite toda, em uma grande cama comunitária feita de peles quentes e malcheirosas, e quando acordamos, o dia já havia nascido havia umas duas horas e a fogueira se apagara. Apressadamente, recolocamos no lugar as peles que tinham servido para fazer a cama, comemos o resto da carne de bode fria e partimos.

Era inútil ficar especulando mais sobre se estávamos perto do fim da nossa jornada. Sequer saíramos das montanhas ainda. O pico menor que escolhemos para escalar, dois dias depois do episódio da caverna, era, sem que soubéssemos, o último posto avançado do Himalaia, além do qual os contrafortes levavam em direção ao norte da Índia. Não me recordo de nenhum detalhe dessa última escalada, mas sei que subimos durante dois dias sem que atingíssemos a altitude que induz à náusea da altura. Quando começamos a descer pelo outro lado, o sol brilhava e o ar estava incrivelmente claro. A grande distância, para oeste, vi picos gigantes cobertos de neve, que faziam o elevado no qual me encontrava parecer um morro muito modesto. Para o sul, a região sofria uma queda dramática. Eu sabia que estava vendo a Índia.

Em todas as nossas andanças pela região do Himalaia, não havíamos encontrado outras criaturas que não fossem homens, cachorros ou ovelhas. Foi com muito interesse, portanto, que, nos primeiros estágios de nossa descida, Kolemenos chamou nossa atenção para duas manchas escuras contra a brancura da neve que se moviam cerca de 400 metros abaixo de nós. Pensamos em animais e, de imediato, em comida, mas quando descemos para investigar, não tínhamos muita esperança de que fossem aguardar nossa chegada. O contorno da montanha ocultou-os temporariamente enquanto nos aproximávamos mais, mas ao pararmos à beira de um costão, descobrimos que ainda estavam lá, uns três metros e meio abaixo de nós e a cerca de 100 metros de distância.

Duas coisas me impressionaram de imediato. Eles eram enormes e andavam com as patas de trás. A cena permanece nítida na minha cabeça, fixada ali de forma indelével por duas longas horas de observação. A princípio não conseguíamos acreditar no que estávamos vendo. Então, decidimos ficar para observar. Alguém falou em descer até o nível deles para ter uma visão melhor.

Zaro disse:

— Eles parecem tão fortes que podem comer a gente.

Ficamos onde estávamos. Não nos sentíamos muito seguros na presença de criaturas desconhecidas que se recusavam a fugir à aproximação de vários homens.

Pus-me a estimar sua altura com base em meu treinamento militar para observações de artilharia. Não teriam muito menos que 2,5 metros de altura. Um era alguns centímetros mais alto que o outro, na mesma proporção da média de altura de homens e mulheres. Eles se moviam tranquilamente sobre uma saliência plana que obviamente fazia parte da nossa rota para continuar a descida. Achamos que, se esperássemos o bastante, eles iriam embora e deixariam o caminho livre para nós. Era evidente que haviam nos visto e igualmente claro que não nos temiam.

O americano disse que no final, ele tinha certeza, nós os veríamos ficar de quatro como ursos, mas isso nunca aconteceu.

Não consegui lhes ver o rosto em detalhes, mas tinha uma cabeça de formato meio quadrado e os ouvidos deviam ficar muito colados ao crânio, pois não havia nada se projetando de sua silhueta contra a neve. Os ombros se inclinavam abruptamente até um peito vigoroso. Os braços eram longos e os pulsos chegavam até o nível dos joelhos. Vistos de perfil, a parte de trás da cabeça ia em linha direta do topo até os ombros — "como um maldito prussiano", segundo o comentário de Paluchowicz.

Concluímos por unanimidade que estávamos examinando um tipo de criatura da qual não possuíamos nenhuma experiência prévia, fosse na natureza, nos zoológicos ou na literatura. Teria sido fácil vê-los gingando a distância e descartá-los como se tratando de ursos ou macacos grandes, do tipo orangotango. De perto, desafiavam uma descrição simples. Realmente havia neles algo do urso e do macaco na forma geral, mas não dava para confundi-los com nenhum desses dois animais. Sua cor era ferrugem escura. Pareciam cobertos por dois tipos diferentes de pelo — um avermelhado, que lhes dava a cor característica, formando uma pele justa em torno do corpo, misturada com fios longos, lisos e soltos que pendiam e tinham um tom ligeiramente acinzentando quando vistos contra a luz.

Balançando os pés sobre a borda da pedra, ficamos observando-os de perto por cerca de uma hora. Eles não faziam nada, a não ser se mexerem juntos, devagar, parando de vez em quando para olhar em volta, como pessoas admirando uma paisagem. Viravam a cabeça em nossa direção vez por outra, mas o interesse por nós parecia ser quase insignificante.

Zaro se pôs de pé:

— A gente não pode ficar o dia todo esperando eles se decidirem a ir embora. Eu vou fazê-los se mexerem.

O iugoslavo começou a fazer uma imitação de uma dança de guerra indígena, bradando, gritando e mexendo os braços. Os seres sequer se moveram. Zaro então saiu catando pedaços de gelo e voltou com cerca de meia dúzia deles, com espessura de alguns centímetros. Depois, começou a atirá-los um a um em direção ao casal, mas eles tomavam outra direção. Um dos projéteis levantou um pouco de poeira de neve a cerca de 20 metros deles, mas, se perceberam, não deram o menor sinal. Zaro se sentou de novo, ofegante.

Esperamos por mais uma hora, mas eles pareciam felizes permanecendo onde estavam. Comecei a ficar com a sensação desconfortável de que estavam nos desafiando a continuar nossa descida passando pelo terreno deles.

— Acho que estão rindo da gente — disse Zaro.

Mister Smith se pôs de pé:

— Talvez passe pela cabeça deles subir até aqui para examinar a gente. É óbvio que eles não têm medo de nós. Acho melhor a gente ir embora enquanto ainda estamos a salvo.

Demos meia-volta, na direção oposta à deles. Olhei para trás, e o casal estava parado, balançando ligeiramente os braços, como se estivesse escutando algo atentamente. O que eram eles? Os dois permaneceram um mistério para mim durante anos, mas recentemente tenho lido sobre expedições científicas cujo propósito é descobrir o Abominável Homem das Neves no Himalaia e venho estudando algumas descrições da criatura fornecidas por nativos das montanhas. Creio que, naquele dia, talvez tenhamos encontrado dois desses animais. Insisto, entretanto, que as estimativas recentes em relação a sua altura, como sendo de 1,5 metro, só podem estar erradas. A estatura mínima de um espécime crescido deve ser de aproximadamente 2 metros.

Acho que, ao ocasionar um desvio de rota, eles precipitaram nosso último desastre.

Era cerca de meio-dia quando nos pusemos em movimento, a fim de continuar a descer. Tudo ia bem e nos deslocávamos com rapidez. Nosso humor estava bom, apesar do estômago vazio. Encontramos uma cavidade quase ideal entre as pedras para passar a noite e fomos saudados por mais uma manhã bela e clara de abril, irrompendo através de um fino nevoeiro que logo se dissipou.

Duas horas depois, aconteceu. Zaro e eu segurávamos a extremidade da corda, amarrada em torno de nossos sólidos cajados, na crista de uma encosta. Eu estava rindo de alguma coisa que o iugoslavo tinha dito sobre as duas estranhas criaturas do dia anterior. A encosta era curta e sua inclinação mal justificava o uso da corda, que se encontrava solta no ar, apenas como segurança, em caso de Paluchowicz, arrastando-se de quatro para trás, escorregar para dentro de alguma fenda invisível. Atrás dele, vinham Smith e Kolemenos, distantes um do outro. A corda passava por baixo dos três sem que ninguém a segurasse.

Observei Paluchowicz alcançar o fim da encosta. Virei-me para Zaro e naquele instante vi a corda dar um tranco nos cajados e depois ficar de novo solta. Ao mesmo tempo ouviu-se um grito agudo e curto, como o que um homem solta quando é surpreendido de repente. Zaro e eu nos viramos juntos. Demorou um segundo ou dois até a pavorosa verdade se revelar para mim. Smith e Kolemenos estavam lá, mas Paluchowicz havia desaparecido. Como idiotas, ficamos ali gritando seu nome. Ninguém respondia. Os outros dois, de costas para o sargento, não sabiam o que tinha acontecido. Eles pararam ao primeiro grito e olharam para nós.

— Voltem — berrei para eles. — Aconteceu alguma coisa com Anton.

Eles subiram de novo, puxei a corda e amarrei a extremidade livre em torno da cintura.

— Vou descer para ver se consigo encontrá-lo — eu disse.

Alcancei o ponto onde, de cima, a encosta parecia terminar suavemente. Zaro segurou a sobra da corda e eu me virei, como vira Paluchowicz fazer. A cena me fez prender a respiração. A montanha se abria como se tivesse sido atingida pelo golpe de um machado gigante. Eu estava vendo uma fenda de 20 metros, que era a parte mais estreita de um precipício que se estendia, apavorante, abaixo de mim. Não conseguia ver a parte de baixo. Senti o suor porejando na testa.

Futilmente, gritei:

— Anton, Anton!

Dei meia-volta e retornei, tremendo tanto que segurei a corda com força o tempo todo.

Todo mundo começou a falar ao mesmo tempo: se eu o tinha visto, por que eu tinha gritado, onde ele estava.

Contei a eles como era lá embaixo e que não havia sinal de Paluchowicz.

— A gente tem de encontrá-lo — disse Kolemenos.

— A gente nunca vai encontrá-lo — disse a eles. — Ele se foi.

Ninguém queria acreditar. Eu mesmo não conseguia. Com dificuldade, abrimos caminho até um novo ponto de onde podíamos olhar para dentro do abismo. Então, eles entenderam. Jogamos uma pedra e ficamos esperando o som de sua queda. Não escutamos nada. Achamos uma pedra maior e a atiramos. Nem assim ouvimos o eco de sua queda.

Ficamos por ali um longo tempo sem saber o que fazer. O desastre fora tão súbito, tão completo... Paluchowicz estava conosco em um momento e no seguinte se fora, arrancado de nós. Nunca achei que ele fosse morrer. Parecia indestrutível. O resistente, desdentado e devoto sargento Paluchowicz.

— Esse caminho todo — disse o americano. — Esse caminho todo para morrer de forma tão estúpida no final.

Acho que ele sentiu aquilo mais do que todos nós. Como os dois homens mais velhos, eles haviam se tornado muito próximos.

Kolemenos tirou a sacola das costas e rasgou deliberadamente as costuras. Ficamos todos em silêncio. Ele colocou uma pedra no canto e jogou-a para o alto. A pedra caiu e a sacola flutuou para longe, como uma mortalha simbólica para Paluchowicz. Depois pegou seu cajado e, com o machado cego, cortou uma das extremidades e fez uma cruz, enterrando-a ali, na borda.

Descemos, tentando não perder de vista o local onde Paluchowicz havia desaparecido, com uma esperança vaga de que pudéssemos encontrar seu corpo. No entanto, nunca vimos o fundo do grande abismo e jamais achamos o sargento.

Depois disso, tivemos alguns dias quentes e pudemos olhar para trás, vendo a majestade das montanhas que havíamos atravessado. Precisávamos terrivelmente de comida e, agora que o esforço final terminara, mal conseguíamos nos movimentar. Um dia vimos uma dupla de cabras com pelos compridos que fugiu na velocidade do vento. Elas não precisavam ter medo. Mal tínhamos força para matar qualquer coisa maior que um besouro. A região ainda era montanhosa, mas havia rios, córregos e pássaros nas árvores.

Estávamos havia cerca de oito dias sem comer quando vimos ao longe, para o leste, em uma manhã de sol, um rebanho de ovelhas, com homens e cães tomando conta. Encontravam-se a uma distância muito grande para nos ser de alguma ajuda e estavam se afastando de nós, mas nossas esperanças aumentaram ao vê-los. Em breve seríamos resgatados. Arrancamos um pouco de um mato verde que crescia à beira de um riacho e tentamos comer, mas era muito amargo e nosso estômago não aceitou.

Exaustos, como esqueletos humanos, sentimos então, pela primeira vez, paz de espírito. Foi assim que perdemos, por fim, o medo de ser recapturados.

Eles vieram do oeste, um grupo pequeno de homens marchando, e à medida que chegavam mais perto vi que havia seis soldados nativos com um oficial subalterno no comando. Eu quis abanar a mão e gritar, mas só consegui ficar ali com os outros três, observando-os se aproximar. Eram elegantes, asseados, em boa forma e muito militares. Meus olhos começaram a se encher e as lágrimas rolaram.

Smith deu um passo à frente e estendeu a mão.

— Estamos muito felizes de vê-los — disse ele.

23

Quatro chegam à Índia

Foi difícil entender que aquilo era o fim de tudo. Apoiei meu peso para a frente sobre o cajado e pisquei os olhos a fim de ver mais nitidamente. Sentia-me fraco e ausente, como um homem que tem febre. Os joelhos tremiam de debilidade e foi preciso um grande esforço para não despencar no chão. Zaro também estava dobrado sobre o bastão, e um dos longos braços de Kolemenos estava pousado de leve sobre seu ombro. O terreno íngreme e de vegetação pobre tremulava no calor do sol quente do meio-dia. Os soldados, parados a 5 metros de nós, formavam um aglomerado compacto de homens, vestindo bermudas e camisas tropicais, que flutuava para dentro e para fora do meu campo de visão. Deixei a cabeça cair sobre o peito e ouvi a voz de *mister* Smith. Ele falava em inglês, que eu não compreendia, mas não havia dúvidas quanto à urgência de seu tom. Isso continuou por alguns minutos. Flexionei os joelhos a fim de que parassem de tremer.

O americano veio até nós, sorrindo:

— Senhores, estamos salvos.

E como continuávamos imóveis e mudos, ele disse de novo, bem devagar:

— Senhores, estamos salvos.

Zaro gritou e o som me assustou. Ele jogou o cajado no chão e começou a berrar, com os braços para cima e os dedos estendidos. Depois, passou-os em torno do americano, e Smith teve de segurá-lo com força a fim de impedir que corresse até a patrulha e beijasse cada um dos homens.

— Afaste-se, Eugene — gritou ele. — Afasta-se deles. Eu já contei que estamos infestados de piolhos.

Zaro começou a rir e saltitar dentro dos braços que o prendiam. Depois fez o americano rodar com ele, dançando uma polca saltitante e insana, e os dois riam e choravam ao mesmo tempo. Não me lembro de começar a dançar também, mas ali estávamos, os quatro, batendo os pés no chão e chutando a poeira, abraçando-nos e gargalhando histericamente através do marejar das lágrimas, até cairmos um por um no chão.

Kolemenos ficou estendido, repetindo com suavidade para si mesmo as palavras do americano:

— Estamos salvos... Estamos salvos...

O americano disse:

— Vamos poder viver de novo.

Pensei um pouco naquilo. Soava como algo maravilhoso para se dizer. Toda aquela infelicidade, aquele sofrimento, a dureza de um ano inteiro andando a pé, para que pudéssemos viver de novo.

Soubemos por *mister* Smith que aquela era uma patrulha em exercício e que nos levaria, se não estivéssemos fracos demais para andar por alguns quilômetros, até a próxima estrada de terra, onde iriam encontrar um caminhão militar da unidade principal. Ele havia lhes dito que viéramos de tão longe que alguns quilômetros a mais não nos matariam. Com a unidade principal, haveria comida de verdade.

A patrulha tirou umas lonas das mochilas e construiu um abrigo contra o sol. Ficamos embaixo, descansando por cerca de uma hora. Minha cabeça latejava e eu sentia um pouco de enjoo. Passaram-nos um maço de cigarros e fósforos. Mais do que comer, naquele exato momento eu queria fumar. Segurar um produto da civilização tão comum quanto uma caixa de fósforos me deu uma sensação de aconchego. A fumaça era como uma bênção. De algum lugar chegou uma lata grande de pêssegos, já aberta, e enfiamos os dedos nela, enchendo a boca e triturando a polpa com seu suco delicioso. Depois bebemos água de um cantil do Exército e estávamos prontos para ir.

Acho que nenhum de nós teria conseguido se lembrar de detalhes daquela jornada pelo campo. A patrulha ajustou seu passo ao nosso caminhar exausto, e devemos ter levado cerca de cinco horas para percorrer 15 quilômetros. Zaro caminhava ao meu lado e nos divertíamos fingindo que estávamos nos movendo em ritmo de marcha militar.

— O retorno dos heróis — sorria Zaro ao dizer. — Agora só falta uma banda tocando na nossa frente.

A característica mais sensacional de tudo que nos aconteceu ao fim da marcha foi não ter sido preciso qualquer resolução ou decisão nossa. Houve um trajeto sacolejante de caminhão naquela velocidade de quebrar o pescoço que é uma marca registrada do Exército em qualquer lugar do mundo. Ficamos animados como garotos de escola com o passeio — o primeiro sobre rodas desde que saíramos do trem russo em Irkutsk havia um ano e meio. Estávamos passando pelo processo de sermos resgatados, de receber cuidados, instruções, atenção e, mais tarde, até mimos. Os britânicos se responsabilizaram por tudo.

Nunca soube ao certo onde estávamos exatamente. Naquela época, não me importava. Qualquer conjetura que fizesse examinando um mapa poderia ter uma margem de erro de milhares de quilômetros. Smith talvez soubesse, mas se alguma vez me disse, não registrei a informação. Eu me atinha apenas à grande revelação de que estávamos na Índia.

O jovem tenente britânico que nos viu descer por sobre a tampa traseira do caminhão se encontrava espantosamente limpo, arrumado e bem barbeado. Observei-o enquanto o americano lhe contava nossa história. Sua expressão enquanto ouvia, de pé à sombra das árvores no pequeno acampamento de estrada, era incrédula. O olhar ia e vinha de Smith para nós. Ele estava tentando entender. Fez várias perguntas, balançando a cabeça vagarosamente a cada resposta. Eu pensava em como era jovem. No entanto, tinha mais ou menos a minha idade.

O americano nos disse:

— Agora ele acreditou e disse que vai providenciar um tratamento para a gente se livrar dos piolhos e ficar limpo aqui mesmo, porque ele não pode nos levar para a base nessas condições. Ele disse que vai ter que isolar a gente das tropas até isso ser feito, mas que vamos ser bem alimentados e bem cuidados e para não nos preocuparmos.

Naquela noite recebemos uma refeição quente que terminou com frutas cozidas e pudim no vapor. Experimentei pela primeira vez o chá do Exército, quente, forte, com leite enlatado e muito doce. Recebemos cigarros e tratamento de primeiros socorros para nossos pés feridos e machucados. E dormimos em segurança, enrolados em cobertores do Exército, em uma tenda.

A novidade, a agitação e o excitamento daquilo tudo me distraíam. Eu não tinha tempo de ficar parado e descobrir o quão próximo me encontrava do colapso. O café da manhã, no dia seguinte, absorveu minha atenção — mais chá, carne enlatada, queijo e manteiga australiana, pão incrivelmente branco, fatias de bacon e geleia.

A eliminação dos piolhos foi um processo completo. Tiramos todas as roupas — os sobretudos de pele de carneiro, as *fyfaikas*, os coletes de pele, as toucas, máscaras, calças acolchoadas, sacolas e perneiras de pele — e as empilhamos ao ar livre. Os cobertores com que havíamos dormido foram atirados por cima de tudo. Cabelos e pelos corporais foram raspados, embrulhados e atirados em meio às roupas. Sobre a pilha, eles despejaram gasolina e, de repente, ela irrompeu em uma fogueira crepitante, despejando fumaça negra no ar ensolarado e claro. Tudo se foi, consumido pelas chamas.

Kolemenos disse:

— Espero que esses malditos piolhos morram cruelmente. Eles se divertiram muito à minha custa.

Virei-me para ele e ele para mim. Depois todos trocamos olhares, e as gargalhadas brotaram em nós. Percebemos que estávamos nos mirando pela primeira vez — vendo as linhas do rosto, o formato da boca, o ângulo do queixo e o aspecto do rosto de homens que, durante um ano e 6.500 quilômetros, tinham compartilhado um esforço triste pela sobrevivência. Parecia a coisa mais cômica que já nos acontecera. Eu nunca havia pensado no que poderia existir sob os cabelos desgrenhados, e nem tampouco, suponho, eles tinham. Foi como a fantástica revelação da meia-noite de um longo baile de máscaras.

— Ei, Zaro — disse eu —, você é um cara boa-pinta.

— Você também não é nada mau — replicou ele.

E *mister* Smith não era tão velho quanto eu imaginava, agora que estava com o cabelo grisalho raspado. E Kolemenos, apesar dos estragos que nos marcavam a todos, era belo como um homem grande e de corpo forte podia ser. Ficamos sentados ali rindo e brincando em nossa nudez enquanto o fogo crepitava.

Limpos e esfregados, com cortes, feridas e arranhões tratados, estávamos prontos para a reentrada na comunidade civilizada. Recebemos roupas de baixo brancas e novas, camisas grossas, meias e tênis de lona, e, para arrematar, elegantes chapéus de feltro do tipo australiano. Smith se vestiu com calma e cuidado, mas os outros três o fizeram apressadamente, em uma corrida entusiasmada para ficarem prontos primeiro. Examinamos uns aos outros e gostamos do que vimos. Fizemos piadas com a desoladora brancura de nossos joelhos.

Eles nos levaram para oeste. Eu tinha uma sensação curiosa de desinteresse em relação a isso, como um naaador exausto que se permite ser carregado pela maré durante uma prova no mar. Chegamos a uma pequena cidade militar, mas não tive a chance de olhá-la. Fomos imediatamente enviados para o alojamento dos doentes.

O médico do Exército estava esperando por nós e nos examinou com um ar grave, os olhos apertados por trás dos óculos de tartaruga. Ele balançava a cabeça, afinada na parte de cima, em reconhecimento às respostas de Smith para suas perguntas sucintas. Tinha cerca de 40 anos, era do tipo ativo e simpático por trás da fachada de competência impessoal. Precisávamos de muitos cuidados, disse ele ao americano e de ter calma. A recuperação poderia levar um longo tempo.

Eles nos mantiveram ali durante alguns dias. O médico nos tratava com remédios e pílulas. Passávamos o tempo ociosamente. Comíamos magnificamente e nos ofereciam muita fruta fresca. Kolemenos divertia a pequena equipe com seu apetite tremendo. Tínhamos permissão para fumar com a frequência que desejássemos.

Foi ali que nos separamos temporariamente de Smith. Ele disse que seria levado para ver as autoridades americanas.

— Vocês três vão ser levados para Calcutá. De qualquer modo, eu vejo vocês lá.

Apertamos as mãos. Parecia não haver nada que pudéssemos dizer.

— Mantenham-se animados — disse ele. — O médico disse que a gente ainda vai ficar um bom tempo doente até se recuperar da viagem. Mas ele diz que, com a atenção necessária, num hospital grande, a gente vai ficar bem.

Eu achava que não estávamos tão doentes assim, e disse isso. Não tinha consciência, então, de que estava tendo uma sensação de bem-estar que era falsa, de que me encontrava um pouco embriagado com a excitação daqueles últimos dias maravilhosos e de que o acerto de contas ainda estava por vir.

Ele partiu como um personagem que sai de um sonho. Zaro disse:

— A gente vai encontrá-lo em Calcutá. — Como se a Índia fosse um país pequeno e Calcutá ficasse ali na esquina.

Era como sentíamos a coisa. Tudo nos era providenciado. Éramos homens sem força, contentes por sermos carregados adiante. Toda aquela urgência insistente e a resolução férrea do último e amargo ano nos abandonara. Estávamos mais doentes do que imaginávamos.

Tenho uma ligeira recordação da viagem a Calcutá, de que foi longa e cansativa e de que me encontrava em um estado de depressão aguda. Fumávamos sem parar.

Era um sintoma de nossa condição, imagino, que, quando fomos conduzidos de ônibus pelas ruas apinhadas e barulhentas de Calcutá, sentíamo-nos animados como crianças, apontando as coisas um para o outro, em um bom humor quase histérico. Eu poderia ter me convencido então de que a recuperação já começara, mas estava sendo iludido mais uma vez pela febre de uma diversão nova.

O ônibus entrou pelos altos portões de um hospital, e um assistente levou Zaro, Kolemenos e eu para um exame médico preliminar. A princípio, tivemos problemas com a dificuldade da língua. Depois de um tempo, ficou claro que, entre nós todos, sabíamos falar russo, polonês, francês e alemão — mas não inglês. Por fim, fomos entrevistados por um funcionário que falava francês. Eles queriam nosso histórico médico desde a infância. Então Zaro relatou a ele nossos sarampos, coqueluches e cirurgias. Tudo isso foi anotado em uma série de fichas. Fomos examinados por médicos, fomos pesados, medidos. Deram-nos banho, vestiram-nos com pijamas e meteram-nos na cama em uma longa enfermaria; Zaro e Kolemenos um do lado do outro e eu em frente, na direção diretamente oposta.

Lembro com perfeita clareza meu despertar no dia seguinte: uma visão imaculada de uma irmã enfermeira de pé ao lado da minha cama, colocando seu braço forte e moreno contra o meu, branco, e brincando comigo até que eu sorrisse para ela. Depois, veio o café da manhã, com ovos frescos, pão branco, muito fino, e manteiga.

Voltei a dormir naquela manhã e caí em um poço sem fundo, que me tirou toda a consciência e memória por quase um mês. Soube do que aconteceu mais tarde, e foi *mister* Smith quem recolheu a história e a contou para mim.

Eles me deram sedativos e passaram um dia e uma noite me observando. Enquanto isso, Zaro e, depois, Kolemenos perderam a consciência também. À noite, eu gritava e delirava como um louco. Fugi dos russos de novo; cruzei desertos e montanhas. E a cada dia só comia a metade do pão, escondendo furtivamente o resto embaixo do colchão ou na fronha. Todos os dias eles retiravam gentilmente meu tesouro precioso, falavam comigo e traziam grandes bisnagas de pão da cozinha, dizendo que eu não precisava me preocupar mais. Sempre haveria pão. Essas garantias não me diziam nada. Eu continuava a juntar pão para o estágio seguinte da minha fuga.

O clímax aconteceu cerca de dez dias depois, contaram-me. Depois disso, fiquei mais sossegado, muito fraco, exausto e na lista de pacientes de risco. Kolemenos e Zaro também estavam mal.

No entanto, disse a equipe do hospital, nenhum dos outros dois se equiparou à minha performance durante a segunda noite da minha passagem pela enfermaria. Peguei meu pão escondido, enrolei o colchão, as roupas de cama e os travesseiros e, para espanto de todos, porque não acreditavam que eu ainda pudesse ter tanta força, parti cambaleante sob aquele peso em direção à porta. Quando eu estava ainda enrolando a roupa de cama, a irmã da noite chamou o médico, que disse:

— Deixe-o; vamos ver o que vai fazer.

Na porta, o médico, a irmã e dois assistentes impediram minha passagem. O doutor se dirigiu a mim com a suavidade com que se fala com um sonâmbulo. Eu continuei. Os assistentes me seguraram, eu soltei a bagagem e lutei contra eles com fúria selvagem. Foi preciso que os quatro me segurassem e me levassem de volta para a cama. Eu não tenho lembrança do incidente.

Um mês depois de ser internado no hospital acordei uma manhã me sentindo descansado, como se tivesse dormido a noite inteira sem sonhos e confortavelmente. Não consegui acreditar quando me disseram que minha noite tinha durado um mês.

Mister Smith veio nos ver. Parecia esbelto e elegante em um traje civil leve. Durante uma semana, disse, eu estivera entre a vida e a morte. Ele viera me ver uns dois dias antes, mas eu não havia demonstrado nenhum sinal de tê-lo reconhecido. O americano falara com os médicos sobre nós e lhes contara com detalhes o que havíamos passado.

— Você vai ficar bem agora, Slav — disse ele.

Smith fez um gesto na direção em que Zaro e Kolemenos estavam sentados na cama, sorrindo para nós:

— E eles também.

Um dos soldados que era paciente na enfermaria quis saber nossos nomes. O americano lhe disse, mas ele tinha dificuldade para pronunciar as sílabas estranhas. Chegamos a um acordo. Tornamo-nos Zaro, Slav e "Garotão".

Nossa história se espalhou. De outras partes do hospital, membros da equipe vieram dar uma olhada em nós. Os soldados britânicos da nossa enfermaria nos cumulavam de gentilezas. Um deles passou o chapéu e foi recolhendo cigarros, dinheiro, chocolate, pequenas lembranças pessoais e dividiu tudo entre nós.

O americano veio nos ver de novo mais tarde. Deu-me uma cigarreira de prata e algum dinheiro.

— O que você pretende fazer quando melhorar, Slav?

Disse-lhe que só havia um caminho para mim. Como oficial, devia reingressar no Exército polonês.

— Você tem certeza de que é isso o que quer fazer?

— É a única coisa que posso fazer.

— A gente vai se encontrar depois da guerra, é claro. Onde vai ser, Slav?

— Em Varsóvia — disse eu.

E anotei para ele o endereço da casa da minha família na cidade.

— Vai ser muito bom — falou ele. — Vamos nos encontrar em Varsóvia.

Um oficial britânico e um intérprete polonês vieram me ver. Foi uma conversa longa, com as características de um interrogatório de segurança, mas sem grandes tensões. Um longo catecismo sobre a Polônia, seu povo e sua política para testar minha boa-fé. Depois, os russos e a jornada, tudo de novo.

O intérprete voltou sozinho no dia seguinte, trazendo-me de presente meia dúzia de lenços brancos e uma piteira indiana de marfim. Ele disse que estavam providenciando transporte, por meio dos britânicos, a fim de que eu me reunisse às forças polonesas que estavam lutando com os Aliados no Oriente Médio.

Na noite que antecedeu minha partida, Kolemenos, Zaro e eu fizemos uma despedida na cantina do hospital.

Mister Smith veio me dar adeus naquele último dia, trazendo-me uma mala pequena de fibra para que eu colocasse meus poucos pertences. Eu tinha resolvido que minha despedida de Zaro e Kolemenos seria a menos dolorosa possível. Dissemos adeus na enfermaria e os soldados gritaram "Boa sorte", "Tudo de bom, Slav" e coisas do gênero. Caminhei em direção à porta, com Smith à minha frente. Zaro e Kolemenos vieram atrás. Eu queria que ficassem onde estavam, mas eles continuavam a me seguir. Virei-me à porta, e o grande Kolemenos correu e me abraçou; depois, veio Zaro. E as lágrimas brotaram, de maneira que tive de me arrancar dali à força. O americano caminhava ao meu lado, assoando o nariz com um lenço.

Ele tomou o ônibus comigo até Calcutá, onde o deixaram.

— Se cuida, Slav — disse ele. — E Deus o abençoe.

O ônibus partiu em direção ao campo de trânsito onde eu devia aguardar o embarque das tropas para o Oriente Médio. Olhei uma vez para trás, em sua direção, e ele acenou.

De repente senti-me privado de amigos e de tudo, tão desolado e sozinho quanto um homem pode ser.

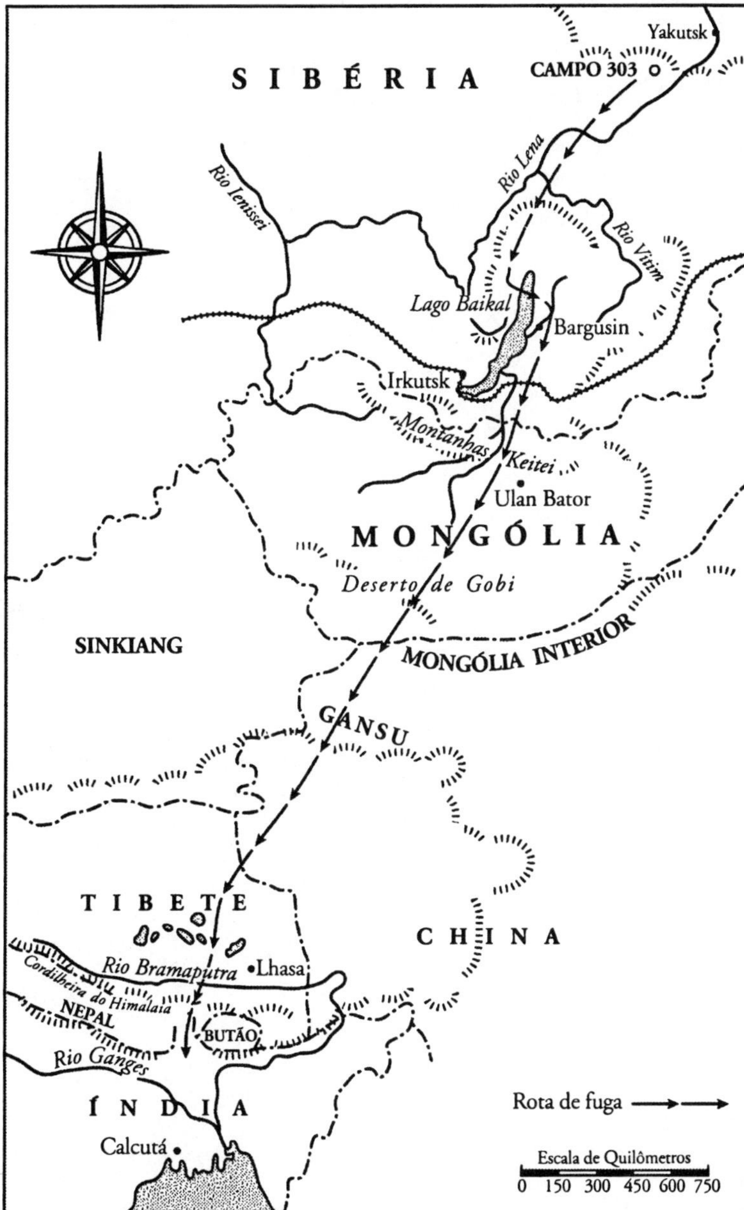

Yakutsk
SIBÉRIA
CAMPO 303
Rio Ienissei
Rio Lena
Rio Vitim
Lago Baikal
Bargusin
Irkutsk
Montanhas
Keitei
Ulan Bator
MONGÓLIA
Deserto de Gobi
SINKIANG
MONGÓLIA INTERIOR
GANSU
TIBETE
CHINA
Rio Bramaputra
Lhasa
Cordilheira do Himalaia
NEPAL
BUTÃO
Rio Ganges
ÍNDIA
Calcutá
Rota de fuga
Escala de Quilômetros
0 150 300 450 600 750

Este livro foi composto na tipologia Adobe Garamond Pro,
em corpo 11,5/3,5, e impresso em papel off-white 80g/m²
pelo Sistema Cameron da Distribuidora Record
de Serviços de Imprensa S.A.